KB086506

영인

이충무공전서

* 表紙 題字: 『李忠武公全書』(內閣本, 1795) 속표지에서

석오역사연구자료 시리즈 3

영인
이충무공전서

李忠武公全書 影印

(재)석오문화재단 한국역사연구원 기획

태학사

차례 — 영인 이충무공전서

李忠武公全書 卷首

教諭

賜祭文

李忠武公全書 卷之一

詩

雜著

李忠武公全書 卷之二 目錄 …… 七三

李忠武公全書 卷之二

狀啓 一

李忠武公全書 卷之三 目錄 …… 一〇三

李忠武公全書 卷之三

狀啓 二

李忠武公全書 卷之四

狀啓 三

李忠武公全書 卷之五

亂中日記 一

李忠武公全書 卷之六

亂中日記 二

李忠武公全書 卷之七

亂中日記 三

李忠武公全書 卷之八

亂中日記 四

李忠武公全書 卷之九

附錄 一

李忠武公全書 卷之十

附錄 二

李忠武公全書 卷之十一

附錄 三

李忠武公全書 卷之十二

附錄 四

李忠武公全書 卷之十三

附錄 五

李忠武公全書 卷之十四

附錄 六

*이 책은 1795년 내각(규장각)본『李忠武公全書』를 영인한 것이다.

内閣裒輯

李忠武公全書

乙卯活印

綸音

四昨祇拜於　皇壇爲　神皇忌辰也其日色見忠臣

之遺裔儒以試製武以試射而永惟再造之　皇恩推及我國之忠臣欲

書篆首表章忠武公李舜臣之功烈因此思之以文正公宋時烈倡明大義許其子孫拜叅

于望拜之班已爲成式况忠武之受皇朝都督之誥印

者乎忠武後裔依
文正家例使之叅
班 壬子七月二十六日
近閱李忠武遺事

追想露梁之戰不
覺撫髀長歎 天
朝副摠兵鄧公子
龍以七十老將提

二百勇士縱恣於
滄海上唾手而矢
滅狡虜其氣豪膽
麄可謂大丈夫哉

況欲居首功躍上
忠武之舟直前奮
突所俘獲無詐偶
觸火器中流延爇

賊乃傳之而猶力戰忠武馳救之與之同死其詳在徐希震東征記予嘗憖之取考

明史本傳有廟食朝鮮之語而未始有廟食焉康津之都督

祠堂又未之配其為欠典闕事孰大於是平壤武烈祠以追配駱叅將尚志事道伯達請朝廷既許之同時同事之人酬功報德之典豈或一為一

否使 天將之英
爽無所寄泊乎哉
天朝副摠兵鄧公
子龍陞配於陳都
督祠而初聞祠在

於南海追今箕城
駱公追配之時欲
與之同擧矣更聞

都督與忠武配享
於康津地誕報廟
之傍然則鄧公別
祠當配於是祠陞

配日遣官致祭忠
武既同享一體致
祭鄧摠兵與忠武
公同時捐軀於露

梁而忠武專享於
南海忠烈祠云忠
武遺事近令內閣
撰成全書待活印

印藏一本於本祠
仍行致祭 壬子八月十九日
是日何日也嗚呼
神皇再造之 恩

与天無極匪風之
感下泉之思將於
何寓其萬一乎旣
遣近臣晉審 奉

室申使武臣李源
往于宣武祠周視
之者蓋欲識此日
而此何足以識之

也象德報功有國
賊典况以小國陪
臣荷被 天朝寵
章而為天下名将

者李忠武是也昔
武寧王徐達之碑
皇帝臨書之有司
治其功謹敢遵傚

曾令該道斵石以
俟纂首之書下銘
詩之撰示昨年以
民事未遑為焉今

日召問忠武後孫
俾替其役且思之
忠武之之忠之武
歿後尚闕首相之

加贈實為欠事
有明水軍都督朝
鮮國贈効忠仗義
迪毅協力宣武功

臣大匡輔國崇祿
大夫議政府左議
政德豐府院君行
正憲大夫全羅左

道水軍節度使兼
三道統制使謚忠
武公李舜臣加贈
曰議政府領議政

贈職今日下批竪
碑日致祭前有知
委而贈官宣誥並
行於伊日莫曰春

秋無地可讀三傳
束之高閣此義此
理長在宇宙間與
日星並祿光輝烏

可不思講明之方
是日何日也 癸丑七月二十一日
上之二十年乙卯
九月十九日原

任 奎章閣直
提學大匡輔國
崇祿大夫行判
中樞府事臣李

秉模奉
教謹書

御製有明水軍都督
朝鮮國 贈効
忠仗義迪毅協
力宣武功臣大
匡輔國崇祿大
夫議政府領議
政兼領 經筵
弘文館藝文館

春秋館觀象監
事德豐府院君
行正憲大夫全
羅左道水軍節
度使兼三道統
制使諡忠武公
李舜臣神道碑
銘幷序

生而車服以寵之
讌饗以勞之管絃
以被之沒也祀之
五鼎養以世祿銘

乎旂常俾其耿光
姱節昭于上下配
于山川以主其陰
職而庇休福於民

胥先王之救功臣
也成周以還其法
浸泯焉然碑率之
有銘猶傳旂常之

遺義抑其特者君
之銘之也王朝之
篆首曰至德元老
徐達之篆首曰忠

志無疵歷千載幾
人哉嗚呼若我朝
之忠武公李舜臣
功惟應銘法予之

銘之尚亦無媿辭
哉忠武字汝諧世
爲德水人其生母
下夢其舅言兒生

必貴其命名舜臣
父貞聞而異之占
之曰吉年五十當
仗鉞爲名將忠武

旣負此異幼倜儻
且有大志及長射
藝絕倫中萬曆丙
子武科初仕邊屢

立奇功國人以將
才稱文忠公柳成
龍力薦于朝遂擢
爲全羅左道水軍

節度使時倭人聲
言寇我敵釁已成
忠武深憂之日夜
訓卒利兵治戰守

備別創船制爲伏
龜形名曰龜船習
水戰者比之蒙衝
壬辰倭大擧入拔

釜山東萊分道西
上忠武即引兵赴
玉浦攻焚賊船二
十餘艘會慶尚水

軍節度使元均于
露梁夾擊賊轉至
泗川焚十餘艘進
軍唐浦遇賊二十

餘艘殪其酋殲其
衆與全羅右水軍
節度使李億祺合
軍于唐項浦破賊

酋三層樓船誘至
閑山島又破大小
七十餘艘逐北至
安骨浦又燒破四

十餘艘軍聲大振
賊讋恐捷聞輒加
階至正憲癸巳朝
廷刱置三道水軍

統制使命以本職
兼之移鎭閑山島
於是元均耻受節
制數蜚語風言官

而忠武竟以逗遛
劾下吏均則代之
居數月我師敗績
元均走死朝廷復

以忠武爲統制使
忠武將數十騎馳
入順天府得兵船
十餘行收亾卒破

賊于蘭島已又迎
賊于碧波亭下破
三十餘艘斬其將
馬多時賊不能支

舉軍而遁戊戌
天將陳璘以廣兵
劉綎以川兵鄧子
龍以浙直兵先後

至忠武進據古今
島與陳璘合陣璘
心折其才筞器幹
凡軍中機密無不

咨決之言于我
宣廟曰李舜臣有
經天緯地之才補
天浴日之功又具

奏于 顯皇帝賜
忠武都督印綬旣
而關白死行長欲
撤兵約昆陽泗川

屯剋日竝進于露
梁忠武與 天將
整舟師謀協勦卽
船上祝曰今日固

決死天其許我殲
此賊乎祝已河魁
隕一軍惡之夜四
鼓邀賊鏖戰焚二

百餘艘尾擊不舍
至南海賊圍 天
兵數重忠武親冒
矢石直前突圍戰

方酣中流丸死之
距其生乙巳季五
十四朞明季子薈等
返葬于牙山甲辰

榮勳 賜號贈議
政府左議政德豐
府院君謚忠武立
祠于戰伐遺墟至

今俎豆不輟斯足
以救厥功乎悲夫
我國家人才之輩
出最稱 穆陵盛

際 皇朝命帥之
簡勁赴援者亦皆
一時之雋然當其
臾跳鰕擲海水羣

飛未有不退三舍
持兩端而八季之
間戰必勝守必保
國勢視以强弱賊

鋒爲之挫頓使環
土營窟之狡奴狼
顧不得逞而以基
我　烈祖中興之
功者維忠武一人
之力是賴不於忠
武特銘之而誰銘
且予聞之烝民之

詩所以述樊侯之
績而宣王之美於
是乎在臣之能有
成功君之明也夫
受君之命克終其
事以有功而以其
功載君之美於無
窮古之道也今之

銘詩之義存焉予
烏可已於銘乃加
贈議政府領議政
因其謚篆其首曰

尚忠旌武之碑又
序而銘之以詔諸
史氏銘曰
稽古司勳氏之銘

于策也曰勳曰功
曰多曰庸曰勞曰
力若忠武者孰不
曰功于戰于王于

國一戰而閑山盪
再戰而碧波晏三
戰而露梁無倭斯
不亦多乎謀士掉

其舌虎臣蹙其頸
而用 天子命惟
汝屬國之孤軍斯
不亦勳乎 翠華

反於土中赤子奠
於席上重恢我萬
億秊大東斯不亦
功乎於虖噫嚱烏

頭在閭牲石在隧
以卒受寵于篆首
之章江漢濯其靈
而日月齊其光

皇眀崇禎紀元後
三甲寅十月初四
日立

李忠武公全書総目

李忠武公全書総目

李忠武公全書卷首目錄

李忠武公全書卷首目錄

李忠武公全書卷首

教諭

授正憲大夫 教書

王若曰不世之才有不世之遇注意方隆非常
之報待非常之功懋賞何愛玆舉褒嘉之典式
酬超異之勞顧予寡昧之資叨守艱大之業廾
五載宵衣旰食計雖存於苞桑二百年文恬武
嬉民不習於戰鬬何意島夷之匪茹遽乘疆埸
之不虞彎射日之弧謂修 天朝舊怨鼓吠堯
之吻先撤我國邊封呼吸而破三都蹂躪而傾

八路失城郭山谿之固何有於金湯委兵革来
粟之多反資于寇盜念今乾淨之片地只餘湖
海之一方然官師土崩而屢奔而義旅響應而
難振六萬騎潰於鐵甸痛李洸輕敵而敗師二
千兵陷於錦山哀敬命臨危而授命失我固守
助彼長驅張風帆於海洋乍出乍沒簇霜鋒於
島嶼或散或屯倘非賈勇先登孰能敵王所愾
淮西士卒得裵度為之長城江左生靈微管仲
幾乎左袵惟卿業傳圯下才出山西藏甲兵於
心胷以身為膽塡忠義於骨髓憂國如家方守

魏尚之雲中遂制韓信之閫外嚴約束於部伍
何止三令五申整紀律於褊裨不愆六步七伐
中流擊士雅之楫酒泣登太真之舟勢若卷沙
命在破竹投舸艦於烈熖唐項之積屍渾江斬
鯨鯢於驚波閑山之腥血漲海無煩一鏃之失
獲收全勝之勳振王靈於遐荒奚但作一隅保
障攘兕魑於遠邇亦足為諸道聲援尤可幸者
愚民昧天地常經薄俗失忠義大節聳將袖手
爭先棄甲曳兵列郡望風只知開門納敵念非
卿之勇烈誰與國而存亡禮樂當年深悔不知

於絳灌干戈此日始識何狀之眞卿雖卿職分
當為在予崇奬可已玆授卿以正憲大夫仍前
職卿之報予已懋予之望卿益深更體予懷勉
率卿績風霜絕塞車駕播越於孤城戎馬故都
園陵隔絕於千里思歸一念如水東流惟幸賊
勢之向衰可占天心之悔禍亘鐵騎於遼左
天兵日臨指義旗於海西烈士雲集勝筭可運
於掌上窮寇已在於目中矧湖南之雄藩實吾
東之重地人材府庫親上死長者必多武士精
強蹶張超乘之寧少宜致同聲相應足使一鼓

無前作脣齒於列營成犄角於隣道毋或撞破空艦以絶歸途必須引出大洋以便逐躡餘難逞制卿可自籌歲星守箕皇天昭福德之兆太白入月高秋助肅殺之威興復之望在玆廓清之期非遠於戱行百里者半九十里卿勿替於始終賞一人而勸千萬人予何吝於嚬笑時乎難得勗哉毋違故玆敎示想宜知悉

遣宣傳官勞軍 敎書

王若曰予以不辟遘玆弘亂如彼涉川罔有攸濟懍惕寅畏惟不克再紹基命是懼幸賴我

皇上聖德神威靡遠不屆亦惟我爪牙之士殫乃股肱心膂用能捍禦于艱迄使舊業庶躋重恢之域而近日以來醜毒滋稔巢窟猶牢緩頰狡謊難一二計連兵搶掠逾七八城月捷未奏羽報相續予心之痛曷維其已仍念卿等受命分閫竭智効力爰自變起終始戎行荐報大伐予是用嘉留屯戍役星歲已易海徼遐遠邊關敻邈艱辛疾苦蓋已極矣孰呻不問孰冤不察凡爾將士父不寧子夫不保婦荷戈長征肝腦塗地困頓踣斃萬目睽睽者皆予之咎每一念至如刃在肚况今歲聿其暮商飆漸爽浮寄孤懸羈旅瘝曠雨雪楊柳情必不堪予嘗襲重裘則念爾之無衣何以燠之對饈飧則念爾之無食何以飽之當中夜則念爾之鳴柝通宵居邃寢則念爾之暴露不休念玆在玆詎或少弛雖緣國計已竭民力已瘵不能使爾有挾纊宿飽之樂而恫瘝之切則蓋不啻在已而已焉惟其始不得涵濡惠澤奠爾於袵席終不得拯濟塗炭脫爾於鋒刃予實負之爾何辜焉繼自今其有害于爾身疾于爾心爲爾螟蟊作爾秕類而

爾所不得告者爾勿以堂陛爲遠嚴威爲畏籲爾悃愊靡有不悉予當畢軫隱瘼爲爾祛之抑兇徒劻勷睨眴難測籌思方略想已周盡肆遣宣傳官特布予一人軫惻之誠兼察其軍中形勢綵段三端分送卿等又以卿等子壻弟姪中一人命之除官以報卿等之勞且令觀察使收集木綿散給爾將士此雖非淄青之萬緡亦可知朝廷德意之所存噫三京雖曰已復賊勢猶且張甚腹心之禍未除根本之患尚存不於此時濯征迅掃致 宗社於永安則將來之憂有

未可言卿等素秉貞亮必有深謀遠識先定乎此者其可不益勵急難之義益盡殉國之忠永肩乃心以畢予志乎於戲簞醪投河縱愧古人之分惠泰山若礪佇待曠世之完功故玆教示想宜知悉

授三道統制使 教書

王若曰司命三軍史稱推轂之重所貴要領易著輿尸之凶理有必然事非常例惟卿一生苦節萬里長城糾合殘兵在全羅慶尚之要害邀擊強寇奏閑山唐項之奇功勤勞表著於諸營

褒秩屢煥於三捷顧兵家所深惡曰統御之無人各占形便豈云如臂之使指不相管攝未免後至而先逃適際蒼黃未有處置矧今賊勢之未艾其奈詐謀之益深斂鋒鋩於釜山陽示捲回之意運粮餉於滄海陰有再舉之謀策應之難有甚疇曩玆用卿以本職仍兼全羅忠清慶尚三道水軍統制使嗚呼威克愛允濟功惟志可崇閫帥以下不用命者卿可以軍法施行行伍之中有頑鈍者卿可以忠孝策礪海外有截四方以無侮惟卿之能榻側容鼾三邊未息肩

惟卿之恥卿勗哉於戲舊都入望新亭足悲凶奴未滅何以家卿幸銳意於大伐寸土不復非為國余豈自安於小成頹徇初服之良圖勉卒中興之盛業故玆教示想宜知悉

遣兵曹佐郎勞軍犒饋 教書

王若曰值國家未堪多難方急外禦之謨念王師不遑啓居用慰遠征之苦肆播一語誕告三軍顧惟閑山之要衝實是嶺海之交會控制三面壯虎豹在山之威限隔重溟截鯨鯢跨海之路泛千檣之舸艦守備是完擁一島之貔貅軍

聲遠振固我邊圉奠玆中邦念此賊共戴一天憫予身可容無地惟爾奮大義曾奏月捷之膚功用汝作長城足憑嶺表之聲勢痛梟惡罔悛於五載而殘毒尚肆於一方國為丘墟慘禍無有甚於此者兵乃凶器聖人不得已而用之寔由晋室之未寧以致齊戍之益苦介冑生蟣蝨那堪枕戈之勞餐宿犯風霜未見及瓜而代孤懸浮寄有羈旅艱苦之懷瘴霧蠻煙多疾疫死亡之患汝雖曰與子偕作予實憫惟爾獨賢有毋尸饔應灑望雲之淚將父來諗幾多陟岵之

思念之在玆思而不置況今秋風之漸緊想彼海國之多寒念汝無褐無衣服重裘而是愧哀爾載飢載渴對珍羞而何安玆特遣都監郎廳兵曹佐郎崔東立以霈犒賞之恩用示慰諭之典無遠不屆奚異面命而耳提有誠必孚可使淪肌而浹骨予既推心而置腹爾宜為國而捐軀於戲物薄單醪雖愧古人之分惠恩同挾纊庶幾我士之竭忠終期餘孽之就誅佇看隻帆之不返生靈奠高枕竟致王室之清平邊封脫兇鋒永誓山河之帶礪故玆教示想宜知悉

起復授三道統制使 教書

王若曰嗚呼國家之所倚以為保障者惟在於舟師而天未悔禍兇鋒再熾遂使三道大軍盡於一戰之下此後近海城邑誰復屏蔽而閑山已失賊何所憚燒眉之急迫於朝夕目下之策惟當召聚散亡收合船艦急據要害去處儼然作一大營則流逋之衆知有所歸方張之賊亦庶幾乎式遏而膺是責者非有威惠智幹素見服於內外則曷能勝斯任哉惟卿聲名早著於超授閫寄之日功業再振於壬辰大捷之後邊上軍情恃為長城之固而頃者遞卿之職俾從戴罪之律者亦出於人謀不臧而致今日敗衄之辱也尚何言哉尚何言哉今特起卿于墨衰拔卿于白衣授以兼忠清全羅慶尚等三道水軍統制使卿於至之日先行招撫搜訪流散團作海營進扼形勢使軍聲一振則已散之民心可以復安而賊亦聞我有備不敢再肆猖獗卿其勗之哉水使以下並節制之其有臨機失律者一以軍法斷之若卿徇國忘身相機進退在於已試之能予曷敢多誥於戲陸抗再鎮河上克盡制置之道王遜出自罪籍能成掃蕩之功益堅忠義之心庶副求濟之望故玆教示想宜知悉

策宣武元勳 教書

王若曰藎臣之乂國家惟滅敵可以報主聖王之獎勞伐惟昭德可以酬勳予以備極哀榮于以崇勵義烈追舉茂典式褒元功予循覽古初灼觀往牒將有板蕩之大亂致烝黎之虔劉必生魁傑之異人俾康濟乎屯否使其才全文武識洞幾權智足以挾萬人之能勇足以奪三軍

之氣用能捍衛社稷安國祚於幾亡盪殲鯨鯢
挫敵勢於方熾似周家再造恃方名之竭誠若
唐室中興仗李郭之協策豈容異代專美斯人
天降劃于我邦予未堪於多難痛　九廟之腥
穢無以舉顏哀八路之芟夷每至惕慮疇敢整
旅而赴急莫肯殉節而捐軀慷慨輸擊楫之忠
孰為祖逖之奮義感激洒登舟之涕賴有溫嶠
之誓師方賊艦之直指湖南獨水兵之沮遏海
道向非累捷將毒痛乎炎維若逞兇圖必禍延
乎西鄙保疆場而奠重恢之業集散亡而摧再

舉之鋒是豈特名震於戎垣抑可謂勳冠於恢
運言念英槩特踈異恩卿稟焱勇於山西傳異
書於濟北胷吞變化謀出鬼而入神手斡風雲
氣軒天而撼地早歲定遠之投筆餘事養叔之
穿楊及選材於韜鈐爰展效於障塞威行區脫
擒羯酋而靖邊秋熟營田防鹿島而却虜從白
衣之枉律蒙黃閣之賞能泉原剖符稍播於政
實沃州換履未試於教條遂自炎嶼之僉戎驟
開左海之幕府參神叡飛艓之制創為龜船蒐
習流擊櫂之夫嚴簡虎士凜若常對大敵屹然

如恃長城逮劇寇之羆吞阻巨溟之豕突泝流
湖右之節鎮駿走南郡之閫臣鐵軸牙檣鼓陽
侯而耀武熊幢羽旆撽天吳而折衝寧與賊而
俱生願為臣而致死玉浦奮擊天宇為之霽氛
露梁鏖糟滄海為之變血飛彈迸脰而色不動
砲火熏身而目不撓遂殲萬艘之斑衣俾戢其
荐食更活三韓之赤子孰較其雋功雖天討斯
行克掃蕩乎卉服然賊衆捲遁寔震疊乎戈船
乃授統部之權乃飭風寒之備軍聲丕振於服
遠方慴膽於殊隣朝命或廢於知難即埋冤於

鄭獄迄致艅艎之失水良由廟筭之乖宜予慚
負乎貞良亟還帥柄卿益勵乎忠憤直抵寧津
掇拾灰燼之餘收合瘡殘之卒十三樓櫓繞結
營於洋前百萬游魂俄滌盡於波上督戎旆而
罙入協　天將而前驅立盾避丸陳璘歎其制
變塗甲冐火季金服其出奇待看柱標於扶桑
坐銷祲於黑蜃何意神歸於箕尾遽隕星於黃
龍哭卿之淚當徹泉哀卿之懷常疚念魁台增
秩俾慰其明靈香火刱祠覿盡其酬答追兹定
封之日追畀表功之章鼎彝勒名冠羣公而揚

號丹青繪像首諸賢而紀庸裂三壤之胙茅蹟
一等之元祀恩綸渙冊錫備乎臧獲土田鐵券
丹書宥及乎子孫苗裔傳萬葉而毋替誓百代
而勿忘肆策勳爲宣武功臣一等超三階爵其
父母妻子亦超三階無子則甥姪女壻超二階
嫡長世襲不失其祿宥及永世仍賜奴婢十三
田一百五十結銀子十兩表裏一段內 馬一
匹至可領也於戲礪山帶河縱阻馬血之同歃
雲臺煙閣儼覩燕頷之容生蓋立偉績者報必
隆而享厚賜者勞必大惟卿精爽服我寵靈故

玆教示想宜知悉

命從水路邀襲賊船 諭書

從水路邀襲賊船使賊有顧後之慮此甚良策
故慶尚道巡邊使李鎰下去時已爲言送矣但
兵家進退之際必因機會可無誤事惟當先察
賊船多寡所經島嶼間無伏兵與否然後可以
爲之然此甚善策若事勢可行而不行則甚失
事機朝廷不可遙制在道內主將號令而已本
道既已通議云與慶尚道傳通相議相機制置

命與元均合勢攻賊 諭書

倭寇既陷釜山東萊又入密陽今見慶尚右水
使元均啓本則率各浦舟師下海以爲耀兵掩
擊之計此一大機會不可不繼其後爾與元均
合勢攻破賊船則賊不足平矣故遣宣傳官馳
諭爾其督率各浦兵船急赴毋失機會然千里
之外如或有意外之事則不必拘此

陞資憲大夫 諭書

軍興以來諸將一向敗退今此唐項浦之戰始
爲大捷特陞卿資憲終始勉勵及觀卿狀啓欲
以各牧場馬驅出馴養以爲陸戰之用卿其量

數驅捉分給將士待其成功仍爲永給

命率舟師截賊歸路 諭書

天朝大將李提督率數十萬精銳方圖蕩平箕
城海西京城將次第收復大兵進勦餘賊遁還
則不可不截殺於歸路卿其領率舟師臨機把
扼協力勦殺

二

天將提督府提督李如松領五十將官數十萬
精銳直擣箕城今月初八日蕩覆巢穴擒斬倭
將雷厲風飛勢若破竹將次次進討期使隻輪

不返卿其整齊舟師勵氣待候邀其歸路水戰
鏖殺大雪國恥

三

天兵既克平壤乘勝長驅假息兇賊逃遁相繼
京城之賊亦必遁歸卿其盡率舟師合勢勦滅
期使片帆不返

四

今觀接伴使李德馨等狀啓慶尚左監司韓孝
純報稱釜山東萊之間倭船多數到泊現有添
兵之勢極為可慮卿其整齊舟師撞破来船使

不得恣意下陸

命聽候經略 諭書

接伴使尹根壽書狀據戰船水軍盡數調聚整
齊於釜山海口勿使輕動聽候經略分付恊力
滅賊以雪國恥

命整船勦賊 諭書

今見宋經略移咨倭賊雖舉衆出城王子陪臣
尚未見還違我號令已令提督李如松張世爵
率大兵前進又速發號令慶尚全羅等道整頓
水陸軍兵各船速出釜山東萊各鎮各次停泊

其船隻則多多益善卿其照依咨文內事理整
槊兵船相機勦殺

命依經略言先焚釜山 諭書

宋經略分付據兩南水軍戰船一時齊會先焚
釜山等處留泊賊船且所領水軍戰船戰具幾
許與否先報于 天將使賊片帆不返萬一因
形勢不便不得焚滅則亦不得瞞報

命授副摠節制 諭書

今聞宋經略分付催督劉副摠綎使之率精銳
急勦倭賊卿其整槊兵船一聽副摠節制急急

勦滅毋或遲違

命送休水兵 諭書

卿為統制之任將三道將官水兵分為兩運使
之歸家送休兼備衣粮

命進鳥銃 諭書

京中遺在倭銃筒非但數少唐將亦求之卿所
得鳥銃擇其精好上送

二

聞朴晋之言慶尚之人雖得鳥銃放砲則未知
其法云在京時方教訓卿其鳥銃上送

三

爲銃在軍器寺及都監者合二百六十餘柄修
葺破壞次次分給訓鍊之軍而軍士應募者逐
日增加勢難遍給大抵器械不足則雖欲訓鍊
必不能如意聞本道前年舟師之戰奪取賊銃
其數極多往往龍頭木架壞破之故虛棄不收
云極爲可惜卿其收拾上送

命從權　諭書

聞卿尙不從權私情雖切國事方殷古人曰戰
陣無勇非孝也戰陣之勇非行素氣力困憊者

之所能爲禮有經權未可固守常制其遵予意
速爲從權並以權物賚遣之

賜祭文

英廟御製　賜祭文

嗚呼惟卿予嘗欽服粤在壬辰乃樹大節新製
龜船尙留今日巍然坐船想像嗚咽萬古樹風
百代其卓重回此年予懷何抑相臣提奏禮官
致酹遥瞻公祠卿孫甄錄嗚呼戊申卿忠庶續
不昧者存感予歆格

二

予於暮年慶會憶昔二十二人題名麟閣靜卧
興惟尋見舊閥同酹其傍惟古若昨特命賜祭
予懷何抑忠魂毅魄或千或億八旬此擧豈閒
于昔揚卿等功寔見今日代畫麟閣製文替酹
靈其不昧感予歆爵

當宁御製古今島遺祠　賜祭文

大亂之肇人爲時出晟奠唐社葛復漢室後千
百載合爲一人以靖島氛時在壬辰名聞　天
朝帝曰嘉乃王節金章璧壘增彩下拜受命鯨
海千疊舟創龜轉礮吼虎裂碧波閑山一瞥則

踢都督有書我覘乾象視彼河魁應在統制北
有大斗盍禳而祭卿且拚命旌旆入雲火起中
流及鄧將軍並櫓而馳有去無歸海國魚龍尙
讋餘威聽言遺祠在水一方謳吟下招有此巫
陽酒澠肴陵悉醉悉飽大江揚靈滌彼蠻獠

當宁御製贈領議政後　賜祭文

請量南溟　帝恩盈盈纖塵不動戰艦自橫孰
伏　天威永奠東土膺期而出曰有忠武昔者
豕突列郡解瓦灑涕擊楫卿時士雅一皷殲酋
賀酒將釃單車來代卿時望諸拾燼裹創再按

淮浙壁壘增彩卿時光弼鍾簴不改士女相慶
天生爲社卿時李晟偕我王師犬擣巢穴忍說
五丈嗚呼諸葛維牙之阡楸栢青青篆首紀常
吁嗟武寧卿有所受萬曆 天子旗章璽票鎮
伏南紀都督舊渥上相新榮隱卹之思亦酧於
卿

辛逝後 賜祭文 宣廟朝

粵自壬辰島夷猖獗列郡瓦解兇鋒孰遏卿於
是時首提海師一舉殪將大張我威雄據閑山
賊莫敢窺蔽遮江淮惟卿是倚上年之敗言之

痛矣使卿而在豈至於此易置失宜是予之罪
將伯求助何補輪載卿再受任承此潰裂收拾
板蕩招募散卒以寡敵衆克摧海賊中興功業
此其第一造艦營粮用智如神曾未周歲舊績
重新恊力 天兵進攻賊壘蒙衝一鼓士忘其
死 天將與歎虜魄自褫哀辭乞退即夷常態
縱賊生還尚可爲耶謀之不臧卿獨奈何伏甲
邀擊亦一奇計滅此朝食此志愈厲半夜潛師
冒死直前唾手鳴鏑賈勇身先將軍令嚴士氣
自倍煙消赤壁氛豁青海兵興七載未有此捷

繄誰之功非卿莫及那知天意竟難諶斯大事
垂成身還死綏可愛者卿功在 宗祊忠節炳
炳沒有餘榮人生於世一死難免死得其所如
卿者鮮長城一壞保障誰托邦之無祿視天冥
邈予實負卿卿不負予痛結幽明云何其吁贈
爵弔祭豈盡予懷遣官致辭惟以告哀

錄勳後 賜祭文 宣廟朝

滅賊匡國功莫如卿捐軀報主忠莫如卿紀功
行賞孰與卿爭擢置元勳未足褒旌今當會盟
激予衷情嗟彼諸臣咸造在庭誓指山河共保

恩榮獨此毅魂抱冤泉壤盤血誰歃富貴誰享
啜泣靡及倍深惻愴遣官奠菲聊寓予悲存亡
一理其庶知之

忠愍祠 賜祭文 宣廟朝

桓桓將軍智勇超羣提師海上再掃妖氛大勳
纔成將星遽隕言念忠槩爲之涕零爰創祠宇
妥安英靈靈兮有知享此惟馨

露梁忠烈祠 賜額祭文 顯廟朝

粵在萬曆島夷肆虐謂天可射嫁禍屬國蹂躪
八路宗社旒綴孰壯其猷手挽中否惟靈挺出

義烈㷭厲少也特立確守貞介初秉一障威憺
區脫擢帥南服鎖鑰有截寇賊豕突列鎮風靡
惟時雪涕投袂而起始還玉浦如朽斯拉前後
䍐鋒幾騰月捷大膊蛇梁貫將獻馘船搦伏龜
機秘莫測飛丸逆脰顏色弗改斑衣氣熸腥血
漲海若防制水咽喉是搤南土不聳狡酋死咋
既奏膚功督統肆界遽中搆嫉代斷血指再拾
灰燼鏖糟劇賊名徹　帝庭符印寵錫交歡
天將掎角殘孽賊竄而逃露梁斯遏挺身跳盪
賊乃蟻潰皷音未衰將星忽墜遺戒褊裨奮旅

殲敵餘威震蕩氛祲清廓予懷若人寤寐想像
烈烈其光炳烺穹壤蔽遮東南以基匡復力排
和議大義昭晢惟巡在唐曁岳于宋作配古人
曰忠曰勇載瞻南海遺蹟未沫波濤鬱怒精爽
如在妥靈有所棟宇重建風聲攸曁孰不思奮
惟我　先王拊髀興感餼牲有文特經　宸覽
玆揭顯額侑以肴醴保我邊鄙靈其不昧

温泉　行幸時　賜墓祭文 顯廟朝

山河鍾秀宇宙垂名堂堂忠義展也干城昔遏
南寇克壯海防累奏膚功我武維揚整頓戎機
截彼咽嗌保障兩湖千里妥帖寔界三方悉統
水軍孰為譎言撓我中權妄庸失律全師挫衂
再煩重寄遂起攣棘振礪創殘卒伍遺勸纔殲
劇賊遽報星隕敵摧身喪義彰功弘聲名燀爀
江漢無窮適予南行有懷良將拊髀興思倍覺
惻愴睠彼海曲一抔孤墳體魄攸藏盍酹英魂
玆遣禮官式陳泂酌明靈不昧庶幾歆格

顯忠祠　賜額祭文 肅廟朝

天之降難必生英特扶亡濟危全付丕責若漢
之亮身任興復暨唐有晟生為社稷烈烈惟卿

其殆庶幾大節精忠偉略沈機島夷啓釁其端
甚微衆所晏晏卿獨深憂屬制湖閫未雨綢繆
獸心果逞豕突誰遏躪釜劉萊列郡氣奪卿惟
屹若有截海防鐵鎖橫港龜艦駕洋刮骨援枹
灑泣誓衆焚艘殪酋涅齒震悚月捷交馳　天
書屢奬三路水軍俾卿兼掌閑山移鎮控扼咽
喉軍聲大振海氛將收云誰媒孽以刼代殺迫
其敗衂復畀重寄單騎勇赴收拾餘燼柁櫓干
盾廼葺廼繕旌旗變色士氣日奮指揮如神部
伍整肅露梁大膊躬冒矢石逋寇屏息京觀可

築胡天不惠將星隕耀功超慓醃義並高趙毅
身殉節古有此言身亡國活始見斯人士女巷
哭千里不絕　九重褒贈三事之秩鐵券追頒
旂常載烈湖嶺之人或祠或碣以寓悲愍至今
不忘膽茲牙城寔卿舊鄉祈連象塚翊在茲土
風聲所感多士景慕於焉創宇永圖揭虔肆因
籲章恩額載宣俾官命祭予懷增愴不昧者靈
尚此來饗

温泉　行幸時　賜墓祭文 肅廟朝

粤在龍蛇卉服猖獗列城瓦解兇鋒豕突　宗

社之危懍乎一髮卿時奮忠桓桓杖鉞跨海統
師長城其屹一鼓殲將賊乃氣奪虎韜神運龜
船箭疾扼險閑山蓄銳伺發膚功方奏簧血巧
捏將代騎刼兵敗趙括卿乃再起收募散卒旌
旗變色師不失律赤璧熖熾青海氛豁身犯矢
石勇倖刮骨將星俄晦海波長咽捐軀報主于
今國活　聖祖用懋贈以崇秩遺勳鐵券大書
珉碣名垂宇宙義揭星日適予温沐湖外駐蹕
祈連象塚緬想壯烈拊髀興思雲旗髣髴昔我
先王輦過薦苾爰遵舊章牲酌孔潔俾官致酹

庶幾歆歆

忠愍祠　賜祭文 英廟朝

昔在中葉未擾蠻奴蹈躪嶺湖遂劉三都兇鋒
所薄將蹶師碎孰齟其猖以張我氣天之生卿
實擬中興跨海誓衆月星晦冥遏茲三險燒賊
千艘餘寇死咋望麾遁走暫從吏議復起雲中
皇師陸勦卿扼海衝用戲再捌終集厥績　宗
社不隕果誰之力戰鼓方酣辦命旗下氣壯山
河義炳夷夏虎符綅綬　天子所褒諸葛美謚
聖祖餉勞暨予登阼忠節是奬中朝永歎感念

疇曩顧今時世屢經塵刼下泉之思無地可洩
亟命祀官咸秩愍典沁漢兩祠以及華院貞臣
義士遍加酹享若卿壯烈尤豈可忘露梁殷殷
維水淵淪遺祠在南風烈如存況彼睢陽有配
雷南茲命並侑尚來同歆

温泉　行幸時　賜墓祭文 英廟朝

天生忠武為我　社稷盡哉龍蛇匪卿曷國追
念當日凜然心寒憯彼島醜水陸并前邊塵告
警　乘輿已巡海防若壞邦國其顛卿獨屹然
作一長城蔽遮江淮蕩掃鯢鯨控于　行朝命

令不闋活我兩湖聲勢相倚畢竟與恢實基於
斯忠貫日月名震華夷功既如彼命胡多舛中
罹于譖卒殞於戰使卿安坐終始布展國恥夬
湔隻輪寧返然厥偉績秪今有賴鴞音克悛海
氛永霽遺風未泯賢孫繼出西原立㦗可繩祖
烈一門雙節于卿有光適予幸温睠彼遺塋洸
機雄略精忠烈氣死應磅礴壯我國勢爰依舊
典俾官薦卮想惟洋洋庶幾格思

圖說

都督印銅鑄高六分長五寸廣二寸六分鈕高二寸三分廣二寸二分厚五分　皇明水軍都督陳璘具奏公戰功于　顯皇帝帝嘉之賜公以都督印及令牌鬼刀斬刀督戰旗紅小令旗藍小令旗曲喇叭至今在統制營號八賜物統制使升帳親裨二人羽笠紅帖裏肩荷令牌營校四人肩荷鬼刀斬刀並與督戰旗紅藍小令旗分立于前按都督印　明史輿服志文武大臣領勑而權重者給以九疊篆銅關防是也

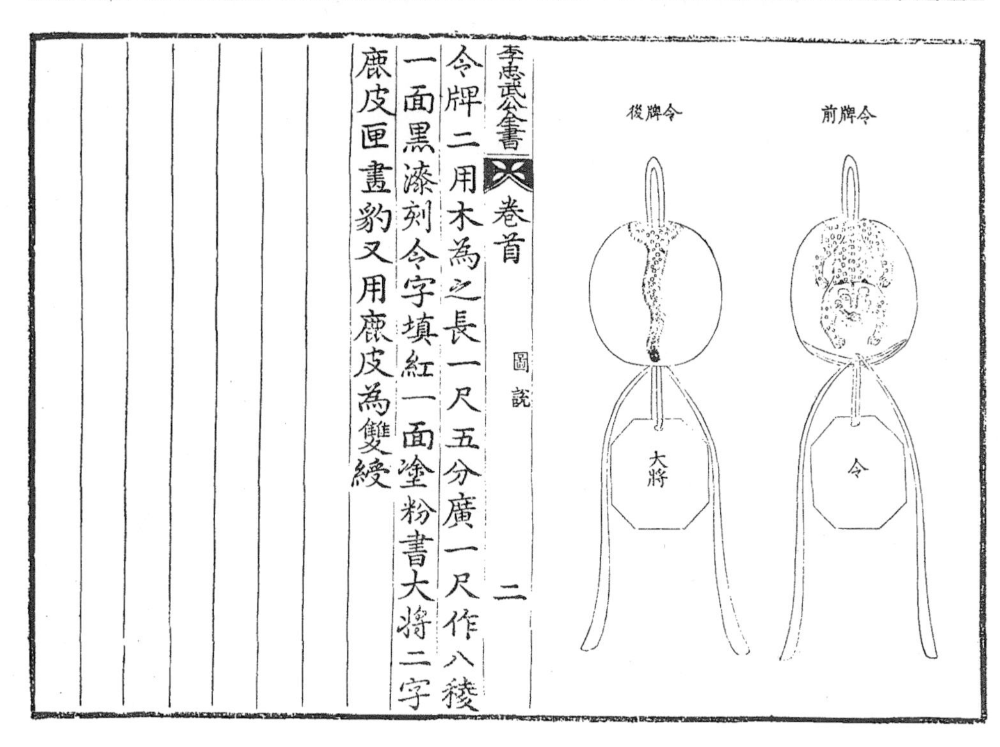

令牌二用木為之長一尺五分廣一尺作八稜一面黑漆刻令字填紅一面塗粉書大將二字麂皮匣畫豹又用麂皮為雙綬

鬼刀

斬刀

鬼刀二刃長二尺七寸五分廣二寸三分脊厚三分柄用檀木刻龍首呀口含鬼母鬼母頷下有鬼子足踏龍齒手執鬼母之耳環鬼身龍首並朱漆龍首用襍彩繪龍鱗通長四尺四寸五分刀環鋈鐵桐葉樣鞘用桐木裹紙朱漆襍彩繪龍鱗飾以鋈鐵龍頤貫黃銅環注朱絲綏

斬刀二刃長五尺九寸五分廣二寸脊厚三分柄長二尺二寸五分裹鮫皮朱漆牛皮條纏刀環銅鏤玲瓏菊花樣鞘用木裹牛皮朱漆飾以鋈鐵柄貫朱絲綏

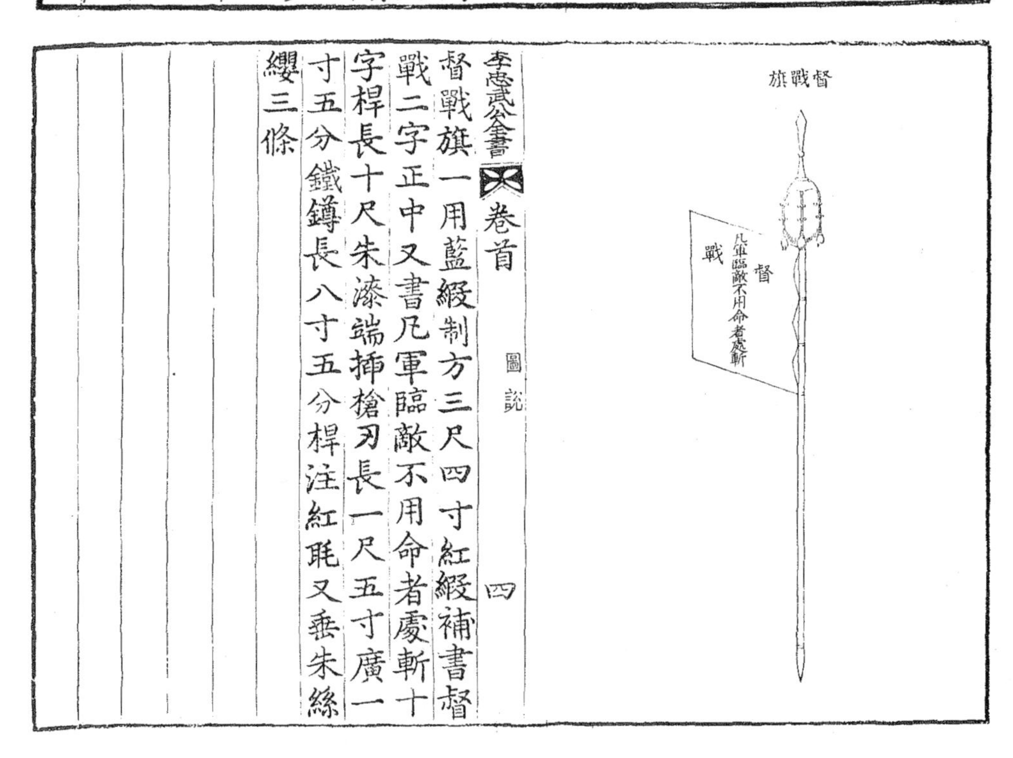

督戰旗一用藍緞制方三尺四寸紅緞補書督戰二字正中又書凡軍臨敵不用命者處斬十字桿長十尺朱漆端揷槍刃長一尺五寸廣一寸五分鐵鐏長八寸五分桿注紅旄又垂朱絲纓三條

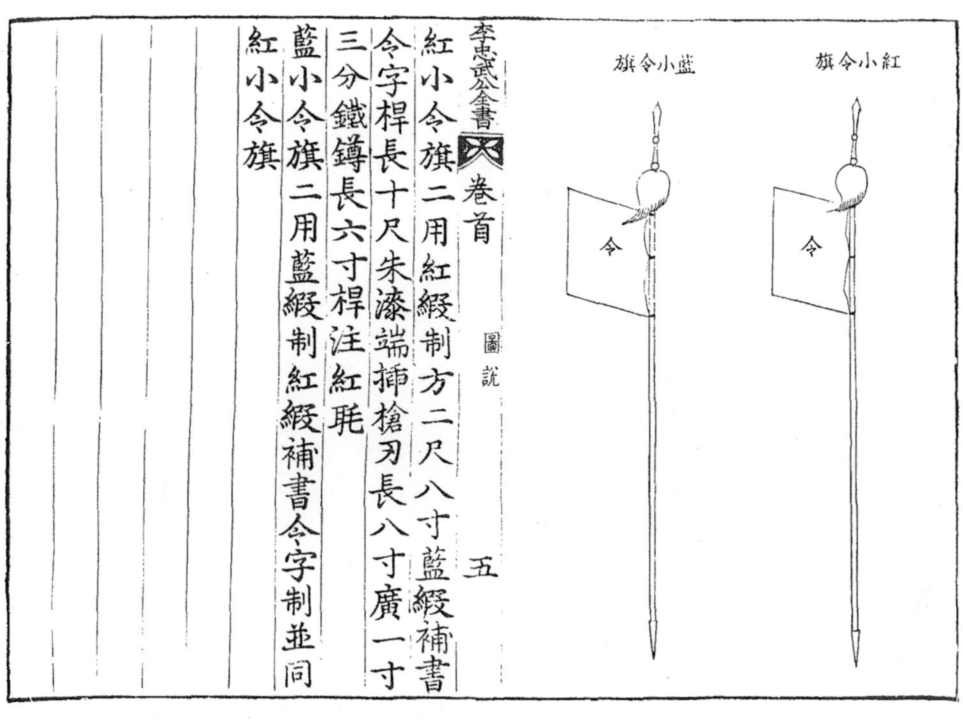

紅小令旗二用紅緞制方二尺八寸藍緞補書令字桿長十尺朱漆端插槍刃長八寸廣一寸三分鐵鐏長六寸桿注紅毦

藍小令旗二用藍緞制紅緞補書令字制並同

紅小令旗

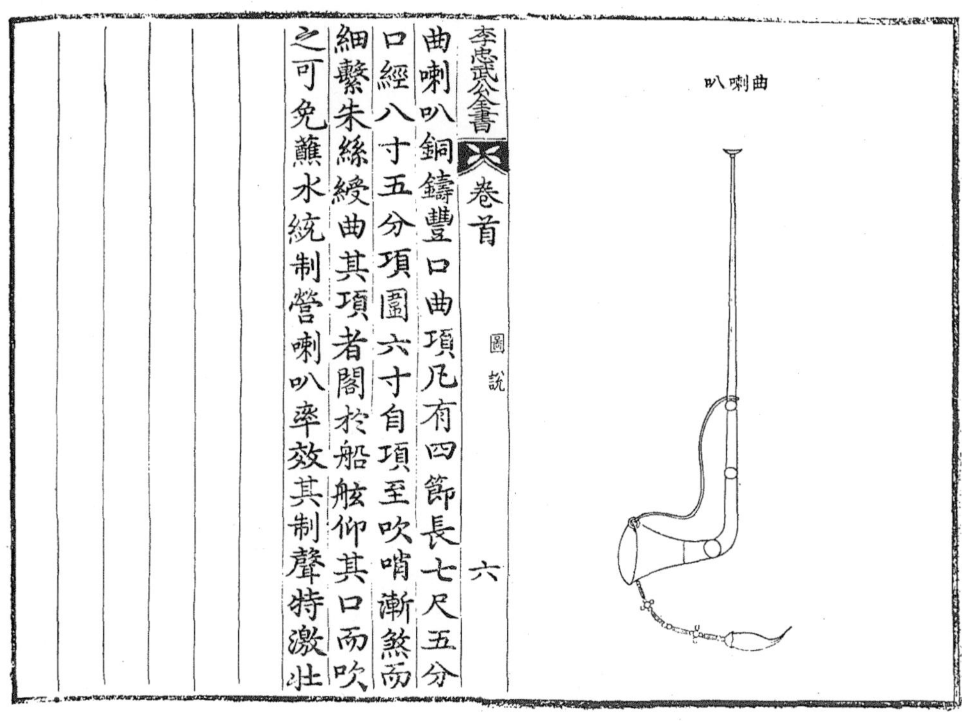

曲喇叭銅鑄豊口曲項凡有四節長七尺五分口經八寸五分項圍六寸自項至吹哨漸煞而細繫朱絲綬曲其項者閣於船舷仰其口而吹之可免蘸水統制營喇叭率效其制聲特激壯

龜船

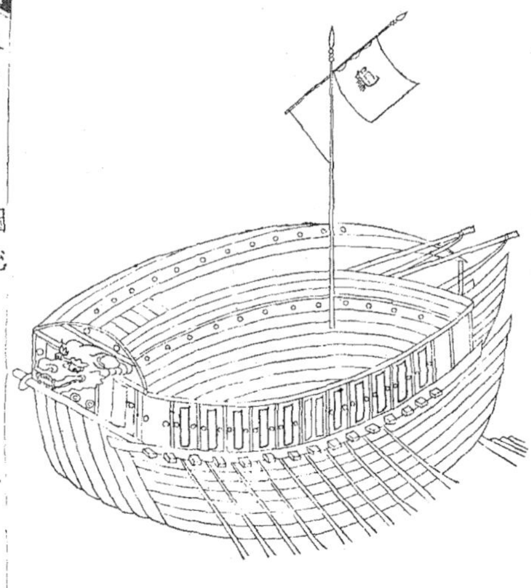

龜船之制底版(俗名本版)聯十長六十四尺八寸頭廣十二尺腰廣十四尺五寸尾廣十尺六寸左右舷版(俗名杉版)各聯七高七尺五寸最下第一版長六十八尺以次加長至最上第七版長一百十三尺並厚四寸艫版(俗名荷版)聯四高四尺第二版左右穿玄字礮穴各一舳版(俗亦名荷版)聯七高七尺五寸上廣十四尺五寸下廣十尺六寸第六版正中穿穴經一尺二寸挿舵(俗名鴟)左右舷設欄(俗名信防)欄頭架橫梁(俗名駕龍)正當艫前若駕牛馬之臆沿欄鋪版周遭植牌牌上又設欄(俗名偃防)自舷欄至牌欄高四尺三寸牌欄左右各用十一版(俗名蓋版又名龜背版)鱗次相向而覆鋪其脊一尺五寸以便竪桅偃桅艫設龜頭長四尺三寸廣三尺裏爇硫黃焰硝張口吐煙如霧以迷敵左右櫓各十左右牌各穿二十二礮穴設十二門龜頭上穿二礮穴下設二門門傍各有一礮穴左右覆版又各穿十二礮穴挿龜字旗左右鋪版下屋各十二間二間藏鐵物三間分藏火礮弓矢槍劒十九間為軍兵休息之所左鋪版上屋一間船將居之右鋪版上屋一間將校居之軍

兵休則處鋪版下戰則登鋪版上納礮于衆穴粧放不絶按忠武公行狀云公為全羅左水使知倭將猘創智作大船船上覆以版版上置十字細路以容人行悉以錐刀布之前龍頭後龜尾銃穴前後左右各六以放大丸遇賊則編茅覆上以掩錐刀而為先鋒賊欲登船則離錐刀欲來掩則一時銃發所向莫不披靡大小戰以此收績者甚夥狀如伏龜故名龜船 皇明華鈺海防議云朝鮮龜船布帆竪眠惟意風逆潮落亦可行即指公所創之船也然而並未詳言

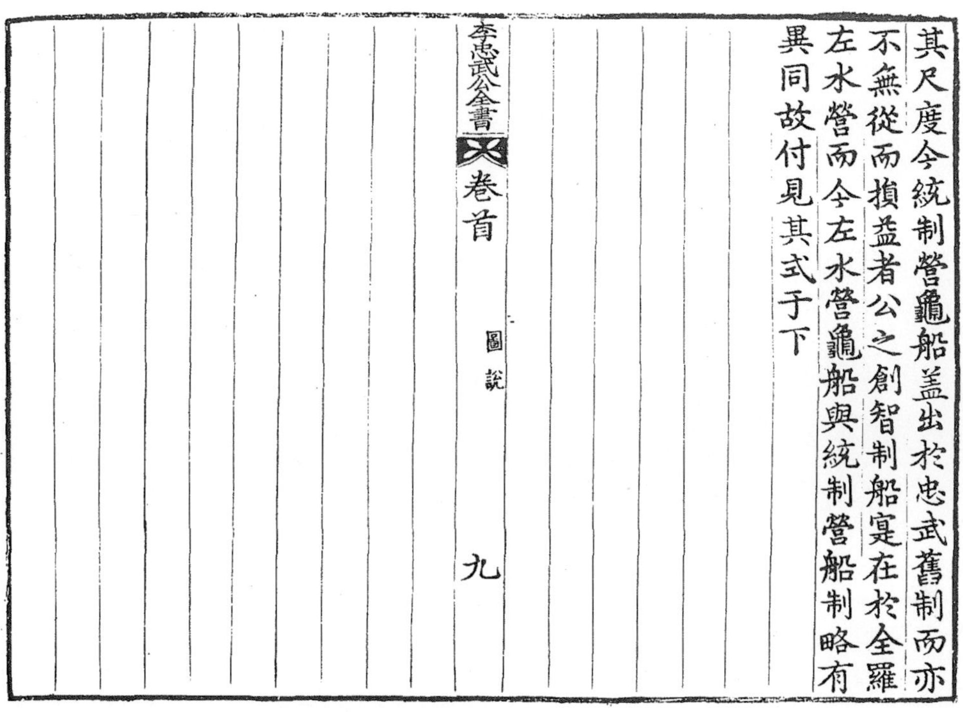

其尺度今統制營龜船蓋出於忠武舊制而亦不無從而損益者公之創智制船寔在於全羅左水營而今左水營龜船與統制營船制略有異同故付見其式于下

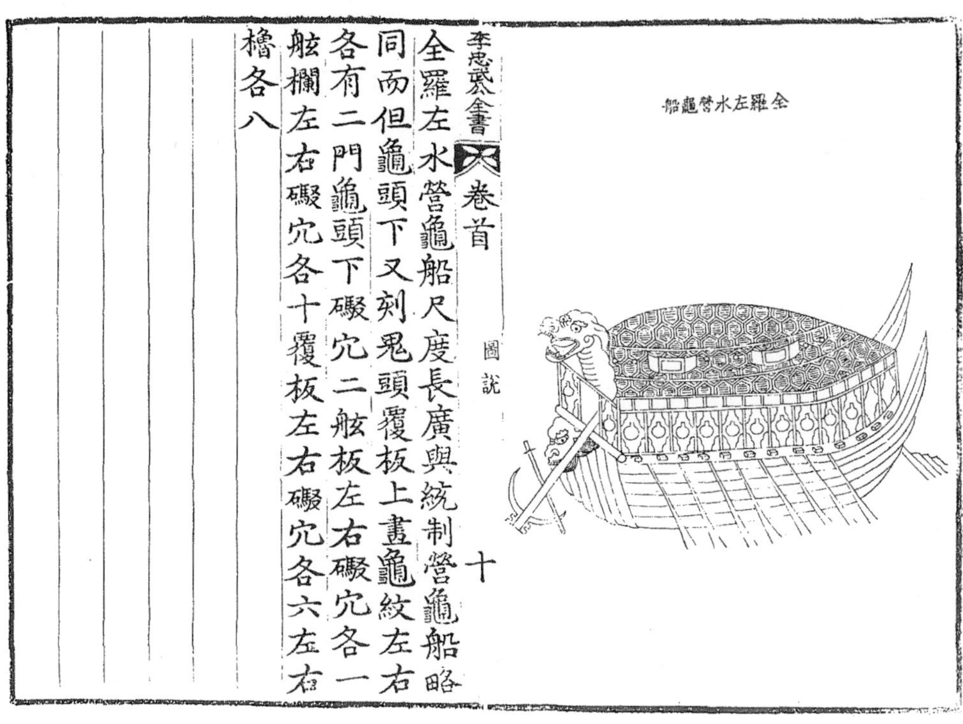

全羅左水營龜船尺度長廣與統制營龜船略同而但龜頭下又刻鬼頭覆板上畫龜紋左右各有二門龜頭下礮穴二舷板左右礮穴各一舷欄左右礮穴各十覆板左右礮穴各六左右櫓各八

長柄鎌

四爪鉤

長柄鎌刃長一尺六寸廣三寸柄用哥舒木爲
之長十四尺二寸横貫二釘以固鐔用此斜刮
船底禦泅賊

四爪鉤鐵鑄一本四爪爪各長九寸柄長一尺
五寸圍五寸柄端貫鐵連環索長二十八尺用
此擲拿賊船相去較遠則續以麻索與長柄鎌
皆忠武舊制

世譜

李氏姓貫德水

一代 李敦守 高麗中郎將 配黃驪李氏 校尉順珍之女

二代 子陽俊 保勝將軍 贈吏部尚書 配安東權氏 中郎將克平之女

三代 子劭 知三司事 贈上將軍 配務安朴氏 驛署丞有榮之女

四代 子允蕃 文科都事 贈左參贊 入

五代 子玄 贈左贊成

六代 子公晉 守司宰寺事 贈領議政 配草溪鄭氏 別將光祖之女

我 朝

七代 子邊 文科領中樞府事大提學 諡貞靖公 配陽城李氏 巡察使賢臣之女

八代 子孝祖 通禮院奉禮 配幸州奇氏 副使貴之女

九代 子琚 文科歷弘文博士吏曹正郎兵曹參議 配臨陂陳氏 縣令世蕃之女

十代 子百祿 生員 除參奉奉事 皆不就

十一代 子貞 贈補祚功臣 左議政德淵

十二代 子義臣 子堯臣

入己卯士籍 贈參判 配草溪卞氏 生員誠之女

義臣 贈參判 配晉州姜氏 司評世溫之女

府院君 配草溪卞氏 守琳之女

十三代 子蕾 察訪 子芬 文科正郎有學行 子蕃 參奉 子莞

子舜臣 子禹臣

堯臣 生員 配清風金氏 大顧之女

年十九隨忠武公討倭立功 萬曆己亥武科 天啓甲子以忠清兵使移義州府尹 丁卯胡亂力戰死之 贈兵曹判書 諡剛愍公 旌閭

子菶 武科僉節制使

子菱 武科主簿

舜臣

字汝諧嘉靖乙巳生萬曆丙子武科壬辰以全羅左水使討倭賊有功陞正憲兼三道統制使戊戌十一月十九日方征倭督戰於南海露梁中丸卒于舟中亨年五十四甲辰追策宣武第一勳贈左議政德豊府院君諡忠武公危身奉上曰忠折衝禦侮曰武命旌閭立祠當宁癸丑加贈領議政配尚州方氏郡守震之女墓於羅山下壬坐原有表石神道碑當宁甲寅立御製尚忠旌武碑

子薈

僉正贈左承旨子之白參奉贈左承旨子光亂參奉贈大司憲子弘著營將贈參判弘茂戊申逆變不屈而死贈參判旌閭弘著子鳳祥武科訓鍊大將戊申以忠清兵使殉節贈左贊成諡忠愍公旌閭

子荄

宣廟朝始仕光海時不仕癸亥改玉拜刑曹正郎贈左承旨

子葂

有膽略善騎射丁酉遇倭賊于牙山連殺三賊中伏刃而死未娶無後

庶子薰

武科甲子适變戰死於鞍

峴

禹臣

參奉

庶子藎

武科丁卯胡亂戰死於義州

年表

	二月	三月	四月	五月	六月	七月	八月	九月	十月	十一月	十二月
嘉靖乙巳正月		初八日子時公生									
丙午正月											
丁未正月											
戊申正月											
己酉正月											
庚戌正月											
辛亥正月											

	二月	三月	四月	五月	六月	七月	八月	九月	十月	十一月	十二月
壬子正月											
癸丑正月											
甲寅正月											
乙卯正月											
丙辰正月											
丁巳正月											
戊午正月											
己未正月											
庚申正月											
辛酉正月											

	二月	三月	四月	五月	六月	七月	八月	九月	十月	十一月	十二月
壬戌正月											
癸亥正月											
甲子正月											
乙丑正月											
丙寅正月									始學武膂力騎射莫有及之者		
丁卯正月	子薈生										

	二月	三月	四月	五月	六月	七月	八月	九月	十月	十一月	十二月
戊辰正月											
己巳正月											
庚午正月											
辛未正月	子䓲生										
壬申正月							赴訓鍊院別科馳馬跌左脚折骨以一足起立折柳枝剝皮裹				

之

萬曆癸酉正月	
甲戌正月	
乙亥正月	
丙子正月	中式年武科 拜咸鏡道董仇非堡權管
丁丑正月	子薈生
戊寅正月	
己卯正月	秋滿入爲訓鍊院奉事 佐忠清節度使幕府
庚辰正月	拜鉢浦水軍萬戶
辛巳正月坐事罷	敘拜訓鍊院奉事

壬午正月	
癸未正月	咸鏡南道節度使李戩奏置公幕府 拜乾原堡權管時藩胡鬱只乃大爲邊患朝廷憂之而不能擒討公設策誘之擒而斬之 陞訓鍊院參軍十五日考德淵府院君卒公千里戴星悲動行路
甲申正月	
乙酉正月	
丙戌正月	服闋拜司僕寺主簿時北胡作難朝廷薦公爲造山兵馬萬戶

丁亥 正月

兼鹿屯島田官以本島孤遠請添兵節度使李鎰不從賊果擧兵圍島公射殺賊酋鎰欲免

戊子 正月

閏月歸家朝廷薦武臣不可次擢用者公居第二

己罪誣言公敗軍朝廷命白衣從軍

己丑 正月

全羅巡察使李洸辟公爲幕佐

拜武臣兼宣傳官

拜井邑縣監

庚寅 正月

拜高沙里鎭兵馬僉節制使因臺言仍任

陞拜折衝將軍滿浦鎭水軍僉節制使又因臺言仍任

辛卯 正月

拜珍島郡守未赴任拜加里浦鎭水軍僉節制使又未赴任陞拜全羅左道水軍節

知倭冦必來本營及屬鎭戰具無不修備造鐵鎖橫截於前洋又創作戰船大如板

度使

屋狀如伏龜故名曰龜船

壬辰正月行本營及各鎮試射

登北峯烟臺觀新築往鹿島點船仍往鉢浦蛇渡呂島防踏鎮巡視

出往船上點京江船

十六日聞倭賊陷釜山急召諸將咸集本營議以進討之事

初一日聚諸將於本營前洋戰船二十有四隻初四日領諸將進至唐浦時元均戰船七十三隻盡敗於賊給戰船一隻初七日大破倭船三十餘於玉浦捷聞陞嘉善

初二日大破倭船二十餘於唐浦射殺倭將初五日又破倭船一百餘於唐項射斬倭將捷聞陞資憲大夫初七日又破倭船斬三十六級

初八日與諸將進至固城之見乃梁誘致倭船於閑山島大破七十餘艘無隻櫓得返者捷聞陞正憲大夫初九日又破倭船四十二於安骨浦

使熊川縣監李宗仁擊倭斬首三十五級

初一日與諸將追倭賊至釜山破百餘艘

狀請還收一族勿侵之令以實邊

大夫初八日還本營二十九日破倭船十三於泗川

癸巳正月十八日令蛇渡僉使伏兵于松島俘獲甚多

初八日與諸將追賊於釜山射殺倭將盡燒倭船二十二日又大破之倭兵頓足痛哭

初六日到熊川賊徙結陣山腰命軍官放丸矢所殺傷無計奪被虜人

初三日還本營督運御史請罷光陽縣監魚泳潭公狀請仍任

狀請忠清舟師繼援

二十一日移陣閑山島

十五日以本營僻在湖南難於控制遂請移陣於閑山島朝廷從之

朝廷以三道水使不相統攝必有主將可也以公兼三道水軍統制使仍本職

在陣每以兵食爲憂募民屯田差人捕魚至於煑鹽陶瓮無不爲之舟載販貿積穀巨萬

狀請於陣中試才設科

甲午正月十一日往謁母夫人翌日還營

分命諸將點慶尚左右道戰船戎器

谷譚都司禁討牌文

初六日設科

初十日上柁樓觀三道舟師

聞知中樞尹公又新喪懷悼不己

聞天將船到營前傳令三道舟師移陣于

都體察使李元翼同升公舟歷覽閑山陣

分送義兵將郭再佑金德齡等使之相機

初一日率忠清水軍節度使及先鋒諸將

分送降倭於左右道習放砲

竹島十七日與天將張鴻儒同話兵事

嘆曰李統制大有才局

討賊二十九日發船入長門浦焚倭船二

入永登浦初三日往長門倭兵畏不敢出

乙未正月聞巡邊使李鎰害公甚力

十七日觀兵於右水營前洋

聞忠清水軍節度使李繼勛失火投水死

命三道中衛將各領五船到見乃梁觀勢勦賊

煮鹽

聞慶尚水軍節度使裵楔被拿

十八日駐見乃梁會三道舟師結陣御史申湜到陣

自所非浦至晉州南江邊見體察使還所非浦

十四日別節度使宣居怡贈詩

建門樓

初一日饋降倭酒

十八日會體察使于三千鎭

丙申正月還營

初七日犒軍

初五日到見乃梁還陣

十一日犒軍

鑄銃

會四道諸將射帿

與巡察使會話

往射場馳馬

閏月十五日到順天與體察使巡察使談兵

還本營

丁酉正月都元帥權

二十六日

初四日就

初一日赦

二十三日

十九日到

十八日聞

初三日元

初七日倭

十四日聞

朝廷賜白

初五日在

慄到閒山陣時元均欲為統制造蜚言朝廷信之命拿鞫

就道

理十二日供狀

令白衣立功十一日丁母夫人憂十九日登程

與體察使會話

都元帥陣聞寶城郡守安弘國殉節

元均敗死節度使李億祺殉節都元帥遣公往晉州收散兵

均既敗朝野震驚復拜公三道統制使十八日公到會寧浦戰船只十艘二十八日倭船八艘欲來襲擊

船十三艘來犯擊却之十六日倭船三百三十餘艘回擁我船公率諸將殊死戰斬倭將馬多時破三十

季子薍與倭戰死

金二十兩經理楊鎬致紅緞曰欲掛紅於船而遠不能為云

寶花島朝廷聞公持服行素降旨勸肉

却之二十九日陣碧波津

餘船

戊戌正月

十七日移陣於古今島募民耕作軍聲大振

十六日天朝水軍都督陳璘領水兵五千來到公聞璘軍將

與都督進陣於順天之曳橋邊南海縣監柳珩進擣賊陣

十八日南海釜山諸賊來援公言於都督曰我師前後受敵不

至盛辨酒肉又備軍儀遠延大享諸將以下無不霑醉十四日命諸將破倭船于折爾島

如退陣猫島更約諸將刻意決戰都督從之是日三更公於船上跪祝于天曰今日固決死願天必殲此

賊祝罷自領師先進露梁十九日四更賊圍都督甚急公直前救之手自擊鼓忽中丸而仆臨絕顧謂

麾下曰諱言我死勿令驚軍都督聞公死顛倒於船者三曰無可與有爲者南民聞公之喪奔走巷哭

李忠武公全書卷首

李忠武公全書卷之一目錄

李忠武公全書卷之一

詩

贈别宣水使 居怡

北去同勤苦南来共死生一杯今夜月明日别離情

無題六韻

蕭蕭風雨夜耿耿不寐時懷痛如摧膽傷心似割肌山河猶帶慘魚鳥亦吟悲國有蒼黃勢人無任轉危怋復思諸葛長驅慕子儀經年防備策今作聖君欺

閑山島夜吟

水國秋光暮驚寒鴈陣高憂心輾轉夜殘月照弓刀

附追和諸作

判書洪處亮

忠烈華夷伏聲名日月高遺孫不忘郢夜夜撫長刀

又 判書南龍翼

聞笛睢陽詠千秋節並高時危憶良將中夜撫龍刀

又 判書柳赫然

號令山河動功名日月高如今破壁上夜吼舊龍刀

又 叅判李秞

太廟郎李弘毅甫袖持忠武公遺句二幅来示䄂要得一言而帖之槩以追感之盛意而忠武公於余宗姓之先輩也平生忠節後世所仰而至於知字韻一聯槩可見之幸此一聯流傳世間而獨恨其未見全篇且閑山島絶句可想鎭邊憂國之誠也噫世之相後八十有餘年而何幸二詩見

寄於絶塞之行其亦異矣今余来守北邊戍樓辛苦之餘尤想忠武公為國之一心也遂感而擊節忘其固陋尾而和之時自觀焉

北来星斗近南望嶺天高自笑書生老雄心倚寶刀

又 右議政申翼相

雲海將星落麟臺勲業高英雄滿襟淚遺恨泣龍刀

又 叅判李寅煥

千秋精爽在萬里海雲高一絶看忠義猶存
匣裏刀

又　　　　叅議任奎

日月精忠貫山河壯氣高鯨鯢猶跋浪怊悵
撫龍刀

又　　　　副提學趙持謙

大海旌旗耀將軍意氣高千秋留一絶詠罷
撫長刀

又　　　　監司李喜龍

閫畫南征錄公勳第一高英靈猶未泯匣裏

吼龍刀

又　　　　修撰李寅賓

大樹飄零後芳名百歲高何人傳實唾忠赤
凜霜刀

又　　　　判府事尹拯

張中丞睢陽城中有門開邊月近戰苦陣
雲深之句與將軍此作意思一般諸葛丞
相謚忠武將軍勳業宜其同受大名也
國家南北受敵讎恥未雪人之思將軍當
愈久而不已如吾輩腐儒直鈆刀耳䏿有
緩急安有一割之用感慨之極情見于辭
云

愧鈆刀

又　　　　領議政李畬

睢陽遺響遠諸葛大名高八哀思勁翮一割
第一中興將身藏勳更高閑山秋夜意舊匣
尚雙刀

又　　　　領議政李濡

義與秋爭烈名將日並高平生報國意看取
匣中刀

又　　　　判府事趙相愚

萬斛龍驤駛千層虎帳高雄心猶不死碧血

淬霜刀

又　　　　判書李墪

忠武公水國秋光暮一絶少幸得賞於世
人傳誦之餘居常諷詠而扼腕流涕者久
矣今其玄孫都事字致遠者即余友也請
于大學士德水李公推其詩意而略序其
事又歷請于諸名士和其韻其意非藉此
以圖不朽欲垂諸子孫而不忘焉耳屬余

和有年而固有所不敢者輒辭之矣今於
逵官而歸也其請益懇義不當終拒不以
蕪拙而書以贐之致遠其恕之

江淮唐保障功烈較誰高舊物猶遺恨龍吟
大小刀

又　　參判任弘望

欲識吾鄉事唯當着眼高至今牛斗上餘氣
射龍刀

又　　參判俞集一

賊勢風雷疾將軍氣槩高營門秋月夜閑坐

撫龍刀

又　　右議政閔鎭遠

功盖三韓大名垂萬代高人亡憂轉劇慷慨
撫腰刀

又　　參議宋徵殷

丁丑春余出守牙州洎至縣卽詢訪舊蹟
父老言忠武公之墓在某里噫公當壬辰
之歲蛇豕荐食起自末將受命閫臬蔽遮
湖海之間卒能弭兇靖難再奠國步其精
忠偉烈焯焯在人耳目居平未嘗不欽仰
刻公衣冠之藏在吾所莅之地其感慨敬
慕尤何如哉一日其後孫新寧公袖公閑
山島中所詠一絶以示余卽盥手展紙諷
咏一餉其氣豪而志烈詞高而格清雖殘
膏賸馥足以見公忠義之溢於辭而不可
揜也夫古之屬櫜鞬治韜略者宜若與觚
墨踈而餘事文章或能攘揄於文苑詞續
眹發可傳於後豈其天賦通才不習而能
者耶昔韓文公稱張巡好學無所不讀誦
漢書不錯一字公亦能於弓馬之暇涤指

書史其蘊於中形於言者有如是夫公之
不朽於世顧非藉於此而唯其咳唾之餘
有不容泯沒者近世諸公多次公韻殆十
數篇新寧公屬余拚和不可以文拙辭謹
步而略叙之以寓高山景行之意云爾

赫赫勳名壯三韓義節高平生手裏物惟有
兩龍刀

又　　參議趙湜

氣作山河壯名將星斗高露梁千載月曾照
匣中刀

又　　　參議李三碩

師出身先死功尊節益高平生淌襟淚霑灑
舊龍刀

又　　　參議呂必容

海嶽勳名重秋天節義高哀榮紆　聖渥不
賣舊時刀

又　　　監司吳命峻

諸葛祁山烈千秋較孰高閑山殘月恨夜夜
吼龍刀

又　　　牧使任弘亮

德水人豪挺閑山韻更高三韓再造烈看取
舊龍刀

二

秋光入咳唾忠義可爭高先烈知無忝晟刀
即愬刀

右秋光句用原韻意寄李宣傳鳳祥以寓期待勗勉之意古語曰忠義之氣與秋色爭高昔唐李晟乃中興名臣也有實劍克成中興之功以其劍傳諸子孫其後李愬又以先劍平淮蔡故用其事庸賭區區之

望

三

鄴城菀狴氣光射斗牛高一試將軍手千秋
作寶刀

四

仙李樓船將拔鞘天爲高試問將軍劍何如
大食刀

又　　　都事李畯

聲名雲水白忠義秋天高餘事乃文墨奇勳
在大刀

又　　　大提學金楺

雲愁孤島立水咽海天高萬古英靈在時時
夜擊刀

又　　　掌令李聖肇

忠烈爭秋凜威名蓋世高誅鯨餘舊物光出
匣中刀

又　　　從孫之綱

功蓋青丘域名懸白日高至今餘壯氣光吐
匣中刀

無題一聯

誓海魚龍動盟山草木知

附題跋　　右議政李端夏

右詩一絶一聯忠武李公之所作而出於公日記中日記年久缺破其一不得為完篇可惜也嗚呼公之勳烈盖邦家忠貞貫日月其事蹟載諸史乘勒之金石播於國人之思詠者垂宇宙而將不泯矣惟此咳唾之遺卽其精神所寓其曰誓海魚龍動盟山草木知者可見其壯志精忠成就得大功底氣像其曰水國秋光暮驚寒鴈陣高憂心輾轉夜殘月

照弓刀者亦可見其忠義與秋色爭高而語其氣像殆是大星將殞之時乎念我先君子嘗撰公謚狀有曰每夜休士必自理箭羽亦與憂心輾轉殘月弓刀之語意相符莊誦感歎令人釀涕公之玄孫直長弘毅以其詩為帖要余跋其後余雖不文義不敢辭故識

又　　文正公宋時烈

余每讀岳武穆送張紫微詩未嘗不擊節而三復以為其忠毅雄勇固其所也至於文詞亦何其奇且新也今見李忠武閑山之作可謂千載而同符者也余嘗作露梁碑略記公偉蹟　孝宗大王聞之亟徵草本而讀之極有漢帝鉅鹿意今公玄孫弘毅持是作見示一唱三歎不能去手仍喟然而嘆曰使逮　孝廟時得蒙　乙覽則必將益加　眷奬愛及於屋上烏矣今弘毅以不附權貴人失官落魄人不知為忠義家子孫嗚呼其有能以告於執政者耶

閑山島歌

閑山島月明夜上戍樓撫大刀深愁時何處一

聲羌笛更添愁

按趙慶男亂中雜錄有閑山吟咏二十韻云而屢經兵燹散佚不傳只有一聯一歌傳於世可勝惜哉

襍著

劒銘（長劒一雙分鐫卽公筆也今在公後孫家）

三尺誓天山河動色

二

一揮掃蕩血染山河

附次劒銘　　判府事趙相愚

一鑄雙龍鬼神動色

二

手剚鯨鯢氣帶山河

上體察使完平李公 元翼 書

伏以事有不已之勢情有莫急之形以莫急之情而值不已之事則寧得罪於忘家之義而勢或屈於爲親之私矣某有老母今年八十有一當壬辰之初也怯於俱焚幸於苟全遂以一家浮海而南寓於順天之境于是之時以母子相見爲榮而不暇計其他矣越明年癸巳 皇威

掃蕩醜類逃遁此正流民懷土之時也第以黠虜多詐變謀百出一隅聚屯夫豈徒然更若豕突則是遺其親於餓虎之口是以不能決歸而式至于今日矣雖然某以庸才叨承重寄事有靡監之責身無自由之路徒增陟岵之瞻莫慰嗟季之心朝出不還尚有倚閭之望何況不見已垂三載乎頃因家僮代人寄書曰老病日甚餘生無幾願於未死再見汝面嗚呼使他人聞之想欲淚下況爲其子者乎自見此語方寸益亂而更無關心之事也某往在癸未之歲爲咸鏡道乾原權管而某之父死焉某千里奔喪生不能侍藥死不得永訣而常以爲終天之慟今者母年已高於時制堂日且迫於西山若又一朝而忽有風樹之悲則是某再爲不孝之子而母亦不能瞑目於泉下矣某竊自惟念島夷之請成所謂無故之和也 皇朝之使節已下而迄無渡海之形前頭之禍恐有甚於往日不以是冬歸寧於母而春防又及則決不可離陣閤下幸察寸草之情給以數日之暇則乘舟一覲而老母之心庶可少慰矣設有緩急則豈以閤

下之命而敢誤機事者耶

附答書

至情所發彼我同然此書之來令人心動第緣公義所係未敢率爾定奪也

答陳都督 璘 書 見青山島陳都督碑文

吾忠不及於武侯德不及於武侯才不及於武侯此三件事皆不及於武侯而雖用武侯之法天何應哉 翌日果有大星墜海之異

附原書

吾夜觀乾象晝察人事東方將星將病矣公

之禍不遠矣公豈不知耶何不用武侯之禳
法乎

上某叔書

頃聞氣候違和仰慮罔已今則已見勿藥之喜
耶姪伏荷下賜無事供劇毋親所患或作或撤
久不得見差伏悶伏悶前稟藥材隨所有下惠
伏望洛中胡差入城胡將能巨里領一萬兵以
田獵事䟽稱来在義州越邊九連城賊謀難測
極可慮也適聞有便憑候起居

上某人書

伏未審體候若何仰慕仰慕前日再度下書伏
欲進謁兼稟討賊方略而接戰時不能自護中
賊鐵丸雖不至死境深犯肩骨連日着甲丸穴
爛破惡汁長流罔晝夜桑灰水或海水浴洗尚
未差復伏悶伏悶發軍行師之日定在何間勤
王一事在今急急而身病如此北望長慟而已
但此道人心一聞徵聚之奇皆懷奔潰之計沿
海之人又以謂從水路往西關則還返難期沿
邊之地無人守禦將作賊藪父母妻子無復相
見云人心渙散至於此極何以制合耶 缺

二

伏未審體候若何瞻戀之至無任下誠即聞台
體失寧而戍守遠海未易探候徒極悶仰悶仰
此處賊勢時無他跡連日探嘗則多有飢餒之
色其意必在穀熟而我國備禦處處齟齬萬無
防守之勢矣倭奴所畏者舟師而水卒之赴戰
者無一人移文方伯則略無檢督之意軍糧尤
無所賴百爾思惟罔知攸措舟師一事勢將罷
撤如舜臣一身萬死無惜其於 國事何全羅
新方伯及元帥沿海舟師之糧遣軍官轉庫輸

去舜臣在他道遠海無措制勢至此極奈何奈
何若别遣舟師御史摠檢舟師之事則似可濟
事故狀 啓而且未知 朝廷處分也從事官
丁景達盡心於監屯而前方伯移文曰道主之
外不可續續耕屯一切勿檢云伏未知其意也
丁公今為咸陽倅云其所檢之事將歸虛矣仰
悶仰悶收穫間未可仍之耶

與某姪書

西南遠隔每增悵痛今見藴姪又見汝書悲慟
尤極汝兄等不欲還鄉耶吾雖似粗喘 天將

疊到求索煩多未能一一應答奈何奈何汝在
故土何以為度須速下來為可為可無可騎則
薈處馬相議騎來為可為可此書示于薈處可
可

答譚都司宗仁禁討牌文

朝鮮陪臣三道水軍統制使李某謹答呈于
皇朝宣諭都司大人前倭人自開釁端連兵渡
海殺我無辜生靈又犯京都行兇作惡無所紀
極一國臣民痛入骨髓誓不與此賊共戴一天
各道舟艦無數整理處處屯駐東西策應謀與

陸地神將等水陸合攻使殘兇餘孽隻櫓不返
擬雪國家之讎怨本月初三日領先鋒船二百
餘隻將欲直入巨濟蕩滅巢穴次次殲滅俾無
遺種而倭船三十餘隻闌入于固城鎮海之境
焚蕩閭家殺戮遺民又多擄去輸死斫竹滿載
其船原其情狀尤極痛憤撞焚其船隻追逐其
兇徒馳報舟師都帥府領大軍合勢直擣之際
都司大人宣諭牌文不意到陣奉讀再三諄諄
懇懇極矣盡矣但牌文曰日本諸將莫不傾心
歸化俱欲卷甲息兵盡歸本國爾各兵船速回
本處地方毋得近駐日本營寨以起釁端云倭
人屯據巨濟熊川金海東萊等地皆是我土而
謂我近日本之營寨云者何也謂我速回本處
地方云本處地方亦未知在何所耶惹起釁端
者非我也倭也日本之人變詐萬端自古未聞
守信之義也兇狡之徒尚不斂惡退據沿海經
年不退豕突諸處刼掠人物有倍前日卷甲渡
海之意果安在哉今之講和者實涉詐偽然大
人之教不敢違越姑觀程限馳達 國王伏惟
大人遍曉此意俾知逆順之道千萬幸甚謹昧

死以復

祭贈參判鄭運文

嗚呼人生必有死死生必有命為人一死固不
足惜君獨可傷者國運不幸島夷作孽嶺南諸
城望風奔潰長驅席卷所向無前都城一夕兇
醜成巢千里關西 鑾輿播越北望長痛怒膽
如裂嗟我短拙討殲無策與君論難披雲見曜
計定揮劒戰艘相連決死掛席冒刃先登倭奴
數百一時流血黑煙漲天日東愁雲四度報捷
是誰之功恢復 宗社指日可期豈意神天不

佑毒九還及彼蒼者天理宜難究回船更突誓欲報怨日且奄暮風亦不順未遂所願平生之痛豈過於此也言念及此痛若割肌所恃者君更將何為一陣諸將痛惜無已鶴髮在堂已矣誰將抱恨窮泉曷時瞑目嗚呼痛哉嗚呼痛哉才不展時位不滿德　邦家不幸軍民無福如君忠義古今罕聞為國忘身有死猶生長恨世間誰識我心含哀致誠逕奠一酌嗚呼痛哉

讀宋史

嗚呼茲何等時而綱欲去耶去又何之耶夫人

臣事君有死無貳當是時也宗社之危僅如一髮之引千鈞茲正人臣捐軀報國之秋去之之言固不可萌諸心况敢出諸口耶然則為綱計奈何毀形泣血披肝瀝膽明言事勢至此無可和之理言既不從繼之以死又不然姑從其計身豫其間為之委曲彌縫死中求生萬一或有可濟之理綱計不出此而欲求去茲豈人臣委身事君之義哉

約束各營將士文

千古所未聞之凶變還及於吾東方禮義之邦嶺海諸城望風奔潰致成席卷之勢　鑾輿西遷生靈魚肉連陷三京　宗社丘墟惟我三道舟師莫不欲奮義效死而機會不適未展志願今幸　天朝遣大將軍李提督領十萬兵馬掃蕩箕城之賊已復三都為臣子者踴躍欣忭不知所言又不知死所也自　上遣宣傳官截殺大遁之賊片帆不返丁寧　下教五日再至正當奮忠忘身之秋而昨日臨敵指揮之際多有巧避逗遛之形者極為痛憤即當按律而前事尚多又有三令之法更教以劾力亦兵家之長

策姑容其罪不為摘發約束辭緣一一奉行

李忠武公全書卷之一

李忠武公全書卷之二目錄

狀啓一

李忠武公全書卷之二目錄

李忠武公全書卷之二

狀啓一

因倭警待變狀

謹 啓爲待變事今四月十五日戌時到慶尙右道水軍節度使元均關內當日巳時加德鎭僉節制使田應麟天城堡萬戶黃珽等馳報內鷹峯烽燧監考李登煙臺監考徐建等進告今四月十三日申時倭船不知其幾十隻大槩所見九十餘左道抂伊島經過釜山浦指向連續出來云僉使依方略以釜山多大浦右邀擊將

軍船整齊下海待變云云必是歲遣船而九十餘隻之數多出來莫測其由連續出來似非尋常防備瞭望等事盡心撿飭晝夜待變所屬各官浦發馬行移申飭臣軍船整齊江口待變之由當日馳 啓同日水軍節度使元均關內當日申時左水使關據加德僉使馳報內倭船一百五十餘隻海雲臺釜山浦指向必非歲遣船極爲可慮傳通內辭緣一一枚擧則動經時刻故擧大槩爲先傳通次次傳通待變云臣軍兵船整齊江口待變兼觀察使兵馬節度使右道水軍節度使處並發馬移文沿海各官浦一時行移撿飭

二

謹 啓爲待變事今四月十六日辰時到兼慶尙道觀察使金睟關內今月十三日倭船四百餘隻釜山浦越邊來泊賊勢已至於此極爲可慮次次傳通待變云賊勢熾張至於此極不無分犯之理臣軍船整齊江口待變而兼觀察使兵馬節度使右道水軍節度使處並發馬移文所屬各官浦凡干瞭望等事各別撿飭他餘戰具諸備並倍嚴措置待變

三

謹 啓爲待變事今四月十六日亥時到慶尙右道水軍節度使元均關內當日酉時右兵使關左水使馳報內今四月十四日卯時荒嶺山烽燧軍裵突伊進告曰倭賊等釜山浦牛巖分三運結陣日出時圍城接戰放砲之聲震天云西平多大浦已塞其路援兵時未馳赴極爲悶慮臣依方略堅壁固守制敵等事各別措置事馳 啓云同道水使傳通內賊倭當日釜山浦

圍城接戰緣由馳　啓而同鎭亦不能制敵已被陷城後賊倭等釜山浦北距五里許唐川結陣先鋒倭人向東萊右水營次次直發移文云云故以金海府待變當日到彼府沿海各官衛將及內地各官並發馬行移軍馬整齊待變云賊勢熾張至於此極釜山巨鎭已爲陷沒不勝驚憤臣方整船江口以待變報觀察使兵馬節度使右道水軍節度使處及道屬沿海各官浦幷發馬傳通臣所管左道乃與慶尙道一海相接賊路要害道內爲最犯境之後添防雜色勢

未及調發各官奔赴一二運軍士爲先催促添防守城水戰整齊待變

赴援慶尙道狀

謹　啓爲馳援事令四月二十日到兼慶尙道觀察使金睟關內賊勢大熾釜山東萊梁山已爲陷沒今向內地本道右水使盡率舟師爲截賊船之計已令下海同道列鎭皆無船隻如有右道生變則登時來救事狀　啓以待　朝廷命令矣將此意監兵使處通議施行云賊勢鴟張至於此極連陷巨鎭又犯內地極爲痛惋憤

膽如裂罔有所言爲臣子者莫不欲殫竭心力擬雪　國家之恥伏俟　朝廷徃偕之命而所屬舟師各官浦整理舟楫以待主將之令事呈火行移本道監兵使處並爲通議矣有　旨內若事勢可行而不行則甚失事機　朝廷不可遙制在道內主將號令以臣之一主將獨擅爲難兼觀察使李洸防禦使郭嶸兵馬節度使崔遠等處有　旨內辭緣枚擧通諭一邊慶尙道巡邊使李鎰兼觀察使金睟右道水軍節度使元均等處同道水路形勢兩道舟師某處聚會

約束緣由及賊船多寡時方留泊之處他餘策應諸機並急急回答事發馬移文各官浦戰具諸備更加勵精待令之意行移嚴飭矣上項倭寇等作賊日久想必勢力疲困所持戰備亦似匱竭因其勢而制之正在此時賊船前後之數多至五百餘隻在我威武不可不嚴備揚示掩擊之狀使賊震怖而所屬防踏蛇渡呂島鉢浦鹿島等五鎭浦戰船以勢甚孤弱舟師分軍之順天光陽樂安興陽寶城等五官並依方略領率慶尙道馳援海路所經本營前洋一齊准到

事星火行移而舟師諸將如實城鹿島等處則
遠在數三日之程文移招集之際其勢必未及
期而他餘諸將並以本月二十九日營前洋聚
到申明約束後直赴同道計料慶尚道巡邊使
兼觀察使右道水軍節度使處移文約束

二

謹 啓為待變事今四月二十九日午時慶尚
水使答關內賊倭五百餘艘釜山金海梁山江
鳴旨島等處屯泊登陸自恣沿邊各官浦兵水
營幾盡陷城烽火斷絕極為痛憤本道舟師抄

發追擊賊船十隻焚滅日漸引兵賊勢益熾彼
衆我寡未能相敵本營亦已被陷兩道合擊賊
船則登陸倭寇庶有顧後之慮貴道軍船無遺
抄發唐浦前洋馳進為宜云云所屬舟師中衛
將防踏僉使李純信左部將樂安郡守申浩前
部將興陽縣監裵興立中部將光陽縣監魚泳
潭遊軍將鉢浦假將營軍官訓鍊奉事羅大用
右部將寶城郡守金得光後部將鹿島萬户鄭
運左斥候將呂島權管金仁英右斥候將蛇渡
僉使金浣捍後將營軍官及第崔大成斬退將

營軍官及第裵應祿突擊將營軍官李彦良申
明約束先鋒將與右水使約束時同道邊將差
定計料本營則臣虞候李夢龜留鎮將差定防
踏蛇渡呂島鹿島鉢浦等五浦臣軍官中有膽
略人假將差定嚴飭起送臣舟師諸將領率今
四月三十日寅時發船以慶尚右道所屬本營
隣鎮南海縣彌助項尚州浦曲浦平山浦等四
鎮已為疊入縣令僉使萬户等軍船整齊中路
出待事今四月二十九日曉頭封關賫持專人
馳送同日未時臣所送營鎮撫順天水軍李彦

浩奔還進告內南海縣城中公廨閭舍舉皆一
空煙火蕭然倉門已開穀物類散武庫兵器亦
盡虛竭軍器外廊只有一人問其所由則賊勢
已迫一城士卒聞聲逃潰縣令僉使又從以奔
出莫知所向又有一人負米石持長箭由南門
走出箭一部許給云云臣取見其長箭則曲浦
之刻分明空城移避之言略似近理下人所告
難保其必信臣軍官宋漢連處分付事實如此
則反為藉寇兵糧侵漸本道留連不退故倉庫
武庫等焚燒掃蕩事傳令馳送大槩黠賊鴟張

分運作賊一向內地席卷長驅一向沿路攻陷無遺陸海諸將一無拒戰已成賊藪海鎮所餘者只此右水營南海平山浦等四鎮今聞同營亦被陷沒南海一島已作無人之境所謂右水營臣所守之鎮一海相接南海鼓角相聞坐立人形歷歷可數本道移犯之患迫在朝夕極為寒心本道內地沿海各官及邊城入防如新選助防軍等精強士卒咸赴陸戰邊鎮殘堡持兵者鮮少只率水軍徒手之輩其勢甚弱他無捍禦之策舟師中衛將順天府使權俊下海待變

因觀察使傳令馳赴全州加之以久任恒居者一聞風聲挈家荷擔道途相繼或乘夜逃遁或竄覓移徙本營戍卒及土着之人亦或有如此之類臣要路處捕亡將定送摘其逃躲者二人為先斬頭梟示軍中以鎮軍情慶尚馳援之 命如是其丁寧臣自聞聲息以來怒膽輪囷痛入骨髓一犯賊窟忘身效力之衷寤寐益切率舟師與右水使合力攻破期殲賊徒南海疊入平山等四鎮將及縣令等未見賊面先自移避以臣之孤單客兵未諳同道水路險夷既無引

路之船又無策應之將輕易啓行亦不無千里意外之慮臣所屬戰艦都集之數未滿三十隻之外勢甚孤弱兼觀察使李洸亦已料此意令本道右水使所屬舟師亦為繼臣之後並力馳援事雖急急必待其援船畢至然後約束發船直赴同道計料兇醜之徒已犯鳥嶺將迫畿甸本道兼觀察使獨能奮義倡率三軍直向京師已為勤 王之計云臣及聞此言不堪垂淚撫劍咄嗟亦欲統率諸將奔赴 王城先摧腹內之賊閫外封疆之臣以身不能自擅徒自嚬抑

含憤自銷伏俟 朝廷指揮臣之妄意今之賊勢憑凌皆出於不與水戰使賊恣意登陸而慶尚沿海郡縣必多深溝高壘之險守城怯卒聞聲慄膽咸懷奔潰之心圍則必陷一無得全之城向使釜山東萊沿海諸將盛理舟楫蔽海列鎮揚示掩擊之威相勢度力進退有方使不得攀緣陸路則辱 國之患必不至於此極言念及此感慨激切願以一死為期直擣虎穴掃盡妖氛欲雪國恥之萬一而至如成敗利鈍非臣之所能逆料

三
謹 啓爲馳援事前因祗受有 旨與慶尙右
道水使元均爲合力攻破賊船所屬舟師諸將
等去四月二十九日本營前洋已爲招集三十
日發船爲計兼觀察使李洸亦慮其兵勢孤弱
令本道右水使率其舟師繼臣之後右水使李
億祺移文內同月三十日發船云待其至盛齊
兵威一時發船之由已爲馳 啓向內之賊將
迫畿甸自臣以下諸將莫不憤發冒鋒刃決死
生要截其歸路撞破其船則庶有顧忌直還之

慮今五月初四日雞初鳴發船直向同道一邊
右水使李億祺處斯速馳到事星火移文

玉浦破倭兵狀

謹 啓爲勦滅事前因祗受有 旨與慶尙右
水使合力攻破賊船事今五月初四日丑時發
船本道右水使李億祺率舟師繼臣之後事移
文緣由馳 啓同日同時舟師諸將板屋船二
十四隻挾船十五隻鮑作船四十六隻領率發
行至慶尙右道所非浦前洋日暮結陣經夜初
五日曉頭發船兩道曾與約會慶之唐浦前洋
馳到則同道右水使元均不在約處臣以所領
輕快船於唐浦馳來之意移文矣初六日辰時
元均亦自同營境內閑山島只乘一隻戰船來
到賊船多寡及留泊處接戰節次詳問之際同
道諸將南海縣令奇孝謹彌助項僉使金勝龍
平山浦權管金軸等同騎板屋一船蛇梁萬戶
李汝恬所非浦權管李英男等各騎挾船永登
浦萬戶禹致績知世浦萬戶韓百祿玉浦萬戶
李雲龍等同騎板屋二船初五日六日續續追
到兩道諸將招集一處再三申明約束後至巨

濟島松未浦前洋日沒經夜初七日曉頭一時
發船指向賊船留泊之天城加德午時至玉浦
前洋斥候將蛇渡僉使金浣呂島權管金仁英
等放神機箭變知有賊船更飭諸將勿令妄動
靜重如山事傳令後同浦洋中整列齊進則倭
船五十餘艘分泊玉浦船滄大船四面圍帳畫
綵雜文帳邊列插竹竿亂懸紅白小旗旗形如
幡如幢皆用文綃隨風飄轉望眼眩擾賊徒入
同浦焚蕩煙氣遍山顧我軍船顚仆蒼皇各奔
乘船呼噪促櫓不由中央緣岸行舟六隻先鋒

遁出臣所率諸將等一心憤發咸盡死力舟中吏士亦效其意奮勵激切以死為期東西衝抱放砲射矢急如風雷賊亦放丸射矢及其力盡以其舟中所載之物投水不暇逢箭者不知其數游泳者亦不知其幾一時潰散攀上巖崖猶恐居後左部將樂安郡守申浩撞破倭大船一隻斬頭一級船中所載劒甲冠服等物皆如倭將之物右部將寶城郡守金得光撞破倭大船一隻我國被擄人一名生擒前部將興陽縣監裵興立倭大船二隻中部將光陽縣監魚泳潭

倭中船二隻小船二隻中衛將防踏僉使李純信倭大船一隻右斥候將蛇渡僉使金浣倭大船一隻右部騎戰統將鎮軍官保人李春倭中船一隻遊軍將鉢浦假將臣軍官訓鍊奉事羅大用倭大船二隻後部將鹿島萬戶鄭運倭中船二隻左斥候將呂島權管金仁英倭中船一隻左部騎戰統將順天代將前奉事俞燮倭大船一隻我國被擄兒女一名生擒捍後將臣軍官及第崔大成倭大船一隻斬退將臣軍官及第裵應祿倭大船一隻突擊將臣軍官李彥良

倭大船一隻臣帶率軍官訓鍊奉事卞存緖前奉事金孝誠等同力倭大船一隻慶尙諸將等倭船五隻我國被擄人三名生擒幷倭船二十六隻銃筒放中撞破焚滅一海大洋煙焰漲天登山賊徒竄伏林藪無不摧心臣欲抄諸船射夫勇銳者追捕登山之賊巨濟一島山形險巇樹木鬱茂人不能容足方在賊窟船無射夫亦恐有繞後之患日亦向暮未遂其志退駐永登浦前洋令軍卒樵汲以為經夜之計申時不遠海中又倭大船五隻過去斥候將報變故領諸

將追逐至熊川地合浦前洋倭賊等棄船登陸蛇渡僉使金浣倭大船一隻防踏僉使李純信倭大船一隻光陽縣監魚泳潭倭大船一隻部統屬防踏謫居前僉使李應華倭小船一隻臣軍官奉事卞存緖宋希立金孝誠李渫等同力射矢倭大船一隻無遺撞破焚滅乘夜促櫓至昌原地藍浦前洋結陣經夜初八日早朝聞鎭海地古里梁倭船留泊之奇即令發船內外島嶼挾攻搜討過猪島至固城境赤珍浦倭大中船幷十三隻海口列泊倭人浦串閭閻焚蕩之

後望我兵威畏慴登山樂安郡守其部統屬順
天代將俞㦒同力倭大船一隻同部統將郡居
及第朴永男保人金鳳壽等同力倭大船一隻
寶城郡守倭大船一隻防踏僉使倭大船一隻
蛇渡僉使倭大船一隻鹿島萬戶倭大船一隻
部統將諝居前奉事朱夢龍倭中船一隻臣帶
率軍官前奉事李渫宋希立等同力倭大船二
隻軍官定虜衛李鳳壽倭大船一隻軍官別侍
衛宋漢連倭中船一隻銃筒放中撞破焚滅令
士卒朝食休憩赤珍浦近處居向化人李信同

稱號者望見臣等舟師自山頂負其兒子呼泣
以進令小船載來臣親問賊徒所爲則倭賊等
昨日到此浦口閭閻所掠財物牛馬駄去分載
其船夜初更泛舟中流屠牛飮酒唱歌吹笛達
曙不止暗聽其曲調則皆是我國之音今日早
朝爲半守船半餘下陸向固城矣老母妻子見
賊相失罔知所向哀怨泣訴臣憐其情狀慮其
被擄誘之以率往之意則以其母其妻尋見之
故不肯從之一行將士及聞此言尤極痛惋相
顧勵氣同心戮力直向天城加德釜山等處殲

滅其船計料而賊船留泊等地形勢狹淺板屋
大船容戰甚難本道右水使李億祺未及馳來
獨赴賊中勢甚孤危與元均相對畫計別得奇
策擬雪 國家之恥本道都事崔鐵堅牒呈慮
外忽到始知 車駕移蹕關西之奇驚痛罔極
相携終日五內焚裂聲淚俱發勢不得已各自
回棹初九日午時率諸船無事還營仍飭諸將
益勵舟楫海口待變開諭罷陣順天代將俞㦒
所擒我國兒女年甫四五其根脚居住莫知如
何寶城郡守金得光所擒兒女一人其年稍壯

斷髮爲倭推問壬辰五月初七日東萊東面鷹
巖里接百姓尹百連年十四汝於某月某日某
處逢倭某某人一時被擄當日接戰時被擒緣
由及倭賊等凡百所行根脚役名並爲現告招
曰父則多大浦水軍昆節倭變時生死知不得
母良女毛論今故內外祖父母並不知以機張
居新選金晉明率丁日不記去四月倭賊等釜
山浦到泊戶首晉明因軍令使小人軍裝負持
率赴同鎭至馬飛乙耳峴聞倭已陷釜山還率
小人直走機張縣城內結陣軍卒奔潰晉明率

往其家經一夜後老父及親戚等避亂來此偶然路逢縣境雲峯山中隱伏第八九日間倭賊等無數闌入小人及兄卜龍等爲先被擄日暮時到釜山城中經夜後兄卜龍不知去處小人船粧下入置使不得任行日不記一日賊船三十餘隻發向金海府半餘下陸作賊留連五六日後今月初六日巳時一時發船來泊於栗浦經夜初七日曉頭自同處至玉浦前洋留泊當日接戰時倭人船中我國鐵丸長片箭交下如雨則中之者卽仆流血淋漓倭人急噪顚倒罔

知所措投水登山以迷劣之人長在粧下他餘節次知不得云上項尹百連及兒女等順天寶城等官各別護恤事還授兇醜之毒至於此極旣多殺戮又多擄掠一方蒼生靡有孑遺臣今者歷行沿海則所經山谷避亂者無處無之一望臣等之船垂髫戴白荷擔相牽掩泣悲呼如得再生之路或有指示賊蹤者所見慘惻卽欲載去而非但其類甚多第以赴戰之船滿載人物慮有難運之弊將以回程時率去各令幽隱愼勿露形毋致被擄之患開諭後追賊遠去忽聞西 幸之奇罔知所爲促櫓以還哀憐之情猶且未忘此等之輩分還日久贏粮必罄餓莩丁寧同道兼觀察使處終當探訪刷還賑恤之意移牒矣大抵臣所率諸將吏士莫不憤激爭首赴敵共期大捷凡前後四十餘隻焚滅之際所斬倭頭只此二級而已臣未遂殲滅之心憤惋益甚揆其交戰之時則勢所然矣賊船其疾如飛及見我師如有未及避遁之勢則例由岸下魚貫行船勢窮則登陸今行未得盡殲怒膽如裂撫劍咄嗟倭船所載倭物並搜得五間

之庫盈入而有餘其餘細瑣雜物不可盡記擇其中戰用之物別聚其類金海府人吏官案分軍成冊各色弓箭等並秩秩開坐倭船所載我國可食米三百餘石諸船飢餓格軍射夫等糧米量宜分給衣服木綿等物亦爲分給戰士以激其破敵得利之心凡倭人紅黑鐵甲各色鐵頭口角鬣縱横至如鐵廣大金冠金羽金鍕羽衣羽箒螺角等奇形異狀極侈窮奢如鬼如獸見之者莫不驚神駭城諸機如大鐵釘沙索等物亦甚兇怪軍物中最關一物式抽出監封其

中鐵甲銃筒等物樂安郡守申浩所斬一級割左耳入樻亦為監封接戰時有功臣軍官宋漢連鎮撫金大壽等准授上送他餘上送物件元數下懸錄接戰時順天代將船射夫同府接正兵李先枝左臂一處逢箭暫傷外他無被傷之卒右水使元均只率三隻舟師而臣之諸將所捕倭船至於射矢奪取之際射格二人中傷主將之不戢羣下無謂莫甚且同道所屬臣濟縣令金俊民不遠海洋連日交戰而主將元均傳檄促赴迄不現形情甚駭愕伏乞 朝廷之處

置臣之妄意禦敵之策不以舟師作綜進退而全務陸戰守城之備使 國家數百年基業一朝變成賊藪言念及此哽塞無語賊若乘船移犯本道則臣願以水戰決死當之而陸路移犯則本道將士一無戰馬策應末由臣意順天突山島白也串興陽道陽塲牧馬中多有戰用可合馬優數驅捉分給將士肥養馴馳用於戰塲則可致勝捷此非臣之所可擅 啓事在急急故兼觀察使李洸處監捉官定送而驅馬軍以各鎮浦卒赴軍限一二日捉出調習之意移牒

唐浦破倭兵狀

謹 啓為勦捕事前日慶尚道玉浦等處倭船四十餘隻焚滅緣由已為馳 啓而釜山之賊相繼作綜稍稍移犯巨濟以西沿海邑戶焚蕩得利有若轉燭不勝憤鬱一邊徵聚道屬舟師一邊本道右水使李億祺處合力攻破之意移文而水路遥遠風之順逆亦難預度故以六月初三日營前洋齊會馳援為言矣五月二十七日到慶尚右水使元均關內賊船十餘艘已迫泗川昆陽等地水使移舟南海境露梁云若待

初三日約會之日而發行則慮有其間引類鴟張之患臣軍官前萬户尹思恭留鎮將差定舟師助防將丁傑以左道各鎮浦節制無人留防興陽縣策應待變事申飭五月二十九日臣獨領戰船二十三隻與虞候李夢龜率領先期發行李億祺處具由移文後直到露梁洋中則元均只率三隻戰船移在河東船滄見臣之舟師促櫓来會詳問賊蹤矣不遠洋中倭船一隻出自昆陽道向泗川緣岸行舟先鋒諸將促櫓窮逐前部將防踏僉使李純信南海縣令奇孝謹

等追捕其船倭人下陸撞破焚船後望見泗川船滄則一山逶迤七八里許形勢峻險慶賊倭無慮四百餘名長蛇結陣亂揷紅白旗麾駭眩人目陣內最高山巓別設帳幕往來紛然似聽指揮倭船狀如樓閣者十二隻列泊岸下結陣之倭俯視揮劍揚示陵轢諸船齊進其下欲為發射則矢力未及欲焚其船則潮水已退板屋大船容易直衝不得加之以彼高我低地勢不利日又向暮臣與諸將約曰彼敵極有優侮之態我若佯退而去則彼必乘船與我相戰我當

引出中流合擊此甚良策故申約後回船未一里賊倭二百餘名自陣下来為半守船半餘屯聚岸下放砲踴躍若不與戰則反為示弱汐水將至漸可容船故臣嘗慮島夷之變別制龜船前設龍頭口放大砲背植鐵尖內能窺外外不能窺內雖賊船數百之中可以突入放砲今行以為突擊將所騎而先令龜船突進賊船中先放天地玄黃各樣銃筒則山上岸下守船三屯之倭亦放鐵丸亂發如雨間或我國人相雜發射臣益增憤勵促櫓先登直擣其船則諸將一時雲集鐵丸長片箭皮翎箭火箭天地字銃筒等發如風雨各盡其力聲振天地重傷顛仆者扶曳奔走者不知其數仍以退屯高陵無敢有進前之意中衛將順天府使權俊中部將光陽縣監魚泳潭前部將防踏僉使李純信後部將興陽縣監裵興立左斥候將鹿島萬戶鄭運右斥候將蛇渡僉使金浣左別都將虞候李夢龜右別都將呂島權管金仁英捍後將臣軍官前權管賈安策及第宋晟斬退將前僉使李應華等迭相出入倭船全數撞破焚滅金浣搜得我

國兒女一名李應華斬倭一級倭人等遠立觀望叫呼頓足大聲痛哭臣欲抄諸船勇士進斬計料而林藪鬱密日且奄暮反恐被害勿令搜斬故留小船數隻以為引出殲捕之計乘夜回棹移至泗川地毛自郎浦結陣經夜接戰時賊之鐵丸中臣之左肩貫于背而不至重傷臣軍官奉事羅大用亦中鐵丸前奉事李渫逢箭并不致死六月初一日曉頭慶尚右水使元均謂臣曰昨日相戰時故留賊船二隻適騎與否探審後兼為搜斬逢箭致死之倭元均敗軍之後

無軍將措制不得故交戰各處逢箭中丸倭人次知搜覓斬頭矣同日辰時徑還言內賊倭由陸遠遁只焚所留之船搜斬死倭三頭其餘林莽鬱密窮探不得云午時發船固城地蛇梁洋中止到休兵勞軍結陣經夜初二日辰時聞賊船駐泊唐浦船滄巳時直到同處則倭賊無慮三百餘名爲半入城焚蕩又多城外據險俱放鐵丸倭船大如板屋者九隻中小船幷十二隻分泊船滄其中層樓一大船上斗起高可三四丈外垂紅羅帳帳之四面大書黃字中有倭將

前立紅蓋略無畏怖故先使龜船直衝層樓船下以龍口仰放玄字鐵丸又放天地字大將軍箭撞破其船在後諸船交發丸箭中衛將權俊突入射中倭將者應絃倒落蛇渡僉使金浣軍官興陽保人陳武晟斬頭賊徒畏遁中丸逢箭者狼藉顚仆斬首六級盡焚其船後諸船勇士將欲下陸窮追搜斬之際又倭大船二十餘隻多率小船自巨濟來泊事探望船進告而地形似窄不合交鋒將邀擊外洋促櫓出海則賊船相距五里許望見臣等舟師遁避無暇諸船追

逐外海日已昏暮接戰不得晋州境昌信島駐泊經夜同日唐浦接戰時虞候李夢龜於倭將船搜得金團扇一柄送于臣處而扇一面中央書曰六月八日秀吉着名右邊書羽柴筑前守五字左邊書龜井流求守殿六字藏于漆匣必是平秀吉之於筑前守處以爲符信之物所非浦權管李英男於倭將船生擒蔚山私婢億代巨濟兒女毛里等而臣親問其億代招內曰不記十五餘日前爲賊被擄嫁從倭將恒在一處倭將身長過人氣力強壯年可三十晝則高坐

船上層樓着黃錦衣頂金冠夜則入房就宿衾帳枕席皆極奢侈各船羣倭朝暮來謁俛首聽命如有違令斬戮不饒時或持酒來供或笑或語而鴂舌之言莫能解聽但蔚山東萊全羅道等語則一如我國之音當日接戰時倭將所坐層樓箭丸交集初中額上顔色自若及其箭貫胷膛失聲墜落云云今之所斬倭將必是筑前守初三日曉頭發向楸島傍近島嶼挾攻搜討幷無賊蹤仍而日暮固城地古屯浦經夜初四日早朝進屯唐浦前洋令小船候望賊船而已

時同浦居士兵姜卓稱名人避亂登山遠望臣等欣然来告曰初二日唐浦接戰之後倭人等多斬死倭之頭同聚焚燒仍向陸路路逢我人無意殺害痛哭以歸同日唐浦外洋被逐倭船今向巨濟云故更與諸將申明約束將欲發船本道右水使李億祺率戰船二十五隻来會于臣所駐之處諸船將士常慮孤弱而連戰方困之餘得見援師莫不踴躍臣乃與李億祺討論破賊之策仍以日暮與之偕行巨濟固城兩境鑿梁洋中結陣經夜初五日朝霧四塞至晩乃

捲欲討巨濟遁泊之賊懸帆出海而巨濟居向化金毛等七八人同騎小艇欣迎来說曰唐浦被逐倭船由巨濟移泊固城地唐項浦云故促到同浦前洋而南望鎮海城外數里許野中甲兵千有餘騎立幟結陣遣人探問則咸安郡守柳崇仁率兵一千一百騎追賊到此云云仍問唐項浦海口形勢則遠可十餘里廣可容舟故先使數三戰船往審地理而賊若追逐則佯退引出事嚴飭以送臣等舟師潛形隱迹以為狙擊之計而所送戰船旋出海口放神機報變促

赴留戰船四隻於浦口使之伏兵後促櫓以入則兩邊山麓挾江二十餘里其間地形不甚狹窄可與容戰之地而諸船魚貫齊進首尾連接至名所江西岸則黑質倭船大如板屋者九隻中船四隻小船十三隻依岸到泊其中最大一船船頭別設三層板閣丹青粉壁有若佛殿前立青蓋閣下垂黑染絹帳帳面大畫白花紋帳内倭人無數列立又倭大船四隻出自内浦聚于一處皆揷黑幡而各幡白書南無妙法蓮花經七字及見臣等兵威亂放鐵丸如霰如雹諸

船圍立先使龜船突入放天地字銃筒貫徹大船諸船迭相出入銃筒箭丸發如風雷良久接戰益振威武臣之妄意以為彼若勢窮棄船登陸恐未盡殲而我當佯示退兵解圍却陣則彼必乘隙移舟而左右尾擊庶可盡殲事傳令後退開一面則層閣之船果由開路而出黑染布帆兩竹俱懸他船翼挾層閣中流促櫓故諸船四面圍匝挾擊猶亟突擊將所騎龜船又衝層閣之下仰放銃筒撞破其閣諸船又以火箭射中其紗帳與布帆則烈焰衝熾閣上所坐倭將

中箭墜落他倭船四隻乘此蒼皇之際懸帆北走臣與李億祺等所率諸將分運接戰又盡圍抱許多舟中賊徒或投水不暇或攀緣岸下或登山北走戰士等持搶劍挾弓矢各盡死力追捕斬頭四十三級倭船全數焚滅後故留一船以開歸路日已曛黑登陸之倭未盡殲捕乃與李億祺乘昏還出海口結陣經夜初六日曉頭防踏僉使李純信以唐項浦登山之賊必乘所留之船乘曉潛出率其統船移進海口伺其出而全船捕獲飛報內當日曉頭移到唐項浦外

口俄有一倭船果自海口而出僉使不意突擊則一船所騎幾至百有餘名而我船先放地玄字銃筒一邊長片箭鐵丸蒺藜砲大發火等連續射投賊倭等奔遑罔措退遁設計以要鉤金牽出中洋半餘投水沈死其中倭將約年二十四五歲容貌健偉服飾華麗杖劍獨立與其餘黨八名指揮拒戰終不畏忌故僉使極力射中杖劍者逢箭十餘度後失聲墜水即令斬頭他倭八名軍官金成玉等同力射斬當日辰時焚船時慶尚右水使元均南海縣令奇孝謹等追

到同處沈死之倭巡覓掇出斬頭多至五十餘級倭船之頭別作凉房房內帳幕皆極侈麗傍有小樻內盛文書取見則倭人三千四十餘名分軍記而各其列名之下着名塗血必是歃血同盟之書件記六軸及甲冑搶劍弓弦銃筒豹皮鞍甲等物上使云故臣親審其分軍件記則着名血滲之迹果如所報之辭其為兇狀不可形言倭頭九級內倭將頭李純信別標上使倭人旗幟滲色相殊前日玉浦則赤旗今日泗川則白旗唐浦則黃旗唐項浦則黑旗原其所自

必分其衛部而然矣歃血盟章又致如是曾懷叛侮之心備設軍兵之狀益加想寫同日雨下雲暝海程莫辨移屯唐項浦前洋休撫戰士夕向固城地亇乙于場洋中經夜初七日早朝發船至熊川地甑島洋中結陣而天城加德賊蹤探望船將鎮撫李佺土兵吳水等斬倭二級巳時奔還言內加德洋中三倭人同騎一船見我奔北故極力追射盡斬三級內一級慶尚右水使軍官名不知人騎小船威力強奪云各別饋酒即令還送于天城等處午時到永登浦前洋

則倭大船五隻中船二隻出自栗浦遁向釜山而諸船從逆風促櫓相望五里許追至栗浦外洋則賊倭等船中卜物盡投水中虞候李夢龜倭大船一隻洋中全捕斬頭七級又一隻下陸焚滅蛇渡僉使金浣倭大船一隻洋中全捕斬首二十級鹿島萬戶鄭運倭大船一隻洋中全捕斬首九級光陽縣監魚泳潭加里浦僉使具思稷同力倭大船一隻下陸時追捕焚滅具思稷斬首二級呂島權管金仁英斬首一級所非浦權管李英男乘小船突入追射斬首二級其

餘空船一隻海中焚滅倭人或斬或溺殲盡無餘諸船將士心膽快然因向加德天城左道沒雲臺至分兩邊挾攻搜討賊徒移舟遠遁並無形影初更到巨濟溫川梁松津浦經夜初八日昌原地馬山浦安骨浦薺浦熊川等處賊蹤探見船定送而出陣昌原地甑島藍浦洋中日夕望船還來言內並無賊蹤云故還到松珍浦經夜初九日早朝發船到熊川前洋結陣分遣小船加德天城安骨浦薺浦等處更審賊蹤俱無形影到唐浦經夜初十日到彌助項前洋與右

水使李億祺元均等罷陣各還矣加德搜討之日仍向釜山等處欲殲厥種而連遇大賊轉鬪勞敵彼之逸實非兵家之良策況又梁山一江海上兵粮已盡士卒困憊戰傷者亦多以我之地勢隘狹堇容一舟而賊船連泊已得據險之勢我欲與戰則彼不出戰我欲退還則反為示弱設欲指向釜山而梁山之賊相應繞後則他道客兵懸軍深入腹背受敵固非萬全之計且本道兵使關內犯京兇醜奪騎漕船由西江下来漕船奪騎萬無其理意外之變亦不可不慮

臣與李億祺相議更探加德等島迄無賊蹤然後旋師還營加德以西縱橫出入之賊既多焚船又多死傷而登山漏捕之徒必走釜山等處備說兵威則自是以後庶有顧忌之念凡前後討賊時南海以東熊川等七八邑父老士女避亂之輩竄伏山谷觀望臣等追擊賊船如得再生之路莫不欣欣来說賊之去留窮極指示極為慘惻倭船所得米布等物分給使之安居其中如向化鮑作之輩携親挈家率其隣族自投營城者連續不絕前後来托之數幾至二百餘

名而各勤其業鎭長安居營近長生浦等草土
豐衍人戶阜盛處分接安護倭船被擄我國人
搜得生還無異斬倭焚船時各別搜覓愼勿妄
殺事申飭約束諸將等被擄人生擒男女並六
名內他餘人年或迷弱被擄日淺賊之所爲莫
知如何其中唐項浦外洋鹿島萬戶鄭運所擒
東萊接私奴億萬年今十三斷髮爲倭推問招
內東萊東門外蓮池洞居人生變即時隨父母
入城日不記四月賊倭無數來集圍城五匝餘
賊遍野先鋒之賊被甲各持大釼介着廣大頭

口者百餘人突入衝城一邊橫立竹梯處處踰
越城既見陷殺伐斯極小人蒼黃間相失親兄
莫知所向仰天呼泣有一倭扶手刼率直到釜
山留五六日後移載其船船有七八倭見我喧
呼揮釼欲打率往之倭翼而掩之潛置舡下而
所泊倭船元數不知其幾許載船過五六日後
大船三十餘艘同時發船指向右道其中層閣
船將帥所居諸船雲集其下似聽其令有時數
三船式分運作賊焚蕩閭閻釼害牛馬布穀雜
物駄載其船如是者日或再三而所經島嶼村

名莫知何方而今六月初五日一運四船偕往
鎭海船滄半餘入城未久鎭海城外數千兵甲
突入同縣兵勢滔天則入城之賊大叫奔還乘
船促櫓至中洋又見風檣戰舸蔽自西海賊徒
等自知蹤迹莫遁脣焦口燥心膽俱摧棄其大
船合乘小艇不遠浦口促櫓奔入小人及昨日
被擄鎭海居寺奴羅斤乃等弃大船棄置仍而
被擒倭人各持槍釼鐵丸朝夕之飯半雜沙土
他餘事語音相殊未能解聽云云栗浦前洋接
戰時鹿島萬戶鄭運所擒天城水軍鄭達望年

今十四推問招內生變後隨父母入山迫於飢
困日不記今六月初生間天城近野牟田收穗
連命下來爲倭所擄當日永登近處依岸泊船
倭人所得物貨曝陽擧風而我國舟師不意突
進倭人等顚倒失措即斷碇索呼噪乘船遠遁
外洋力盡被捕云各人等俱是弱齡爲倭所擄
離棄親鄕所見矜惻各令所擒之官賑恤安居
事定後還送舊土事各別開諭倭船焚滅元數
七十二隻倭頭八十八級割左耳沈塩入樻上
送矣臣當初約束時諸將軍卒等要功貪利爭

先斬頭反被其害死傷者例多故射殺後雖未
斬頭力戰者為首論功事申令凡四度接戰時
逢箭死倭極多而斬首不多慶尙右水使元均
接戰翌日分遣挾船庶幾收斬而慶尙沿海鮑
作等逢箭死倭多數斬来臣以他道大將捧上
未穩元均處入納事開說以送元均李億祺等
諸將所斬幾至二百級或漂溺海中或斬首沈
失其數亦多倭物內不關倭服米布等物或分
給戰士或饋餉軍卒軍物中抽出最關之物開
坐于後虞候李夢龜所得倭將符信金團扇藏

漆匣及防踏僉使李純信所納倭將分軍件記
六軸幷為監封上送接戰時士卒逢箭中丸人
中臣所騎船正兵金末山虞候船放砲鎮撫張
彥己順天一船射夫私奴裵貴實二船格軍私
奴莫大鮑作內隱石寶城一船射夫官奴起伊
興陽一船箭匠官奴難成蛇渡一船射夫鎮撫
張希達呂島沙工土兵朴古山格軍朴宮山等
中鐵丸致死興陽一船射夫牧子孫長水下陸
倭賊追斬時逢刃致死順天一船射夫保人朴
訓蛇渡一船射夫鎮撫金從海等逢箭致死順

天一船射夫柳貴希光陽船格軍鮑作南山壽
興陽船船將水軍朴百世格軍鮑作文世訓道
正兵陳春日射夫正兵金福壽內奴高朋世樂
安統船射夫趙千軍水軍宣進近無上私奴世
遜鉢浦一船射夫水軍朴長春土兵張業同放
砲水軍禹成福等中丸不至重傷防踏僉使卒
奴彥龍光陽船放砲匠徐千龍射夫白內隱孫
興陽一船射夫正兵裵大檢格軍鮑作末孫樂
安統船長興助防高希星綾城助防崔蘭世寶
城一船軍官金益水射夫吳彥龍無上鮑作欣

孫蛇渡一船軍官陳武晟林弘楠射夫水軍金
億壽陳彥良新選許福男助防田光禮放砲匠
許元宗土兵鄭於金呂島船射夫石千介柳修
宣有石等逢箭不至重傷各人等冒犯矢石決
死進戰或死或傷故致死人屍身各令其將別
載小船歸葬本土其妻子依他恤典施行不至
重傷人等分給藥物十分救療事各別嚴飭諸
將則毋狃一捷慰撫戰士更勵舟楫聞變即赴
終始如一事嚴飭罷陣中衛將權俊前部將李
純信中部將魚泳潭後部將裵興立左部將申

浩右部将金得光左斥候将鄭運右斥候将金
浣龜船突擊将及第李奇男臣軍官李彦良左
别都将李夢龜右别都将金仁英捍後将臣軍
官前權管賈安策及帶率軍官奉事卞存緒羅
大用前奉事宋希立李渫申榮海及第金孝誠
裵應禄定虜衛李鳳壽等奮不顧身終始力戰
羣下吏士争首赴敵人等論功褒奬事若待
朝廷　命令後磨鍊則往復之間時月遲延加
之以　行在所隔遠道路阻塞人不能通行劇
賊未退賞不可逾時慰激軍情以勸當前之事

為先叅酌功勞分秩一二三等别狀開坐當初
約束時雖未斬頭以死力戰者為首論功力戰
各人等臣親執磨鍊一等叅録

見乃梁破倭兵狀

謹　啓為捕斬事有　旨書狀未到之前慶尚
海路之賊同道右道沿海之地稍蠶焚掠已犯
泗川昆陽南海等境本道右水使李億祺慶尚
右水使元均等處文移約束或全船捕斬或合
力勦滅後六月初十日還營縁由已為馳　啓
而有　旨書狀據巡察使關又到矣作綜出沒
之賊這這勦滅互相文移約束整理舟楫慶尚
道賊勢探問則加德巨濟等處倭船或十餘隻
或三十餘隻作綜出沒本道錦山之境賊勢鴟
張水陸分犯處處熾發一無拒戰以致長驅之
勢與本道右水使約會今七月初四日夕時約
處準到初五日相與約束初六日率舟師一時
發船到昆陽南海境露梁則慶尚右水使修緝
破頹戰船七隻領率同處留泊洋中齊會再三
約束至晋州地昌信島日暮經夜初七日東風
大吹不能行船到固城地唐浦日暮樵汲之際

避亂登山同島牧子金千孫望見臣等舟師奔
遑進告内賊船大中小幷七十餘隻當日未時
自永登浦前洋巨濟固城地境見乃梁到泊云
故更飭諸将初八日早朝指向賊船留泊之處
至中洋望見則倭大船一隻中船一隻先鋒出
来探見我師後還入其結陣處追至則大船三
十六隻中船二十四隻小船十三隻列陣留泊
而見乃梁地形狹隘又多隱嶼板屋戰船自相
觸搏固難容戰賊若勢窮則依岸登陸引出閑
山島洋中以為全捕之計而島在於巨濟固城

之間四無游泳之路雖或登陸餓斃丁寧先使板屋船五六隻追逐其先鋒之賊揚示掩擊之狀則諸船之倭一時懸帆追逐我船佯退而還彼賊逐之不已及出洋中更令諸將鶴翼列陣一時齊進各放地玄字勝字各樣銃筒先破其二三隻則諸船之倭挫氣退遁而諸將軍吏乘勝踴躍爭先突進箭丸交發勢若風雷焚船殺賊一時殆盡順天府使權俊忘身突入先破層閣倭大船一隻洋中全捕倭將幷斬首十級我國男人一名生擒光陽縣監魚泳潭亦爲先突

撞破層閣倭大船一隻洋中全捕射中倭將縛致臣船未及問罪逢箭甚重語言不通即時斬首他倭幷斬十二級我國人一名生擒蛇渡僉使金浣倭大船一隻洋中全捕倭將幷斬首十六級興陽縣監裵興立倭大船一隻洋中全捕斬首八級又多溺死防踏僉使李純信倭大船一隻洋中全捕斬首四級而只力射殺不務斬頭又二隻追逐撞破一時焚滅左突擊將及第李奇男倭大船一隻洋中全捕斬首七級左別都將營軍官前萬戶尹思恭賈安策等層閣船二隻洋中全捕斬首六級樂安郡守申浩倭大船一隻洋中全捕斬首七級鹿島萬戶鄭運層閣大船二隻銃筒貫穿諸船挾攻焚破斬首三級我國人二名生擒呂島權管金仁英倭大船一隻洋中全捕斬首三級鉢浦萬戶黃廷祿層閣船一隻撞破諸船挾攻合力焚滅斬首二級右別都將前萬戶宋應珉斬首二級興陽統將前縣監崔天寶斬首三級斬退將前僉使李應華斬首一級右突擊將及第朴以良斬首一級臣所騎船斬首五級遊軍一領將孫允文倭小

船二隻放砲追逐登山五領將前奉事崔道傳我國人小男三名生擒其餘倭大船二十隻中船十七隻小船五隻等左右道諸將同力焚破逢箭投水溺死者不可勝數倭人四百餘名勢窮力盡自知難逃於閑山島棄船登陸其餘大船一隻中船七隻小船六隻等接戰時落後遥望焚船斬殺之狀促櫓逃遁終日接戰將士勞困日且曛黑窮追不得見乃梁內洋結陣經夜初九日加德指向安骨浦倭船四十餘隻留泊探望軍進告故與本道右水使及慶尚右水使

相議討賊之策日已向暮逆風大起不可進戰
臣濟温川島經夜初十日曉頭發船本道右水
使同浦外洋加德邊結陣我若接戰則留伏馳
来事約束臣率舟師鶴翼先進慶尚右水使繼
臣之後到安骨浦望見船滄倭大船二十一隻
中船十五隻小船六隻来泊其中三層有屋大
船一隻二層大船二隻浦口向外浮泊其餘船
鱗次列泊同浦地勢狭淺潮退則成陸板屋大
船容易出入不得再三誘引其先運船五十九
隻於閑山島海中引出無遺焚滅斬殺故勢窮

則欲為下陸之計而據險結船畏㤼不出勢不
得已令諸將等迭相出入天地玄字銃筒及各
樣銃筒長片箭等如雨放中之際本道右水使
定將伏兵後馳来合攻聲勢益倍有屋大船及
二層大船所載之倭幾盡死傷而死傷之倭一
一曳出用小船載出他船之倭移載於小船合
入層閣大船如是者終日故亦為幾盡撞破餘
生倭賊等盡為下陸而下陸之賊未及盡捕居
民竄伏山谷者甚多盡焚其船致成窮寇則竄
伏之民未免魚肉之禍故姑退一里許經夜十

一日曉頭還為圍抱賊倭等蒼黄絶碇乘夜逃
遁探見昨日戰處則戰死之倭十二處聚積焚
燒尚有餘燼之骨手足狼籍同浦城内外流血
滿地處處赤色賊人死傷不可勝計同日巳時
梁山江金海浦口甘同浦口並為搜探俱無賊
形自加德外面東萊沒雲臺列船結陣嚴視軍
威探望賊船多寡来告事加德鷹峯金海金丹
串烟臺等處候望軍定送同日戌時金丹串定
送望軍慶尚右水營水軍許水光進告内烟臺
探望上去時峯下小庵有一老僧率往烟臺梁

山金海兩江深處及以至兩邑看望則賊船分
泊之數兩處合計猶有百餘隻許所見如是而
間近間每一日五十餘隻或作綜連十一日自
本土同江入来昨日安骨浦接戰時聞放砲聲
去夜幾盡遁還只餘百餘隻云云可知其畏怖
逃遁之狀十一日暮投天城堡暫留欲使賊疑
我久駐之慮而乘夜回軍十二日巳時到閑山
島則下陸之倭連日飢饉不能運步困睡江邊
臣濟島軍民等已斬三級其餘賊四百餘名脫
遁無路有若籠中之鳥而臣及本道右水使以

他道客兵兵粮已乏錦山賊勢鴟張已到全州
事傳通繼至同道下陸之賊臣濟軍民同力斬
獲後級數移文事同道右水使慶約束十三日
還營臣諸將所斬倭頭九十級割左耳沈鹽入
積上送臣當初約束時諸將軍卒等要功設計
爭相斬頭反被其害死傷例多既為殺賊則雖
未斬頭當以力戰者為首論功事再三申令故
級數不多慶尚道立功諸將等乘小船在後觀
望者幾至三十餘隻既為撞破則雲集斬頭大
槩臣諸將所斬及慶尚右水使元均本道右水

使李億祺等所率諸將所斬並幾至二百五十
級而其間溺死洋中或斬頭沈失者亦不知其
幾許倭物內不關衣服米布等分給戰卒以慰
其心軍物內抽出最關者開坐于後中衛將順
天府使權俊中部將光陽縣監魚泳潭前部將
防踏僉使李純信後部將興陽縣監裵興立右
部將蛇渡僉使金浣左斥候將鹿島萬戶鄭運
左別都將前萬戶尹思恭貫安策右斥候將呂
島權管金仁英左突擊龜船將及第李奇男保
人李彥良左部將樂安郡守申浩遊軍將鉢浦

萬戶黃廷祿捍後將營軍官前奉事金大福及
第裵應祿等每次接戰忘身先赴以致勝捷極
為可嘉倭物一路絕阻上送不得接戰時士卒
中營二船鎮撫順天水軍金鳳壽防踏一船別
軍光陽金斗山呂島船格軍興陽水軍姜必仁
林必近張千奉蛇渡一船甲士裵中之鹿島一
船興陽新選朴應龜康津水軍姜莫同同浦二
船格軍長興水軍崔應孫樂安船射夫私奴筆
同營龜船土兵私奴金末孫丁春興陽二船格
軍私奴上左寺奴貴世寺奴末連營傳令船順

天水軍朴戊年鉢浦一船長興水軍李機同興
陽水軍金軒興陽三船私奴孟水等中丸致死
臣騎船格軍土兵金國朴凡金延近鮑作張同
高風孫防踏一船格軍土兵姜突每水軍鄭貴
連金水億金士化土兵鄭德成孫元希同鎮二
船格軍正兵蔡治水軍梁世卜河丁射夫新選
金烈同鎮龜船格軍水軍金允方徐于東金仁
山金加應赤李水背宋雙傑呂島船破陣軍金
漢京土兵水軍趙尼孫及宣有守水軍李庭亥
林世尹希同孟彥浩田銀石鄭大春放砲匠徐

億世朴春文金錦近本營一船水軍鄭元方鮑
作李甫仁土兵朴突同蛇渡一船水軍崔宜式
金仝同沙工朴近世崔白水軍金弘屯水軍俞
必丁李應弘朴彦海申哲姜牙金軍官田光禮
同鎭二船格軍鄭可當鄭于當吳凡同鹿島二
船軍官成吉伯新選金德壽水軍姜永男朱必
尚崔永安土兵私奴毛老孫射夫長興軍士閔
時澍格軍興陽水軍李彦丁樂安一船格軍鮑
作業同世千李淡孫望龍同郡二船射夫金鳳
壽鮑作禾里同壯軍朴如山私奴難孫寶城船

無上吳欣孫格軍奴孚皮興陽一船鮑作高邑
同南文同進同官奴之南同縣二船放砲匠正
兵李爛春射軍私奴吳茂世格軍私奴風自東
奴大福奴金孫保人朴千梅私奴八連奴欣每
奴每孫奴克只保人朴鶴鯤光陽船都訓導金
溫無上金淡代格軍先同營龜船格軍土兵金
延浩奴億基洪允世丁傑張水崔夢漢水軍鄭
希宗趙彦孚朴開春全巨之營三船鎭撫李自
春趙得朴先厚張梅年格軍鮑作李文世土兵
金年玉奴鶴梅奴永駬朴外同鉢浦一船土兵

李老郎李仇連水軍趙道本同浦二船水軍崔
已金信末崔永文興陽三船私奴風世鮑作馬
仇之望已欣福等中丸不至重傷各人等冒犯
矢石決死進戰或死或傷致死人屍身各令其
將別載小船歸葬本土妻子依他恤典施行不
至重傷人等以藥物十分救療事各別嚴飭鹿
島萬戶鄭運所擒巨濟烏陽浦鮑作崔彌招內
被擄未久語音相殊他餘所言不能知聽唯全
羅之兵前日焚船斬殺時或發說拔劒示勇觀
其辭色察其所爲則專爲直向全羅之計來泊

巨濟島見乃梁見敗云順天府使權俊所擒京
中接保人金德宗招內日不記去六月間賊倭
不知其數分四運與小人及携率自京下來二
運釜山江邊結陣一運梁山江結陣又一運於
全羅道赴戰而倭人言語解聽不得一運京城
時方結陣避匿人等掛榜知委無遺入接如奴
使喚小人率來倭將接戰時被殺云五領將崔
道傳所擒京中接私奴仲男私奴龍伊慶尚道
比安接私奴永樂等招內賊人等下來時到龍
仁我國兵馬相逢接戰我國人退兵及到金海

江倭將以書通諭諸倭有若我國將帥約束之狀則諸倭等舉手指西每稱全羅道至或拔劒擊物一如斬殺之狀云光陽縣監魚泳潭所擒慶尚道仁同縣居小男禹謹身招內小人及同生妹一時避亂入山並為被擄上京妹則倭將相奸月日不記下來時我國兵馬相逢初日倭賊得勝第二日不勝退兵第三日我國軍士全數退兵故直下金海江所騎船隻不知自何來以他處領來某處指向之語不能解聽但指手向西必是全羅道指向之語而倭將當日接戰

時射斬我國兵馬接戰時我人不與抗戰則揮劒踴躍乘勝追逐彎弓突擊則必皆逡巡却步倭將雖嚴督戰畏不敢出云熊川縣監許鎰所率同縣記官朱貴生言內金海府內居生內需司奴李水仝七月初二日縣居其父母相見事来到言內本府佛巖滄到泊倭人等全羅道接戰云云各船防牌之外以槐木數三板添造堅緻自中相約分三運屯泊金海城內外留屯之賊一夜望見漁火恐或全羅之兵来襲大驚喧噪罔知所為東奔西走良久乃定云各人所供

雖不可一一取信而分三運粧船指向全羅之言則似有可據之路一運之倭七十三隻巨濟島見乃梁来泊已為臣等所滅二運之倭四十二隻安骨浦船滄列陣而亦為臣等所敗無數死傷乘夜逃遁更引其類連兵合勢長驅来犯終至於腹背受敵兵分勢弱極為可慮治兵整旅枕戈待變更通即時率舟師馳進事與本道右水使李億祺約束罷陣被擄生擒人各令所擒之官賑恤安居事定後還送舊土事開諭諸將軍吏等奮不顧身終始力戰累度勝捷而

行朝隔遠道途阻塞軍功等第若待 朝廷命令後磨鍊無以感動軍情故為先叅酌功勞一二三等別狀開坐依當初約束雖未斬頭以死力戰人等臣親見分秩磨鍊一樣叅錄

移劃軍糧狀

謹 啓為移上事營及道屬各鎮浦軍糧元數三度討賊曠日在海許多戰船軍卒飢餓軍糧不敷已盡分給賊未退去連續下海他無辦餉之路極為悶慮勢不得已鎮在順天府軍糧五百餘石本營及疊入防踏鎮興陽軍糧四百石

呂島蛇渡鉢浦鹿島等四浦各一百石先可移
上以備不虞事移牒都巡察使

　釜山破倭兵狀

謹
　啓為焚滅事慶尚沿海之賊三度往討後
加德以西頓絕形影各道彌滿之賊日漸流下
將乘其退遁水陸合攻故本道左右道戰船合
七十四隻挾船九十二隻倍嚴整理去八月初
一日本營前洋準到結陣申明約束之際慶尚
右道巡察使金睟關內上犯賊徒晝伏夜行梁
山金海江等處連續下來卜物滿載顯有逃遁

之跡云故同月二十四日與右水使李億祺等
發船舟師助防將丁傑並為率領南海境觀音
浦經夜二十五日到蛇梁洋中約會處同道右
水使元均相逢備問賊奇後偕到唐浦經夜二
十六日風雨交作未能發船日暮到巨濟島乘
夜潛渡二十七日熊川地薺浦後洋院浦經夜
二十八日慶尚道陸賊體探人進告曰固城鎮
海昌原兵營等地留屯之倭今月二十四五日
夜間盡數逃遁云必是登山探望之賊望我舟
師畏威遁走于船泊處同日早朝發船直向梁
山金海兩江前洋昌原地仇谷浦鮑作丁末石
稱名人被擄第三日自金海江逃還言內同江
留泊賊船數三日間多數作綜於沒雲臺外洋
促櫓出去逃遁之狀顯然小人乘夜逃還云故
加德島北邊西岸藏船隱泊而防踏僉使李純
信光陽縣監魚泳潭加德外面潛形隱伏梁山
賊船使之探望來告申時末還來言內終日看
望只有倭小船四隻出自兩江前洋直過沒雲
臺云仍向天城船滄經夜二十九日雞鳴發船
平明到兩江前洋而東萊地長林浦洋中零賊

三十餘名分騎大船四隻小船二隻自梁山出
來望見我師棄船登陸慶尚右水使所率舟師
專為撞破焚滅而左別都將臣虞候李夢龜撞
破大船一隻斬首一級後分兵左右欲入兩江
而江口形勢隘狹板屋大船容戰不得初昏還
到加德北邊經夜與元均李億祺等達夜謀議
九月初一日雞鳴發船辰時過沒雲臺東風遽
起波濤洶湧艱以制船到花樽龜尾倭大船五
隻相逢而到多大浦前洋倭大船八隻到西平
浦前洋倭大船九隻到絕影島倭大船二隻並

依岸列泊故三道水使所率諸將及助防將丁
傑等合力無遺撞破滿船所載倭物戰具勿令
搜得並爲焚滅倭人望風登山斬頭不得絶影
島内外面打盡搜討無賊蹤乃令小船馳送釜
山前洋探審賊船則大槩五百餘隻船滄東邊
山麓岸下至列泊而先鋒倭大船四隻邀出草
梁項云即與元均李億祺等約束曰以我兵威
今若不討還師則賊必生輕侮之心乃指旗督
赴右部將鹿島萬户鄭運龜船突擊將臣軍官
李彦良前部將防踏僉使李純信中衛將順天

府使權俊左部將樂安郡守申浩等先登直進
先鋒大船四隻爲先撞破焚滅賊徒游泳登陸
時在後諸船仍此乘勝揚旗擊鼓長蛇突前鎭
城東一山五里許岸下三處屯泊之船大中小
幷大槩四百七十餘隻而望我威武畏不敢出
及其諸船直擣其前則船中城内山上穴處之
賊持銃筒挾弓矢舉皆登山分屯六處俯放丸
箭如雨如雹至於發射片箭一如我國人或放
大鐵丸大如木果者或放水磨石大如鉢塊者
多中我船諸將等益增憤惋冒死爭突天地字

將軍箭皮翎箭長片箭鐵丸一時齊發終日交
戰賊氣大挫而賊船百有餘隻三道諸將並力
撞破後逢箭死倭曳入土窟者不知其幾數急
於破船斬頭不得欲抄諸船勇士下陸盡殲而
凡城内外六七處屯立之賊騎馬示勇者亦多
無馬孤軍輕易下陸亦非萬全之策日且奄浚
留在賊藪恐有腹背受敵之患勢不得已領諸
將回棹三更還到加德島經夜梁山金海留泊
之船或云漸還本土數月之内自知其勢日孤
咸聚釜山城内官舍盡數撤去築土造家已成

巢穴多至百餘户城外東西山麓閭閻櫛比連
墻接屋亦幾三百餘家皆是倭人自作之家其
中大舍層階粉壁有若佛宇原其所爲極爲痛
憤接戰翌日又欲還突焚蕩其巢穴盡破其船
隻上去之賊彌滿諸處斷其歸路則慮有盡成
窮寇之患不得已水陸俱擊庶可盡殲而加之
以風浪逆截戰船相觸多有破碎之處修繕兵
船優備軍粮又待陸戰大通之日擬與慶尚監
司等水陸俱進殲討無餘初二日罷陣還營虞
侯李夢龜所斬倭頭一級本無左耳耳根割取

沈盌上送丁亥年被擄逃還營水軍金介東李彥世等招內小人等擄去之倭本無左耳今見倭頭眉目宛然此倭人年老以自中酋長作賊為事素嗜殺人云蛇梁權管李汝恬生擒倭人吳道同招內日本上國倭挈家率妻以來俺所居一境之倭皆厭赴戰避入山谷而六七月之間日本之使挾山搜得滿載船中仍送于此而近日高麗之人多殺我類勢難久留欲還本土之際如是被捉云巧詐之言雖不可信然其年既少其狀若愚粗有疑似之端矣凡前後四次

赴敵十度接戰皆致勝捷若論將士功勞則莫逾於今番釜山之戰前日相戰時賊船之數多不過七十餘隻而今則大賊巢穴列泊四百餘艘之中盛陳兵威乘勝突進略無畏挫終日奮擊撞破賊船百有餘隻使賊心摧膽落縮首惶怖雖未斬馘力戰之功超過於前時依前叅酌功勞分等磨鍊別狀開坐而順天監牧官趙玎慷慨發憤自備船隻率其奴子牧子自願赴敵倭人多數射殺倭物又多搜得之由中衛將權俊再三論報臣之所見亦如是鹿島萬戶鄭運

起變以來激發忠義誓欲與賊同死三度討賊每為先突釜山接戰時亦為冒死突進賊之大鐵丸貫穿頭頂而致死極為慘痛諸將中別定差使員各別護喪其代以他有武才計慮人斯速差除催促下送間臣軍官前萬戶尹思恭假將差送接戰時中丸致死重傷士卒防踏一船射夫順天水軍金千回呂島船分軍色興陽水軍朴石山蛇渡三船格軍綾城水軍金開文營捍後船格軍土兵奴守培沙工鮑作金叔連等中丸致死臣所騎船格軍土兵寺奴張開世水

軍鮑作金億富金開東營捍後船水軍李宗格軍土兵金江斗朴成世營龜船土兵鄭仁伊朴彥必呂島船土兵鄭世仁射夫金希全蛇渡一船軍官金鵬萬沙工土兵水軍安元世格軍土兵水軍崔翰宗光州水軍裵植宗興陽一船格軍鮑作北開營虞候船射夫鎮撫仇銀千防踏一船格掐軍奴春好奴輔灘同鎮龜船格掐軍奴春世奴延石寶城水軍李加福寶城船無上欣孫等中丸不至重傷臣所騎船土兵水軍金永見鮑作今同防踏龜船順天射夫新選朴世

奉等逢箭暫傷外他無所傷上項各人等釜山
之戰冒犯矢石決死進戰或死或傷屍身載船
歸葬其妻子等依他恤典施行不至重傷人分
給藥物十分救療事各別嚴飭倭物內米布衣
服等物戰士等賞給倭軍器等物並爲開坐于
後泰仁居業武校生宋汝悰以樂安郡守申浩
待變軍官四度討賊時憤激忠情挺身突入效
死力戰曾斬倭頭前後軍功並參一等故陪持
啓本上送
倭甲五部內一金甲倭兜鍪三倭長槍二倭銃

筒四倭大碇四倭騎鞍一部於赤一部倭超床
一倭各色衣七倭婆羅二隻倭鉛鐵二百三十
斤倭竹鏃箭十二部五介倭長箭五部二十三
介倭無鏃箭二部十一介倭爐一倭鼎一倭槓
一我國長箭九介鐮子一柄地字銃筒二柄玄
字銃筒二柄大碗口一彫皮一令

被圍倭兵逃還狀

謹 啓爲相考事去七月初八日慶尚道閑山
島前洋接戰時逢箭倭四百餘名絕島下陸有
若籠中之鳥當過旬日餓斃丁寧令同道右水

使元均率其所屬舟師圍抱四面無遺捕斬臣
及右水使李億祺等罷陣還師元均厥後誤聞
賊船多至解圍而去下陸倭人等伐木爲槎盡
渡巨濟鼎裏之魚終至脫漏極爲痛憤

請鄭運追配李大源祠狀

謹 啓鹿島萬戶鄭運恪謹職事兼有膽略可
與論難而起變以來激發義氣爲國忘身念不
少弛勤於邊事猶倍前時臣之所恃者只此鄭
運等二三人三度戰捷每每先登釜山大戰時
輕身忘死先突賊巢終日交戰力射猶亟賊不

敢動寔運之力而當其回帆中鐵丸致死凜氣
精靈空自泯滅未聞於後世極爲慘痛李大源
祠室尚在其浦招魂同榻設奠供饗一慰義魂
一警他人防踏僉使李純信盡瘁邊備變後愈
勤四度討賊必先奮擊至於唐項浦接戰時射
斬倭將其功超等只力射殺不務斬頭緣由各
別褒 啓而褒賞之文獨不參純信之名軍情
缺悵諸將中權俊李純信魚泳潭裵興立鄭運
等別有所恃期與共死而每事同論畫計權俊
以下諸將皆陞堂上唯此純信未蒙 天恩故

伏竢 朝廷宣褒之 命

封進紙地狀

謹 啓行在所所用紙地優數上送事有 命
而啓本陪持之人跋涉道途有難擔運先以壯
紙十卷監封上送

裝送戰穀狀

謹 啓順天居前訓錬奉事鄭思竣以變生後
起復人奮發忠情慶尚道連境要衝之地光陽
縣錢灘伏兵將定送後凡干埋伏禦敵等事別
設奇策使賊不敢近境鄭思竣約與同府奮義

之士前訓錬奉事李義男等各聚義穀都載一
船發向 行在所矣備邊司關内箭竹優數上
送而釜山奏捷 啓本陪持之人陸路上歸跋
涉道途勢難賫持故不得上送鄭思竣等上去
時長片箭竹及紙地等物并為監封同船同載
膳狀別錄上送順天府使權俊樂安郡守申浩
光陽縣監魚泳潭興陽縣監裵興立等以舟師
衛部將營前洋結陣待變各狀論報内以沿邊
各官慮有生變軍粮元數外別置而 國運不
幸 大駕西狩已至六朔許多將士支供難繼

臣子之情不勝痛哭別置軍粮等物各載船隻
自募人準授 進上計料而守令等得達無路
枚舉狀 啓之意牒呈云矣權俊數外軍粮一
百石他餘雜物上項鄭思竣等義穀運船合載
為先上送申浩魚泳潭裵興立封進軍粮軍器
等物各載其船各邑自募人準授上送各各膳
狀成給

請反汗一族勿侵之命狀

謹 啓為相考事兇賊彌滿諸路唯此湖南幸
賴天佑粗似保完獲成一國之根本動 王悏

復皆由此道而上年六七月之間六萬軍馬許
多兵粮盡喪於鐵甸兵使所領四萬之軍亦盡
於凍餒令巡察使又率精軍而北上五義兵將
相繼興師而遠赴自是以後一境騷動公私蕩
盡雖有老弱之民而輸兵運粮之際鞭扑輒隨
倒顛溝壑者比比有之加之以召募使下来不
分内地沿海軍數卜定督之甚劇則各官難於
充數防邊之卒亦多抄去體察使從事官九員
分撿列邑督發餘丁邊鎮軍器又多輸移復儺
義將高從厚等又從而起内寺奴無遺抄發召

募官令始下來迭相捜括殆無虛日民生愁怨之聲屬耳不絕國家興復之期大失所望一隅孤臣北望長痛心死形存前年有 旨書狀內各官流亡軍士侵及族隣者限事定一切蠲除事 聖旨丁寧凡為臣子者莫不揮涕感蒙當此危難之日戍卒一人可敵平時百名一闕勿侵之令咸懷圖免之計去朔十名赴防之邑今朔則僅到三四昨日十名留防者今日則未滿四五不月之內防戍日虛鎮將束手無策乘船討賊何賴以制之守城拒戰何賴以為之若因

循責立則有違 聖教若遵奉下書則守邊無人此間便宜斟酌處置事論報體察使矣回答內一族之弊最是病民之甚者丁寧 聖教所當遵行之不暇所報內辭緣亦為有理於禦敵撫民兩得其便云故各官物故全絕户姑勿都目事行移矣大抵藩屏一失毒流腹心此實已經之驗而況此本道分防軍數非如慶尚道例每番入防之軍巨鎮則多不過三百二十餘名殘堡則少不滿一百五十餘名而其中久遠流亡物故未本定者十居七八當身現存者太半

老殘若令全除一族則守城船格百無所措極為悶迫備邊司奉承 傳行移內近見討賊莫如水戰戰船優數加造云矣戰船司行移未到之前臣已令營及鎮浦多數加造而一船射格并一百三十餘名之軍充之末由是尤悶慮一族等限事定仍前施行而稍稍辨覈以紓民怨最是當今之急務伏願 朝廷更加商量姑停一族勿侵之令永全南荒恢復之基水軍入防之數如彼其鮮少闕防負罪之輩或投屬召募軍或爭附義兵矣今如春防孔棘之時防禦軍

士移屬他處頗無實邊之意一切他處勿移事各別 宣諭恐合事宜冬三朔四色除防軍在平日專為變生時補軍之資當此大變元軍不多又除四色之軍則尤無防戍之路下海餘暇修改戰船操鍊兵備等事專責於水卒四色除防軍等並與陸軍勿為除防無遺率防之意各鎮浦並為撿飭巡察使處移文

裝送戰穀及方物狀

謹 啓去九月順天居起復奉事鄭思竣約與同府奮義之士校生鄭憒等各聚義穀同載一

船　行在所上去故營及舟師各官順天光陽樂安興陽等官守令所封別　進上等物各各膳狀開錄而鄭思竣處準數上送海西水路風勢不順鄭思竣中路觸寒病勢沈重不能進去而還來其同生弟臣軍官鄭思竑使之賫持上去臣所封別　進上長片箭等雜物及　誕日冬至正朝方物　進上鄭思竑及營鎭撫金良幹一時準授義穀所載船同載上送順天府使權俊所封別　進上亦爲膳狀成貼同載一船光陽興陽樂安等官各其官船以自募人準授
上送

李忠武公全書卷之二

李忠武公全書卷之三目錄

狀啓二

李忠武公全書卷之三目錄

狀啓二

請賜硫黃狀

謹 啓爲分上事營及各鎭浦所在火藥元數不敷戰船分載五征嶺海幾盡放下加之以本道巡察使防禦使召募使召募官諸義兵將及慶尙道巡察使水使等請索頗多餘儲甚少旣無移上之處又無充備之路百爾思量他無計策隨宜煑取而臣軍官訓鍊主簿李鳳壽得其妙法三朔之內焰硝一千斤煑出故營及各官

浦次次分給只石硫黃他無出處敢請百餘斤量下

分送義僧把守要害狀

謹 啓爲相考事嶺南屯賊謀犯本道水陸窺覘臣雖曰專委水戰於陸戰之備念不少弛湖南接界求禮石柱陶灘光陽豆恥江灘等要害處設伏把守等事助力撿飭欲使賊終不得踰越而上年八九月之間行移于近處各官諸寺隱漏僧徒及括不付閑遊者無遺摘發石柱陶灘豆恥等處分戍事申飭矣僧徒等聞風樂聚不月之內多至四百餘名而其中有勇略順天居僧三惠豺虎別都將興陽居僧義能遊擊別都將光陽居僧性輝右突擊將光州居僧信海左突擊將谷城居僧智元揚兵勇擊將差定另加召集之際又有求禮居進士房處仁光陽居閑良姜姬悅順天居保人成應祉等慷慨奮義糾合鄕徒亦各起兵故房處仁陶灘姜姬悅及僧性輝等豆恥信海石柱智元雲峯八陽峙把守要害與官軍並力待變事傳令成應祉專責本府守城之備僧三惠留鎭順天僧義能留防

本營當觀賊勢輕重陸戰重則赴陸水戰重則赴水之意約束而截殺大適之賊兵不可孤弱所屬舟師優數整理義將成應祉僧將三惠義能等分給戰船修飭分騎並令下海

請令流民入接突山島耕種狀

謹 啓爲相考事嶺南避亂之民流接營境者多至二百餘戶而各令假接艱以過冬當前賑救之資百無所計雖曰事定後還歸本道當在目前不忍見餓莩之狀前因豐原府院君柳成龍書狀據備邊司行移內諸島可以避亂又作

屯田之地流民入接便否參酌施行事臣商量
其避亂人可接處則莫如突山島而同島介在
本營防踏兩閭重崗回抱賊程四隔地勢廣衍
土品肥沃曉諭流民稍稍入接方使春耕而前
御史洪宗祿監司尹斗壽水使朴宣李薦李英
等營屯畓請 啓之時該曹以有牧場處妨於
馬政防 啓矣今則國事艱危民生失所雖使
無賴之氓入作別無貽害於牧馬則牧馬救民
庶使兩便

令水陸諸將直擣熊川狀

謹 啓有 旨書狀據去正月三十日所屬舟
師準到約束後風勢不順發船不得累日待風
今二月初二日發行初七日到巨濟島見乃梁
慶尙右水使元均相逢初八日本道右水使李
億祺追到同處齊會約束初十日到熊川前洋
則同縣留屯之賊藏船深浦設險浦口多作巢
穴三道舟師合勢設伏潛伺連日誘引畏我兵
威終不出戰漆川梁加德島前洋往來結陣多
方劃策期於殲滅而不得已殲此扼項之賊次
截梁山金海之路俾無繞後之患然後漸進釜
山截殺遁賊水陸合攻事急令諸將率兵馬直
擣熊川之意慶尙右道巡察使處移文催促

討賊狀

謹 啓為討賊事 天兵掃蕩平壤之後以邀
截水路遁賊事宣傳官蔡津安世傑等五日再
至臣督率舟師去二月初六日發船初八日與
本道右水使李億祺慶尙右水使元均等齊會
於巨濟境閑山島洋中申明約束同縣地漆川
梁熊川境加德前洋等處往來結陣以待 天
兵南下大賊遁還矣熊川之賊扼項於釜山之

路據險藏船多作巢穴故不得不先去此賊後
初十日十二日乃進釜山二月十八日二十日
或遣伏誘引或出入挑戰彼賊曾㤼舟威不出
洋中每以輕疾之船闖然於浦口追逐則旋入
其深處只以東西山麓築壘分屯多張旗幟放
丸如雨揚示驕橫我船分衛作綜左右齊進砲
箭交發勢若風雷如是者日復再三射殺而顚
仆者不知其幾許賊勢大挫然疑其設險未能
深入於內浦亦未能登陸追斬常懷慷慨而十
八日之戰左別都將臣軍官主簿李渫左突擊

龜船將主簿李彥良等窮逐賊船三隻三隻所騎百有餘賊擧皆射殺其中着金冑紅甲者大呼促櫓亦中皮翎箭卽仆舟中庶幾全捕而旣入深處勢難窮追臨淄統船在傍助戰獲斬投水倭一級大槩非陸兵則決難驅出故欲乘其氣挫水陸合攻慶尙右巡察使金誠一處再請陸兵則　天兵支待事煩又無留軍欲令僉知郭再祐先討昌原次進熊川云衆寡不敵勢未擧討同月二十二日與李億祺及諸將等約曰彼賊畏不出抗又無陸兵襲後他無殲滅之路

然而近多戰傷氣勢已挫又審其浦口則似無設險之狀亦可容戰船七八隻累日相戰未嘗勦滅又未斬馘極爲痛憤因使三道舟師各出輕完船五隻合十五隻迭相突戰于賊船列泊之處放地玄字銃筒爲半撞破亦多射殺又令臣募率義僧兵及三道驍勇射夫等所騎船十餘隻東泊安骨浦西泊薺浦下陸結陣則彼賊恐其水陸交攻東西奔走與之應戰而義僧兵等提槍揮劒或弓或砲終日突戰無數射中雖未斬頭我卒無傷蛇渡僉使金浣右別都將臣

軍官訓鍊正李奇男判官金得龍等奪還我國被擄人熊川水軍李準連良女梅艶麻隅先生金海良女金介巨濟良女永化等五名而推問招內近日接戰倭人逢箭丸重傷者不知其數致死者亦多次次焚燒倭都將稱號者亦爲戰死羣倭痛哭自正月晦間許多巢穴癘疫大熾死者連綿云云諸將等及聞此言銳氣益增水陸勝勢庶在此日而左道鉢浦統船將同浦軍官李應漲右道加里浦統船將李慶集等乘勝爭突撞破賊船回還之際兩船相觸防牌散落

人避賊丸偏集一邊遂致傾覆舟中人徐徐游泳登陸亦有逃還本家者故時方搜出　啓聞屢決勝捷軍情極驕爭首突敵惟恐居後致有傾覆之患尤極痛惋二月二十八日三月初六日更進挑戰砲丸矢石比前益張且放震天雷於山岸賊屯則裂碎死傷曳屍奔遑者不可枚數而彼陸我船亦不得斬頭矣同處之賊俱作巢穴雄據不出殲討無期欲爲從風火攻三月初十日退陣于蛇梁前洋措備火船而更爲商量則　天兵久稽徒焚其船必貽窮寇之禍姑

停擧事伏兵船定送熊川三月二十二日本道及慶尙道伏兵船將等同力生擒倭人二名進告內倭船欲探望我船唐浦前洋向來故追捕云彼賊中所爲及探望節次使丁亥年被擄刷還能解倭語人營鎭撫孔太元終日詰問則倭人宋古老時年二十七稍解文字要沙汝文時年四十四皆曰本居日本國伊助門人本月十八日同騎小船浮海釣魚逢風漂泊仍致被擒他餘作賊節次不得詳知而本國約束內二年至久留他國數多被戮成不成間三月內入來

而上去之倭未及下來以待齊到入歸計料云云黠詐反覆之言不可取信更令詳細直告嚴刑窮問更無他言極爲凶惡四裂斬頭大抵當此之時雖非 聖旨丁寧爲臣子者自當審其賊遁邀截歸路誓使隻櫓不返而今之下海已經二朔 天兵消息杳莫聞知諸處留屯之賊雄據如前正當農月雨水周足沿海各鎭掃境下海左右舟師四萬餘名皆是農民專廢耒耜更無西成之望我國八方之中唯此湖南粗完兵粮皆出此道而道內丁壯盡赴水陸之戰老弱輸粮境無餘夫三春已過南畝寂然非但民生失業軍國之資亦無所賴極爲悶慮船格等雖欲相遞歸農他無可代之人永絶生生之理加之以癘疫交熾死亡相繼 天兵南下之日率此病餒之卒謀截擧遁之賊勢似難能故先使相遞歸農兼護病卒鍊備兵粮整槊舟楫審聞 天兵消息乘機馳截次今四月初三日與李億祺約束還到本道矣接戰時逢丸被傷人等鉢浦統船戰亡人一時並錄

統船一艘傾覆後待罪狀

謹 啓臣以無狀叨守重寄日夜憂懼思報涓埃之效上年夏秋兇賊肆毒水陸移犯之際幸賴天佑屢致勝捷領下之軍莫不乘勝驕氣日增爭首突戰唯恐居後故臣再三申飭以輕敵必敗之理而猶此不戒至使一隻統船終至傾覆多有死亡此臣用兵不良指揮乖方之故極爲惶恐伏藁待罪

請舟師屬邑守令專屬水戰狀

謹 啓爲相考事臣所屬舟師五官五鎭浦與陽縣監裵興立巡察使陸戰帶率實城郡守金

得光曾差豆恥伏兵將還屬舟師鹿島萬戶宋汝悰以軍粮押領差使員上去未還其餘順天光陽樂安寶城等官守令及防踏蛇渡呂島鉢浦等鎮將以諸將分差猶以為不足道內奉
命帥臣等以舟師諸將或稱陸戰移差或稱聽令發傳令紛紜推捉殊無水陸分定之意且東西奔走莫適所從令出多門號令不行劇賊未除指揮乖方極為悶慮今後舟師所屬守令邊將等勿移他處專屬水戰事伏願 朝廷各別申飭於本道監兵使防禦使助防將處

請光陽縣監魚泳潭仍任狀

謹
啓為取稟事光陽接金斗等一百二十六人連名等狀內本縣邑倅頻數轉易迎新送舊民不堪其苦將為棄邑而縣監到任即時問民疾苦釐革敝政繕備兵機憂 國如家昔日逃散者聞風還集境內晏然上年四月變生於嶺南接境河東昆陽南海等地人民舉皆奔竄人心不固皆懷潰散荷擔而立此時倘非沈機有量之人難以鎮定而縣監性度靜重不疑不惑守城水戰備禦之策無不詳究豆恥江灘把守之事一時並舉抗賊之理開諭安集又以舟師諸將累度赴戰忘身先突殲滅海賊功既最優至陞堂上而去正月二十七日下海之後督運御史巡到列邑各官倉穀及庫知數專為移運不賑飢民云云故本縣重記置簿會計數外米太租並六百餘石常時儲置或補用軍粮或賑救居民而留衛將以米太租等專為種租救食都目內不錄矣督運御史空官時到縣及庫時謂以都目外儲置數外之穀指縣監私用狀
啓即令求禮縣監差員封庫種租救食並失所

望農時雹過田野荒廢今明年轉運之穀百無所辦極為悶慮且縣監 大駕西幸之後悶資廩之難繼數外白米六十石及他雜物並為載船上送其不為營私為 國盡誠益顯於此而今罷不犯之事將為遞去一境士民如失父母巡察使遠駐畿甸海方民生顚悶無處斯速轉
啓以解軍民之冤云云矣光陽縣壤接嶺南變生之後人心恟懼皆懷奔潰之計魚泳潭鎮定安集竟使一境之民安堵如舊且累任兩南邊將水路形勢無不慣知計慮過人臣中部將差

定與之謀議累次討賊冒死先登仍致大捷湖南一方尚賴保完者無非此人一分之力而今

因督運御史狀　啓當遞本職云倉穀增減似爭非臣所能知而大槩魚泳潭去二月初六日臣下海時率領臣濟熊川等地結陣故督運御史入其縣各穀及庫時擧案等本縣留衛將專掌書呈雖有加減其數實非泳潭所犯如使少有其失當此艱憂之時失一奮義之將有妨於禦敵況水戰非人人所能而臨機易將亦非兵家之良籌民情如是限事定姑仍其職一以防

水路之賊一以答殘民之願伏乞　朝廷參商處置此非臣之所當　啓稟而巡察使都事各在遠處遮截大遁之賊急在今日而殘氓號泣之訴亦不可置之伏冒越職之罪昧死敢　稟

申請反汗一族勿侵之命狀

謹　啓爲相考事前因一族之弊限事定勿侵事有　旨略擧利害報體察使受回送後緣由枚擧狀　啓而大槩水軍非如陸軍之比一戶四丁之內流亡者過半欲減弊寬民則赴戍無人欲因循固邊則凋瘵已極此間便宜百思難

度勢不得已以一族充立務實防禦者其來尚矣各官物故全絶戶一切勿侵當身及族隣因緣竄避者姑循前例都目起送事行移矣督運御史任發英下界之後一應軍務之事及一族之事專掌申飭故各官等據此論報入防軍士無意起送各官軍吏因此蒙蔽遂生巧避之計以存爲逃以生爲死軍令大壞收拾無路軍額日縮而兵無從出竟使沿海重地一時空虛轅門大鎭將絶應門之卒防禦之虛有甚於經變之地反覆思惟罔知所爲此在平時決不可如

是況當此大變之時劇賊未除處處相持而大遁之賊何賴以要截守城繼援又何賴以措張事有輕重時有緩急固不可以一時之弊啓無窮之悔矣此已經之驗而湖南一方獲全于今日者專賴水軍大勢恢復之期亦在此時則革去族隣之弊尚未晩於事定之後故冒死妄達伏願　朝廷以前後　啓辭參商於禦敵保民兩得其便

請湖西舟師繼援狀

謹　啓臣本道左右舟師依前數今五月初八

日見乃梁準到賊勢探見則熊川之賊雄據如
前往截釜山海口熊川爲扼項則深入釜山賊
在腹背百爾思度只用舟師萬無引出之路不
得已以陸兵合攻追出水陸殲滅先祛扼項事
體察使巡察使處星火馳報而自 朝廷各別
申飭恐宜慶尚道則蕩敗之餘又因 天兵支
待格軍充立無路射格擧皆飢羸促櫓制船勢
所難能當截大洋之賊兵勢極甚孤弱極爲悶
慮且賊之遁還遲速亦難預料伏請忠清舟師
幷爲不分晝夜繼援使之協力滅賊以雪窮天

之辱

二

謹 啓臣所率戰船四十二隻伺候小船五十
二隻右水使李億祺所率戰船五十四隻伺候
小船五十四隻戰具隨船數整齊而熊川之賊
如前雄據藏船深處兩邊山峽俯壓海口地勢
狹淺板屋大船隨意出入撞破不得且昌原金
海梁山之賊亦不動念數多藏船出屯于加德
前洋與熊川之賊分爲南北把截釜山之路捨
此賊藪勢未能深入釜山不得已以陸兵直擣
熊川驅出洋中可以勦滅可以通釜山宣傳官
高世忠賫來書狀祗受狀 啓中略陳此由矣
大槩自聞 天將勿殺倭賊之後諸將吏士莫
不痛惋切齒腐心得見經略命提督追擊之文
勵氣賈勇咸欲決死報復而昌原熊川金海梁
山等地雄據扼項之勢到今益盛非陸兵則只
以舟師決難引出極爲悶慮陸兵催促下送事
都元帥體察使巡察使等處已爲馳報矣假氣
殘孽㤼於 皇威爭相渡海之際殲此扼項趁
未前進則窮天極地之辱無以爲雪日夜煎悶

伏願 朝廷各別星火申飭忠清道舟師並爲
不分晝夜繼援

逐倭船狀

謹 啓臣去五月初七日下海與本道右水使
李億祺慶尚右水使元均等舟師合勢巨濟境
留島洋中結陣苦待 天兵南下陸兵入討昌
原熊川使雄據之賊驅出洋中水陸合擊先祛
扼項然後前進釜山勦滅退渡之賊事申明約
束將及三朔矣去六月十五日昌原之賊移突
咸安之後十六日水路賊船無慮八百餘隻自

釜山金海移泊于熊川薺浦安骨浦等處其他往来船隻不知其數水陸俱舉顯有西犯之意與李億祺元均等百爾籌策賊路要衝之見乃梁閑山島洋中把截列陣六月二十三日夜間熊川薺浦分泊之船盡數移泊於巨濟境永登浦松津浦河清加耳等處蔽海彌滿東自釜山西至巨濟援船連絡不絶極為痛憤去六月二十六日先鋒賊船十有餘隻直向見乃梁為臣等伏兵船被逐更不出来必其誘引我師左右繞後之計臣等之意堅守要路以逸待勞先破

先鋒雖百萬之衆氣喪心挫退遁無暇且閑山一海前歲大賊就殲之地屯兵此地以待其動同心恊攻之意决死誓約劉副摠使送塘報見王景李堯等去六月自善山再到陣中舟師知數以去厥後宜寧晋州等地塞路不通

陳倭情狀

謹　啓為倭情事自聞羣兇講和南来臣不勝痛恚之積雖有經略禁牌整飭軍船要截歸路誓欲與賊同死而去五月初七日本道右水使李億祺一時發船慶尚道巨濟境見乃梁止到初九日同道右水使元均相逢合為一陣巨濟縣前洋留駐忠清水使丁傑於六月初一日来到亦為合陣探見賊勢則非但熊川之賊雄據如前八路兇醜咸集一處尚未渡海東自釜山西至熊川相望百有餘里築壘結寨蜂屯蟻聚極為痛惋陸戰諸將處先討窟穴之賊驅出洋中合攻殲滅然後前進釜山緣由亙相移文苦待舉事之日而去六月十四日陸地昌原之賊直突咸安咸安留駐各道諸將退陣宜寧等官十五日水路賊船大中小並無慮七八百餘隻

自釜山梁山金海移泊于熊川薺浦安骨浦等處連日繼至顯有水陸分犯之狀舟師等巨濟島内洋結陣則外洋移犯之賊未及馳截外洋結陣則内洋之賊未及邀擊巨濟境内外洋兩岐要衝前歲大捷之見乃梁閑山島等處合陣把截兼應内外之變而同月二十三日夜間熊浦等處屯聚賊船不知其數移泊於巨濟境永登浦松津浦長門浦河清加里等處魚貫列泊首尾相接故舟師於閑山島等處堅守不動彼賊曾㤼舟威莫敢来犯以陸路到見乃梁江邊

結陣揚威舟師等直迫其前射矢如雨砲丸如
雹則賊徒奔潰更無現形長門浦等處大作巢
穴藏船深浦東西響應脣齒相資只令小船出
沒窺探誘引我師欲售其奸計兇謀叵測整我
舟師直突焚滅誓欲一死而三道板屋戰船僅
至百有餘隻各率小船衆寡之勢不同難易之
形有異幽深內洋恃勝輕進韋若不利見侮於
賊則禍將不測更無所恃極爲可慮把其要衝
來犯則決死邀擊逃遁則相勢追擊事日夜謀
約至今支吾熊川以東則望路阻塞賊之去留

形止詳知不得矣被擄逃還人言內諸處之倭
有增無減巢穴倍前時無渡海之計云欲知其
虛實陸地如金海熊川等地以順天軍官金仲
胤興陽軍官李珍右道各浦軍官等八人定送
今八月十四日還來言內八月初九日熊川古
邑神堂經夜初十日看望則熊川城內南門外
屯賊則爲半自熊浦移徙結幕西門外北門外
鄉校洞東門外屯賊則不知其數仍在不動船
隻大中小船幷二百餘隻分泊於熊浦左右邊
安骨浦城內外彌滿時方造家船隻則船滄左

右邊大小船幷不知其數列泊而自院浦至大
藪峙造家屯聚大中船幷八十餘隻浮泊薺浦
則野尾山刀直嶺遮隔故結幕之數多寡看望
不得同浦船滄南洋大中船並七十餘隻浮泊
同浦沙花廊望峯下西邊中峯築城永登浦則
自貫革基至竹田浦造家而船隻則自船滄至
加多里無數列泊自金海江加德前洋至熊川
巨濟往來船隻連絡不絕看望後金海地佛毛
山止到經夜翌日上長山高峙登望則金海之
賊以遠暗不得詳知同府七里許竹島造家船

隻南邊列泊佛巖滄屯賊亦爲造幕未詳其數
船隻自巖下左邊至五里許列泊德津橋屯賊
以伏兵造幕四十餘處船隻則二十餘隻橋下
往來列泊云云進告被擄逃還固城水軍陳新
貴招內八月初八日倭船三隻小人家前下陸
兄進輝一時被擄歸到巨濟島永登浦則同浦
貫革基船滄邊北峯下三處造家多至二百餘
又於北峯伐木削平築土城周回甚廣其中時
方造家倭人三分之中一分則我國人相雜役
事自其國軍粮及過冬襦衣等載船間二三日

連續輸来同浦留泊船隻出入無常時存五十餘隻一帶連接長門浦松津浦等處亦削平峯頭並築土城城內造家船隻則大中並或百餘隻或七十餘隻列泊岸下熊浦西峯薺浦北山安骨浦西峯等處亦築土城城內造家留泊船隻則隔岸看望不得薺浦船滄則大中船無數列泊其他自本土及向加德熊川巨濟之船連續不絶小人則倭人等只使樵汲之役而今八月十九日夜間乘隙逃躲云云熊川三處巨濟三處築城造家之言與被擄逃還奉事諸萬春

之招庶似沕合自本土軍粮及衣服等連續輸来事迷劣人所言雖不可盡信觀其賊勢顯有過冬之意尤極痛惋罔極而賊在窟穴聲勢相援以舟師討滅無策水陸俱舉然後可能勦滅故我國陸兵互相移文約束而 天兵大軍請援無路極為痛悶舟師則風力未高八九月之前可能運用制敵而日漸風高浪頭如山制船難便大槩舟師等留屯遠海已及五朔軍情已懈銳氣亦摧癘疫大熾一陣軍卒太半傳染死亡相繼加之以粮儲乏匱飢餓顚連飢餓之極

得病則必死有數軍額日減月縮更無充立之人雖以臣之所率舟師計之射格并元數六千二百餘名去今年戰亡數及自二三月至于今日病斃者多至六百餘名而凡此死亡者俱是壯健能射慣熟舟楫土兵鮑作之輩而餘存之軍則朝夕之食不過二三合飢困交極控弦制櫓決不能堪當而方對大敵勢害至此萬萬悶慮緣由再三論報于都元帥巡察使等處順天樂安寳城興陽等官軍糧六百八十餘石去六月輸入轉盡分饋而本道名雖保全變生二年

物力虛竭虛竭之餘又仍 天兵支待凋瘵已極有甚於經亂之地而 天兵南下出入閭巷刼掠人財損傷野穀所過板蕩無知之民望風奔潰轉移他境去七月初四日光陽境豆恥伏兵將長與府使柳希先等妄動浮言光陽順天樂安寳城康津等一帶沿邑之民其守令等下海空官時傳相騷動自相作亂撞破官庫偷取穀物奴婢貢布一應文案煨燼無餘焚蕩之狀亦甚於兵火之地自是以後舟師繼糧百無所賴 天兵所供船運軍粮推移輸用計料而嶺

南許多 天兵支供等事專委於此 天兵則
悠泛度日迄無進討之奇賊勢則倍前熾盛略
無遁還之計軍粮則終無繼用之路以此水上
飢羸之卒攻彼窟處之賊百無所計徒極憤惋
悶迫之情爲先略陳伏願 朝廷各別料理善
處

封進火砲狀

謹 啓爲上送事臣累經大戰倭人鳥銃所得
優多常伴目前驗其妙理則以體長之故其穴
深邃深邃之故砲氣猛烈觸之者必碎而我國

勝字雙穴等銃筒體短穴淺其猛不如倭筒其
聲不雄故鳥銃每欲制造矣臣軍官訓鍊主簿
鄭思竣思得妙法率冶匠樂安水軍李必從順
天私奴安成避亂營居金海寺奴同志巨濟寺
奴彥福等以正鐵打造體制甚工砲丸之烈一
如鳥銃其線穴揷火之具雖似少異數日內畢
造功役亦不甚難舟師各官浦爲先一樣造作
一柄則前巡察使權慄處輸送使各官一樣制
造矣當今禦敵之備莫過於此故正鐵鳥銃五
柄監封上送伏願自 朝廷各道各官並令制

造而監造軍官鄭思竣及冶匠李必從等各別
論賞使之感動興起爭相效制爲宜

條陳水陸戰事狀

謹 啓爲取 稟事水陸備禦之策各有難易
之勢而近來人皆有水難陸易之說舟師諸將
盡出于陸戰沿海之軍亦出于陸戰水軍之將
莫敢措制戰船射格無路調整諸將勇怯又何
從擇焉臣備數舟師累經大戰略擧水陸難易
之勢及今日之急務妄陳于後
一我國之人怯者十居八九勇者十中一二而

平時不爲分辨混雜相聚故風聲之來輒生逃
潰之心驚動無常顚倒爭奔雖有勇者其獨能
冒白刃殊死突戰乎若以精選之卒付諸勇智
之將因其勢而利導之則今日之變必不至於
此極至如水戰則許多之軍皆在船中望見賊
船雖欲逃奔其勢無由況督櫓鼓急之際如有
違令者軍法隨之豈不盡心力而爲之龜船先
突板屋次進連放地玄字銃筒又從以砲丸矢
石如雨如雹則賊氣易奪投死無暇此水戰之
易勢也然戰船數少水卒之流亡近來尤甚若

多備戰船又開格軍充立之路則雖大賊無數
来犯足以當之足可殲滅今觀賊勢南道之後
尚未渡海嶺南邊鎮盡為窟穴跡其所為究計
叵測脫有水陸合勢一時衝突則以此孤弱舟
師勢難捍禦兵食之繼絶亦難此臣之寤寐悶
慮者也臣之妄意舟師所屬沿海各官諸色括
壯軍全屬舟師糧餉又屬舟師戰船倍數加造
則全羅左道五官五浦可整六十隻右道十五
官十二浦可整九十隻慶尙右道則經亂之餘
措制末由然而可整四十餘隻忠清道亦可得

六十隻合之則二百五十餘隻而將此兵威鬪
賊所向勿論彼我道登時應援相勢追擊則所
向無敵且賊雖蕩蕩其船在水我船掎角則必
生顧忌之念亦不得恣意下陸矣伏願 朝廷
十分商量限事定沿海各官括壯軍及軍糧等
勿移他處全屬舟師舟師諸將亦勿還動
一軍兵之食最為先務而湖南一方名雖保全
物力殫竭調濟末由臣意如本道順天興陽等
地多有閑廣牧場諸島可耕處或官屯或給民
並作或使順天興陽入防軍士全務入作而閒

變出戰則無害於戰守有益於軍資此趙之李
牧漢之趙充國曾驗之策也他道亦如此例明
春為始耕墾
一戰船倍數加造則地玄字銃筒幷備最難內
地各官銃筒急速移送于舟師
一水使以舟師大將凡發號施令各官守令等
稱非所管專不舉行至於軍政重事多有廢却
闕失之事事事弛緩當此大變決難濟事限事
定依監兵使例守令並為節制
登聞被擄人所告倭情狀

謹 啓為倭情事慶尙道固城居訓鍊奉事諸
萬春被擄日本國入歸逃還今八月十五日到
陣中推問招內以慶尙右水使軍官前年九月
受由歸家還來時以熊川賊勢體探來告事乘
小船到熊浦前洋倭大船十六隻各率小船自
金海江指向熊川故看望還來而倭中船六隻
自熊浦船滄追至永登前洋被擄並與格軍十
名結縛載船熊川城內倭將脇坂中書稱號倭
前捉付小人項足鎖倭人多數守直他格軍等
分授各倭十一月十三日小人與昌原兒童被

擄人密議逃計謀事泄漏兒童斬頭十二月十
九日又與熊川兒童密約而兒童因倭語之人
反間于倭通事厥後則倍嚴守直無計逃還仍
以過冬今年二月我國舟師累次直擣熊川前
洋倭長官一人木箭中死同月二十二日舟師
一邊登陸一邊突戰船泊處則城中之倭擧皆
老病守城無策奔遑失措十二倭將並投水自
死計料我國板屋船二隻相觸飜覆倭副將稱
號者跳登我船我船之人以長槍刺其胷卽死
同月二十六日倭將以小人致敗船將帥家丁

八百使喚上官㨾成文載船入送于平秀吉所
在處三月初五日到泊於秀吉留駐之郞古也
則秀吉初欲以小人燒殺又聞解文之奇其書
寫倭半介處保授而在半介家過五六日後斷
髮着倭衣厥後小人因風濕滿身浮動半介請
倩醫百藥救療厥疾得瘳身在異域有若籠禽
懷土之情鬱抑難禁期與同志日望逃還尋訪
朝鮮人擄來之處則大家則二十餘名中家則
八九名小家則三四名無處不在而暗問偕逃
之意則或有誠心而應諾者或成家而無意思

還者殊俗之中恐泄秘計心與口語自四月初
生與金海昌原密陽蔚山等官被擄人及昌原
校生許淶溟等或折簡通議或使人潛諷會面
相稀謀事蹉跌未售其志七月初東萊居成突
寺奴望連烽燧軍朴檢孫牧子朴檢實寺奴金
國金軒山奴突伊寺奴允春梁山居姜銀億朴
銀玉金海居甲匠金達望私奴仁尚等十二名
日夜往來謀約七月二十四日夜半小人並十
三人偷騎一船促櫓到六岐島至泊經夜二十
五日從風懸帆日本國軍糧載船三百隻相逢

艱難回避還泊六岐島糧米之絶故所着倭襦
衣一單衣一等放賣捧米二十七斗中鼎一坐
八月初三日慶尚左水營前洋下陸各人等各
歸其家小人留接於同里居黃乙傑家而我國
人物數多居生與賊交通少無忌憚小人留二
日矣梁山地蛇代島居人等持船過涉到蛇代
島則天城加德入防水軍無慮四百餘户居生
倭賊二十餘名稱爲酋長耕農收穫有如平日
而八月初十日熊川地赤項驛前過涉下陸十
三日本家來到大槩平秀吉常稱曰大閤其長

子稱以關白秀吉所駐郎古也以日本連接之
地在日本之西相距陸路二十一日程水路十
二日程距對馬三日程前年五月秀吉率二十
萬兵到郎古也待變之後三疊築城六層起閣
六層之閣在内城之央而秀吉恒居其上三疊
城頭俱設層射臺其放丸之機設險之備不可
勝言城中只有倉庫官舍城外閭閻櫛比去五
月 天使二員到郎古也初接于城外閭家留
三日後秀吉使裨面前二僧或書問或通文又
過數三日後請 天使入中城之内秀吉仍在

内城中六層閣上使其管下之倭接待 天使
時倭人高搆六間精閣紅錦圍簷内設洒金屏
風而坐 天使於畢下處作草屋二間四面垂
簾中設長床而坐其間相距十餘步其外觀光
者如市一應行酒宴禮相見不得只見倭人滿
庭優戲又聞笛聲而已禮訖 天使始為請入
内城之中西邊官舍小人逢授倭半介即秀吉
書寫之倭凡干 天使前問答之書向小人開
示幸若逃還之後意欲 啓達滿紙傳書矣偷
船逃躲之際盡數棄失千生萬死到于今日心

神黯邈未詳記憶盖將涉獵而論之則 天使
遺書于秀吉曰朝鮮國全羅慶尚道先開路倭
兵引入以後遮路是朝鮮虛誕也朝鮮不以實
言 大明朝鮮 國王豈不欲罪之乎大閤
天朝誠心之臣也二使 天子誠心之臣也二
使之言不可信聽請借寶劒割其心示之死乎
無悔也二國和親之事千萬年之美哉大閤所
使三成兩司吉繼行長四人之言聞之後如出
一口則和親之事大閤私以决斷 天朝及關
白等處馳使告之云云且 天使又以一書遺

秀吉其書曰日域武將欲志漢郡連援寔以蛟
足似海盡為人無遠慮近有百戰百勝如一忍
千萬事尤計安云云而 天使曰此書則 天
子詒朝鮮 國王書也云二 天使出来時秀
吉盛陳軍威船上相會劒槍十柄銀三十斤贈
給以送當初小人被擄在熊川時倭將脇坂中
書問小人曰前年七月閑山島戰時汝必在捿
舟中而日本鳥銃劒甲等物所得幾許耶答以
不知小人到半介家留連半載一應兵糧調撥
件記相考則脇坂中書之名亦在其籍其下書

曰初率一萬兵幾盡敗衂時存一千餘名云平
秀吉在郎古也以調兵策應爲事而晋州及湖
南等地欲爲更犯精兵三萬抄送矣晋州陷城
後倭將等以晋州及全羅道長與焚蕩事馳報
晋州牧使判官兵使等首級入送秀吉以爲今
則更無所爲還向日本以八月十五日二十一
日擇日其長子關白明年三月爲始出送于郎
古也待變云云朝鮮留屯之倭機張蔚山釜山
東萊左水營梁山金海及熊川三處巨濟三處
唐浦三處築城造家後爲半守城爲半入来而

守城之倭明年三月交代出送後入来云云小
人所經左水營賊數及船數不多釜山浦處處
瀰滿船隻則充滿海洋不知其數我國人相雜
居生秀吉其性桀驁日本之人方有曷喪之嘆
倭人等皆曰凡人孰無父兄妻子累歲他國久
未還土此皆有秀吉之故也秀吉年今六十三
死日尚迫若死則何獨朝鮮人喜幸而已我等
亦無所患云云諸萬春以出身之人受國厚恩
勇力過人射藝亦妙非如庸下之輩所當極力
射賊以死報　國而甘心就擒反爲倭奴所使

仍往日本與半介同事掌書之任爲臣子義節
掃地且以能文解事人秀吉所在處半歲仍留
巧黠情謀無不詳探有若委送間諜之人卒思
還本國格軍十二名至死逃還情似可憐叅以
所招則與他被擄逃還各人等招辭大同小異
他餘未盡之事諸萬春啓　聞一時上送事慶
尚右水使元均處通諭

封進倭銃狀

倭鳥銃中擇其精好者三十柄監封上送

還營狀

謹　啓爲相考事老賊尚據邊場究計固所叵
測明春防海百倍於前而一歲將盡久駐洋中
饑餒之卒轉成疾痼羸瘁已極僅存形息死亡
幾半勢將難救目今沍寒變成鬼形慘不忍見
幾何其不胥而殞命將何以控弦制楫言念及
此痛若割肌不意今者兼三道統制之　命遽
及於無狀之臣驚惶震慄無任殞越之至以臣
庸短之材决不能堪也明矣臣之渴悶由此愈
欝去十月初九日祗受下書內有卿爲統制之
任將三道將官水兵分爲兩運使之歸家迭休

兼備衣糧之命矣慶尚道則蕩敗之餘船格尤
甚齟齬結陣處以本道境內看隙往来迭休無
常全羅左道不甚遥遠續續分遞而右道則水
路隔遠正當風高之日冒涉危濤不得容易往
返動經旬朔令其道水使李億祺率戰船三十
一隻已於十一月初一日先運𤼵送歲前修改
戰備且休軍兵加造戰艦格軍水卒及括壯軍
一一刷點預先整齊正月望前無遺領来以留
陣戰船五十餘隻恒留待變但各官之水卒流
亡者十居八九臨番赴戍者十無一二加以閭

落空虛煙火蕭然族隣之責亦無所據初到乘
船之卒或未能遞代長留水上饑寒轉迫疫癘
之熾又甚於春夏無辜軍民相繼顛斃軍數日
縮兵力日孤前頭之事極為可慮大槩無知軍
卒只思一時之安怨言屢騰臣以 天兵来戍
萬里之外暴露風霜尚無愁嘆盡心討賊以死
為期而第以本國之人被賊患害當在朝夕無
意雪憤便生自安之計汝等意向極為無謂自
上軫念舟師之苦別賞布十二同下送罔極
天恩萬死難報之意以理論諭尺尺裁端均一

分給臣所屬全羅左道沿海五官五浦戰船加
造括軍捜點兵糧照閱次次改分軍預措之事
最為關急近日則寒凍倍嚴窟處之賊難以衝
突故慶尚右水使元均及全羅左廂中衛將順
天府使權俊右廂中衛將加里浦僉使李應彪
等處檢飭部屬諸將把守待變事嚴明申約軍
卒中尤甚久留羸病者交遞率領姑還本道檢
飭還陣計料

登聞擒倭所告倭情狀

謹 啓為相考事兇醜餘孽退據沿海有久淹

之狀無退遁之跡視其所以兇計莫測且巨濟
之賊有增無減巢穴益煩泊船深浦出入無常
乘機衝突之患不可不慮故見乃梁要衝之路
定將埋伏矣今閏十一月初三日伏兵將臣軍
官主簿羅大用生擒窺探倭一名縛致臣所推
問招內名字即亡古叱之年歲二十五所居處
日本國東距十三日程地名施巨丘前年十二
月朝鮮國出来倭將蔦乘監所率軍三千餘名
喪敗故加軍六百名抄送時以射軍被抄領將
温老叱起率領今年二月初二日施巨丘乘船

八隻作綜同月二十八日熊川前洋下陸到梁山烏乘監相逢留連數三朔日不記六月梁山馬山密陽等地船隻五百餘艘巨濟境永登浦塲門浦院浦等處移泊倭將六人右丹屯大隱屯等各率軍千餘名永登浦峯頭築城屯據沈我損屯率軍一千三百餘名永登浦城中屯據烏乘監率軍九百餘名阿老監未率軍三千餘名塲門浦築城屯據加思然屯率軍一千二百餘名院浦築城屯據中船百餘隻十一月初四日病倭載持本土入歸時倭將阿老監未以眼疾視物不明大隱屯以國王姪子亦為同舟入歸又百餘隻以軍粮載来事同月二十七日往釜山浦而軍粮自本土連續載来三十餘間庫家盈入而有餘不為費用卒倭以庫外之穀隨便供饋朝鮮被擄人中女人次次入送男人或令乘船捉魚或出入釜山等處興販資生船格充立而小俺本以卒下之倭他餘事則未能詳知稍解弓才當初本土抄發時朝鮮國戰鬪立功則可免奴役又賞金銀寶物云及其到此食少役煩不堪其苦同類倭也三火老相與密約

曰以其在此饑役不如投入朝鮮云云故今閏十一月初一日一時逃亡草伏林投同陣之倭尋蹤追到也三火老被捉小俺仍以逃躲直向江邊適見採蛤女人三名則女人等扶執呼唱之際朝鮮戰船不意突至結縛載来矣釜山等各陣倭將名號一一記知不得釜山浦都甚萬屯熊浦即墨甘屯金海梁山甚安屯留在云云巨濟接正兵金銀金良女世今今代德只等逢倭執捉節次推問招內以避亂人等今閏十一月初三日良島近處江邊採蛤矣倭奴自烏楊驛走来或立或坐啁啁不去故同力扶執唱說伏兵船則伏兵人等促櫓馳来結縛載船云云黠詐倭奴敢生秘計出沒林藪窺探虛實情跡判然而身既被擒自知難保托以投附我國為言尤為兇慝不可頃刻延留然真偽間賊中形勢大槩納招似有反覆窮問之端故都元帥權慄處押領繫頸而送巨濟良女世今等三名以避亂饑困之女見賊不避協力扶執招呼伏兵將使之結縛其與聞聲逃竄之人相去萬萬各別論諭並給糧物勸勵他人

請以魚泳潭爲助防將狀

今閏十一月初五日到光陽假官金克愷牒呈內左議政都元帥同議差帖內光陽縣監 啓罷代假官差定印信兵符交付行公豆峙關防把截等事不輕檢擧待變云云今閏十一月初二日本縣到任而縣監已爲下海印信兵符交付不得公私庫封閉行公云矣前縣監魚泳潭已爲遞罷而生長海曲慣熟舟楫兩南水路迂直島嶼形勢歷歷詳知其於討賊之事極力盡心上年戰討之日每每先鋒屢致大功比諸他

人稍有可論之材魚泳潭雖遞其職舟師助防將差定終始盡策以濟大事何如

請下納鐵公文兼賜硫黃狀

加造戰船中地玄字銃筒出處未由措備之策條陳狀 啓矣回 啓內辭緣枚擧兼巡察使李廷馣處已爲移文矣地字銃筒一柄之重多至一百五十餘斤玄字一柄之重亦至五十餘斤則當此物力殫竭之餘雖以官家之力難以卒辦船役幾畢器具不齊極爲悶慮臣乃令募僧別稱化主製給勸文閭閻處處轉轉勸求以補萬一而民窮財盡亦未必易成晝夜思惟罔知攸措側聞遠近列邑或有納鐵而願免身役者自下不敢任擅玆以敢 稟如或隨其鐵物之輕重或令賞職或許通免役免賤公文成貼下送則聚而鑄之可成兵家之重機變生以來焰硝優數煑取而所入石硫黃他無興産之地伏願舊庫硫黃二百餘斤採取下送

請以文臣差從事官狀

臣旣兼統制之任三道水兵將官皆在部下檢飭措制之事非止一再而臣在嶺海文移遠道

許多兵務趂未擧行都元帥巡察使所駐處就議定奪者亦多有之而相距隔遠或未及期限事事乖方極爲可慮臣之妄意文官一員依巡邊使例從事官稱號往來通議所屬沿海列邑巡檢措置射格軍粮連續調入則將來大事庶濟萬一諸島牧場閑曠之地耕墾處亦有審檢之事故妄料敢 稟伏願 朝廷十分商量若於事體無妨則長與居前府使丁景達時在本家云 特命差下

請沿海軍兵糧器全屬舟師狀

謹 啓爲相考事臣前者請令三道加造船艦
沿海括壯軍軍粮軍器並屬舟師緣由已爲狀
啓令方督役歲前畢造正月之內合會一處蔽
海成陣直截釜山之海一皷殲盡毋失事機已
與三道水使再三申約矣所謂三道沿海括出
壯軍名雖載籍雜頉居半其實鮮少陸戰諸將
不顧水戰又不念 聖敎中勿令遷移之旨續
續傳關調發無常或 天兵肄習或伏兵把守
或義兵軍送相徵出有倍於前日且軍粮自變
初陸續輸運又因 天兵支待餘儲幾竭之餘

陸戰大小諸陣便亦轉運不絶一帶沿海之民
於水於陸互相奔命彼此難堪携妻挈家轉移
他境者道途相望極爲可慮全羅道沿海各官
中左道五官右道十四官觀察使李廷馣改分
軍內左道光陽順天樂安興陽寶城右道長興
康津海南靈巖珍島各五官以舟師移屬其他
沿邑專屬陸戰諸將矣左右道各五官兵粮各
處如彼其徵發左右道戰船加造並一百五十
隻伺候船一百五十隻射格並無慮二萬九千
餘名整齊末由極爲悶慮慶尙右道沿海列邑
幾盡蕩敗調軍運粮頓無所賴少似保完者只
南海一縣而水陸之兵從以徵發孑遺之民庶
難支保固城泗川昆陽河東等官兵火之後奔
竄餘民漁採連命以舟師射格隨隷而又以陸
戰軍數卜定互相徵發同道戰船加造並四十
餘隻伺候船四十隻射格並無慮六千餘名整
齊末由忠淸道右道沿海之邑賊未犯境而前
水使丁傑單騎下來與臣同陣戰船罔晝夜回
泊事同道虞候慶所屬各官浦再三傳令催促
而竟未回泊丁傑遞差後新水使具思稷處戰

船加造並六十隻伺候船六十隻刻期督造兵
粮戰備優數整齊正月內一齊馳到事再三移
文至於臣軍官部將方應元已爲論關發送矣
道路遥遠措備諸事時未回報舟楫雖多格軍
不齊則將何以運舟格軍雖齊軍粮不繼則將
何以餉士乎凡此兩款不可闕一者也而軍兵
之徵發粮餉之轉出並至於此極則非但邊氓
之苦有倍於內地之民其於運舟餉士決不能
堪尤極悶慮如許極關且急之務周旋措置一
日爲急而臣在嶺南各道巡察使亦駐遠方未

易就議只以文牒往復通問其間所漏者亦多
有之歲律已暮春防到頭事與心違罔知攸為
大槩水陸討賊俱是急務而近日以來論議紛
紜舟師策應凡百措事十未一施變生數載百
爾經營終始如一之願反歸虛地如臣駑劣萬
死固甘當 國家再造之日全務姑息一至於
此他日噬臍決難追及寤寐思惟不知所為痛
悶無極伏願今後三道舟師所屬沿海各官括
壯軍軍粮軍器並勿令遷動全屬舟師事都元
帥及三道巡察使處並為更加各別申飭

請設屯田狀

謹 啓為相考事諸島牧場閑曠之地明春為
始耕墾農軍則以順天興陽留防之軍出戰入
作已為請 啓允下內辭緣枚舉監兵使處移
文矣順天府留防軍則巡察使李廷馣狀 啓
據光陽境豆峙新設僉使鎮移防計料突山島
耕墾農軍調出來由臣意各道避亂流移之人
既無住着之處又無資生之業所見慘惻同島
招諭入接使之合力耕作分其一半公私兩便
興陽縣留防軍則道陽場入作其餘閑地給民
並作馬匹則折尒島移合而無害於牧馬有補
於軍資右道康津境古尒島海南境黃原牧場
土地膏沃可耕之地無慮千餘石所種耕種得
時其利無窮而農軍出處無由給民並作官收
一半則可補兵食兵食既給則前頭大事庶無
乏粮之急正合時務留防軍與役事非臣任擅
監兵使自當及期舉行而春事不遠尚無應行
消息極為悶慮伏願 朝廷本道巡察使兵使
處更加申明 判下突山島 國屯田以久遠
陳荒處耕墾補軍資事狀 啓矣農軍以各處

入防軍士量宜除出入作而處處防戍除出無
人起耕不得一樣陳荒營屯田二十石所種老
殘軍除出使之耕作試其田品則收穫之數中
正租五百石矣以備種子條營城內順天倉中
捧入

請舟師所屬邑勿定陸軍狀

謹 啓為相考事舟師所屬沿海各官軍兵粮
餉陸戰諸陣轉轉徵出緣由他狀 啓中已為
略陳矣今閏十一月十七日到兼巡察使李廷
馣關內摠兵分付據都元帥關內驪兵三萬名

並為卜定於本道時方督發所屬各官分作三
衛防禦使兵使各五千名左右水使各二千名
分定所屬各官浦亦為分定督令整齊以待元
帥傳令云云沿海射壯軍續續徵發事猶以為
悶慮至於左右道並精軍四千名卜定督發矣
舟師射軍雖令無遺抄發未滿四千之數大槩
防禦使兵使以陸戰大將時駐陸地各整五千
之軍理所當然而舟師則把截海路所防各異
則移水就陸實非得計近觀賊勢則陸地熊川
等地之賊往來巨濟聚散無常兇謀秘計固所

巨測舟師所屬精銳一人可敵百名故決不可
抄整之由為先論理回答伏願自　朝廷巡察
使李廷馣及都元帥處並為各別申飭而舟師
軍徵發之事如彼其紛紜則臣所管水卒統制
無路防海一事百無所措舟師軍勢日至孤弱
海上憑陵之賊難可沮遏日夜煎悶

請於陣中試才狀

謹　啓為取　稟事今十一月二十三日到兼
巡察使李廷馣關內撫軍司關東宮駐進全州
下三道武士設場試取計料規矩依常規初試
會試　殿試三次試取依平安道例一次試取
後以　殿試施行優數取人設科吉日以十二
月二十七日試取計料亦未酌定日期甚迫優
數試取之意星火馳通俾無遺珠之患云云變
生二載南中武士長在戰陣無所慰悅之道今
聞東宮駐駕完山大小臣民莫不感動又聞十
二月二十七日全州府設場之命海陣士卒咸
欲樂赴而水路遥遠未及期限與賊相對不無
意外之患精軍勇士一時出送不得舟師所屬
軍依慶尚道例陣中試取以解軍情而規矩中

有騎射遠海絶島無可馳騁之地騎射代以片
箭試才似為便益伏願　朝廷善處

請沿海軍兵糧器勿令遞移狀

謹　啓為相考事上年幸賴　宗社威靈累捷
舟師之戰矣今年則兇賊據險處處作窟畏不
出抗窮年把截尚未死效憤痛無極每與諸將
論謀採議戰船倍數加造沿海括壯軍無遺抄
發射格軍整齊正月為始合勢分部直截釜山
之路誓死一決之由枚舉論　啓矣近日之來
論議不一舟師所屬諸色軍及軍糧軍器陸戰

諸處稍稍移去沿海之民水陸交侵東西奔命莫適所從流移道路十家九空全羅右道舟師所屬沿海十四官內長興海南康津珍島靈巖等五官還屬舟師其餘九官移屬陸戰加造戰船亦至停役 國家危虞比極水戰一事策應無路上達 聖明大作舟艦之 命下失徹臣終歲經營之志水軍變生以後巧避戍役之計互相移居守令之無良者則托以逃亡終不刷出變生以後如南原等水軍則闕防之數多至千有餘名玉果南平昌平綾城光州等官則或

七八百餘名或三四百餘名加造戰船射格姑無論元戰船射格死亡亦無充立之人雖有數百戰船終無討賊之理極爲悶慮今後沿海軍及軍粮軍器請依 啓下全屬舟師勿令還移右道沿海官並還舟師闕防水軍令守令無遺漏捉付事並於忠淸全羅慶尙三道巡察使處各別申飭

李忠武公全書卷之三

李忠武公全書卷之四目錄

狀啓三

李忠武公全書卷之四目錄

李忠武公全書卷之四

狀啓三

封進僧將僞帖狀

謹　啓爲相考事前年順天義僧將三惠興陽義僧將義能等與沿海各官水軍僧優數募聚從自願以舟師移屬各騎戰船率領討賊矣冬月之來繼糧爲難並爲放送而開春即時期限馳到都摠攝僧惟晶佩印南來兩南各寺僧人勿論水陸義僧無遺推捉故左道摠攝僧處英稱名人於義將三惠義能等所率軍人並爲刼

奪或免役免賤公文擅自成給酌定軍粮督促捧納云誣罔愚民至於此極極爲駭愕且都摠攝僧惟晶則僧將義能免賤公文以體察使帖文樣成送而規式違格着署亦異僞造明白免役不輕免賤重事也因緣時勢任意僞作極爲無狀此而不懲必有難防之弊故僞造帖文監封上送伏候　朝廷相考處置

請以裵慶男屬舟師狀

康津居前僉使裵慶男所告內變生初釜山僉使除授下來即時本道遊擊將差定故領兵討賊斬倭三十六級牛馬六十八匹奪還隨即報巡察使受書目矣巡察使以不謹捕倭據狀啓誤蒙重罪後斬倭一級都元帥及巡察使亦爲啓　聞矣前年四月傷寒得病日漸深重兼得痢證專廢食飲坐作須人頓無從征之路悶慮緣由告于都元帥本家退來調理受　國厚恩當此艱危之日身病少差不忍退在更勵弓劍思赴戰地而大病之餘氣力困憊不能運步鞍馬馳騁決不能堪極爲悶慮小人以沿海康津縣生長人稍解舟楫身病快差間願屬舟師

以死討賊云云上項裵慶男曾在陸戰屢有斬殺之功適得身病退家調理尚未快差而當此大賊不可久安私處故願屬舟師誓欲效死其情可嘉且生長海曲慣於舟船姑循其願加造戰船諸將有闕處充差領率討賊

請量處水陸換防事狀

謹　啓爲取　稟事兼巡察使李廷馣關内水軍則宜定沿海各官而目今水軍多在山郡文移催督濫徵價布流移他境侵及族隣職此之由臣之愚意商量各鎭入番水軍之數與沿海

陸軍換定要不出一日程內則慣於操舟緩急可用有變徵發必不後時而陸軍則分防陸路似為兩便急速定奪施行事狀　啓矣備邊司關內水陸軍換定事當初本意則近海之民少有變警各戀鄉井易於奔竄故以遠地山郡之人定為水軍意似有在而山鄉愚氓不習操舟一朝驅之於舟楫之地非徒易務而事敗齎資遠戍勞苦倍他項曰　大駕駐在海州時問民疾苦一道之民皆以此為第一巨弊若以海邊之人定為水軍山郡之民換定陸軍則似為兩

便第推移之際移易得宜各循其願而已姑令監司先試於本道兼察便否以　啓何如　答曰依啓事相考施行內海邊人陸軍數山郡水軍數抄出參商移易便否道里遠近並與兵水使互相通議得宜移牒云云當初　祖宗朝水陸軍分定之意必有所在　啓辭內沿海之民少有變警易於奔竄故以山郡之人定為水軍其意有深且水軍世傳其役人皆謂賤役陸軍雖門閥之裔例定正軍保率一朝還定水卒之役驅之船格不無其冤況一苟其役未免傳子

孫無窮之苦故在陣愁嘆之聲不可忍聞陸軍中水軍可定之人不辨世族舉定賤役果為冤悶當此變亂之極水陸之軍各赴戰陣那移換定之際亦有騷動之弊回　啓內移易得宜各循其願云則採訪彼此軍情從容處置似為得中兵使宣居怡移文內亦云水陸軍卒分屬各陣方對賊壘加之以各處軍糧與　天兵肆習軍方為並舉一道民生不定厥居此間那移換防便否十分商量回答為言矣不小換防重事水陸對賊不可輕易處置伏願　朝廷更加詳

量處置

闕防守令依軍法決罪狀

謹　啓為相考事變生以後營及各鎮浦入防水軍闕防之數南原一千八百五十六名南平五百九十一名玉果三百十三名或並與都目狀全不起送使窮年把守船格軍終不得遞代故行移催促道途相望而南原府使趙誼玉果縣監安鵠南平縣監朴之孝等全不致念頓無督送之意臣發傳令軍官以推考事推捉矣南原府使趙誼即郭巡察使李廷馣處玉果縣監

安鵠托稱差使負南平縣監朴之孝僞稱身病終不来現軍令重事有若兒戲當臨大賊號令無術極為駭愕南平王果留衛將鄕所色吏南原府都兵房等從輕重决罪而平時闕軍十名以上守令罷黜即事目本意况大賊相持闕軍之數多至一千八百餘名少不下四五百餘名則其為慢忽之罪自有其律上項三邑守令等罪狀伏願　朝廷各别處置而罷黜則不無甘心之理踵轍滔滔依軍令决罪姑仍其職使之勉勵其他光州綾城潭陽昌平等官吏變生後

闕防之數多至二百餘名而怠慢成習亦不捉送發關促赴置之不擧四邑官吏並為推考治罪以警其餘大槩臣本以無狀濫受重寄發號施令致此不嚴道内守令如是侮慢仍冒重任極為惶恐

陳倭情狀

謹　啓為倭情事慶尚右水使元均牒呈内巨濟境屯德沙登邑内等處倭賊或有百餘名作綜各處山行之賊不知其數故巨濟射士諸得浩等乘夜潛行去十二月十三日主山峯竄止到看望矣知世浦玉浦城内外倭賊百餘名結幕雄據自場門浦至邑内自栗浦至知世浦路邊要害處及各坪結幕之數或四五幕相連晝則分散横行夜則明火相應秀峙三歧里等處五十餘名擧數往来十六日到明珍浦看望則倭賊百餘名終日結陣云故多抄射士更探賊勢云追到同水使牒呈内固城縣令馳報今十二月二十三日倭船三隻春元浦先巖六隻台叱所浦唐項浦到泊山幕隱伏人等並搜探為言巨濟縣哨探將營軍官及埋伏將諸得浩等

進告内永登所珍長門三處之賊遍滿山野西面明珍山村台羅浦知世浦三巨里等處倭賊無慮百餘名作黨恣行邑内三大門外結幕之數百餘幕泊船六隻玉浦城内外鵝州官田等處森列結幕不知其數山野斫木時方造作自邑内至長門浦路邊及山腰各處鱗次結幕遍滿山役明火砲聲自左道釜山浦東萊等處昌原鎮海至沿邊海曲火光羅列云云兇狡之賊雄據絶島恣行山野極為痛憤春月之間大擧舟師圖立一島無遺殲滅計料而三道舟師僅

滿百隻兵勢孤弱故已令三道水使督令加造
戰艦冬前畢役臣所屬各官浦戰船亦已畢造
沿海括壯軍射格調整之事所令多門騷擾不
齊期會已迫整齊無路極為悶慮臣始還本道
親檢整率一齊回泊事論理狀　啓後去十二
月十二日還營時方檢飭督令整齊全羅右水
使李億祺及忠清水使具思稷並令率其所屬
舟師期限內馳進事傳令

更請反汗一族勿侵之命狀

謹　啓為相考事去十二月二十五日祗受兼

司書書狀內族隣之弊最為民害　大駕在平
壤時前年正月以前一族一皆蠲免事已有
朝廷命令而名為蠲免實皆徵督孑遺之民載
胥及亡聞之極為矜惻自今凡干族隣一切勿
侵以紓民生一分之苦事東宮有令矣近年以
來流亡尤甚水軍一戶四丁內俱存者百無一
二或四丁俱逃或二三丁逃亡闕額無數在平
時尚且不齊況變生兩年調兵運糧之侵殆無
虛日奔赴戍役之苦亦無暇日前日有實者又
從流移姑避隣境觀望待時邊禦一空守城出
戰百無所賴當此無冬夏對賊為陣射格軍充
立末由前以凡軍士一族限事定蠲除既有
聖旨且族隣之弊最為病民之疾痼若減弊寬
民則守禦無策因循責立則民不聊生此間便
宜節中處置事再度論　啓矣當此危難之日
水軍等謀避其役以存為逃以生為死統督之
責不可弛緩使之任便措處事回　啓行移故
一族中尤甚不干人及物故老除代定者各其
守令親問可考文案相考稍稍辨覈以紓軍民
一分之患論理行移而有水軍各官守令牒呈

內東宮有令據巡察使關內凡干族隣一切勿
侵水軍流亡人族隣都目事一切蠲除以副下
書之意云云若如所報則昨日十名入防之軍
今日未滿二三當大賊掎角之時百爾思惟調
兵一事萬無措整之路極為悶慮今若因循從
便處置則於恤民禦敵庶似兩便

還陣狀

謹　啓為還陣事為本道加造戰船親按調整
狀　啓後去十二月十二日還本道檢飭矣所
屬舟師五官順天戰船十隻興陽十隻寶城八

隻光陽四隻樂安三隻已爲畢造許多射格軍
一時充立不得勢難一齊回泊故順天五隻光
陽二隻興陽五隻寶城四隻樂安二隻爲先檢
督率領今正月十七日發向巨濟境閑山島陣
中未整齊戰船使之隨後不分晝夜回泊事傳
令而右道戰船之數倍於左道許多射格必未
能及期整齊臣使從事官丁景達巡檢措置右
水使李億祺期會處督送事申飭伏請巡察使
李廷馣處並爲各別督令入送事令該司申飭
行移

二

謹　啓爲還陣事前加造船射格軍欲親按整
理姑還本道緣由馳　啓後去十二月十二日
還本道檢飭沿海五官括壯軍曾因陸戰徵發
太半流亡名存實無水軍則各官守令等狃於
怠緩無意點送今則族隣勿侵事有巡察使李
廷馣行移一不整齊時存之人亦不捉送尤甚
官吏傳令推捉則稱頃下不來戰船已爲加造
格軍充立無路極爲痛憤全羅右道則臣使從
事官丁景達巡檢整飭馳送于右水使李億祺
期會處臣所屬各官浦戰船艱難整齊今正月
十七日還向陣中

請改差興陽牧官狀

謹　啓爲相考事順天突山島興陽道陽場海
南黃原串康津花介島等處屯田耕種以補兵
食緣由前已請　啓更爲論理狀　啓矣備邊
司關內狀　啓據司　啓目內自古軍興經年
則最以繼粮爲難除出老弱之軍隨其地勢之
便宜而屯田耕種以除內地饋餉之苦且以接
濟兵食此乃經遠之策兵亂未息粮餉之乏在

在皆然屯田得粟尤不可少緩今年耕作所得
正租五百石足可以備明年種子更爲十分措
置隨人力耕墾無失其時以濟軍興事行移何
如　啓依允事相考施行云突山島則臣軍官
訓鍊主簿宋晟道陽場則訓鍊正李奇男農監
官差送農軍或給民並作或流民入作官穫一
半或順天興陽留防軍及或老弱軍除出耕作
犂口鍱子耒耜等各其本官備送事已爲行移
右道花介島黃原串等處使臣從事官丁景達
屯田形止巡歷檢飭及時施行矣戶曹關據巡

察使李廷馣關內突山島等監牧官已兼屯田
官云順天監牧官趙玎已爲遞改與陽監牧官
車德齡到任已久汎濫無狀侵虐牧子使不得
安接闔境民生莫不嗷嗷云臣在不遠之地已
有所聞耕農一事委諸此人則因緣作弊益加
民怨伏願車德齡斯速改差以他廉幹人擇定
不多日內下送使之同力監農勿失其時

請禁沿邑水陸交侵之弊事狀

謹 啓爲定奪事臣狀 啓據備邊司回 啓
行移內賊兵方在巨濟前頭之憂倍甚於往年

舟師所屬沿海各官不可更爲遷移事前已有
下書而巡察使李廷馣改分軍只左右道各五
邑仍屬舟師其餘還屬陸戰又以左右道各五
邑徵發於他處云此必因慶尙道抄軍甚多難
於充數而然也但水陸之軍各有所屬而遷移
彼此之間軍必不定號令多門非徒有妨於舟
師亦必無益於陸戰而軍糧軍器並被徵發則
雖有已辦船隻難以成事大抵與賊對陣成敗
呼吸之際水陸所屬之軍尙未定一紛然如此
恐誤機會今姑一依 下諭勿得遷動事巡察

使李廷馣及李舜臣處並爲行移何如 啓依
允云云左道五官右道五官仍屬舟師加定戰
船督令整齊期限回泊矣右道羅州以上九官
以本屬舟師之邑加造戰船一艘卜定造作羅
州牧使李用淳牒呈內巡察使關內本州以上
務安咸平靈光茂長興德古阜扶安沃溝等沿
邊九官移屬陸戰加造戰船並爲停役云故造
作不得云云近日以來嶺南左道之賊移向右
道皆會于巨濟其勢必欲衝突湖南整率舟師
合勢遮截在玆急急一隻戰船有關於此時九

官加定船二十餘隻一時停役防海一事極爲
可慮殊無丁寧 啓下之意九官已令新造戰
船刻期整齊回泊事更於李廷馣處 啓下申
飭以嚴舟師之威沿海各官軍民俾免水陸交
侵之苦事敢陳妄料

請忠淸水軍節度使催促到陣狀

謹 啓爲推考事全羅右水使李億祺正月二
十五日忠淸水使具思稷二月初五日所管諸
將一齊領來事定限傳令後李億祺牒呈內羅
州務安靈光等官入防水軍都目狀並爲全不

赴送許多戰船充格無路期限已迫極為悶慮
如是再三論報故臣亦為行移各官令二月十
七日率戰船二十二隻陣中來到並與先來戰
船合計則四十六隻矣右道卜定戰船合九十
隻內羅州以上九官卜定戰船二十七隻全不
整齊事甚駭愕緣由曾已狀 啓矣其餘二十
一隻戰船並皆新造而無格赴未領來故水軍
不捉送各官更為發傳令催促大槩右水使李
億祺當此兇賊發謀之時未及期限難免失期
之罪而無格軍未及期限告悶之報連續各官

水軍全不捉送近日尤甚各鎭浦戰船未易調
整道內同然行首軍官及都訓導依軍令決罪
忠清水使具思稷期限已過一朔尚未到陣期
會重事弛緩至於此極自 朝廷各別催促

請罷遲留諸將狀

謹 啓為推考事全羅右水使李億祺牒呈內
該道屬各官浦戰船正月二十日內上道則營
前洋下道則加里浦前洋聚到事軍官並送催
督矣各官入防水軍全不定送格軍整齊不得
赴未聚到期限已過極為悶慮率先到舟師二
十二隻今月十七日到陣云羅州務安咸平靈
光茂長長興興德古阜扶安沃溝等官加卜定
戰船不但不整送元戰船亦不整送各鎭浦奔
赴水軍都目狀並不赴送船格不齊極為悶慮
各浦所報絡繹群山浦萬戶李世環法聖浦萬
戶曹大智多慶浦萬戶李軾等以所管邊將托
以無格軍至今不來尤為駭愕上項各官浦守
令邊將依軍令重治以徵其餘事牒呈矣七路
彌滿之賊咸聚一方兇謀巧計無所不至移犯
之患迫在呼吸之間而舟師所屬羅州以上九

官守令等加定戰船及元會計付戰船無意整
送各鎭浦入防奔赴水軍無一名起送使各鎭
浦戰船亦未能整齊軍令重事弛緩至此萬無
進攻退守之路極為駭愕大槩當壬辰賊勢新
銳之日嶺南諸城望風瓦解一帶沿海人煙頓
絕固城泗川河東南海湖南連接之地而賊船
無慮二百餘隻連續入來以我舟師未滿三十
隻之船冒突勦殲一無漏還挫其鋒銳其後戰
船稍稍加備全羅左右道並八十餘隻每與三
道水使及諸將畫計殲討誓死為約遮截海路

使不得移犯將及三載湖南保完似賴舟師而近日以來論議紛紜舟師所屬左右道並十九官內九官移屬陸戰元定防水軍全不起送舟師孤弱有甚於前日極爲悶慮羅州以上九官內羅州務安等卜定戰船過期不送入防水軍全不起送之罪狀及羣山浦萬戶李世環法聖浦萬戶曹大智多慶浦萬戶李軾等以舟師邊將再三督促終不進來大犯軍律並自 朝廷處置以警其餘而戰船圖畫夜馳送事巡察使李廷馣處各別申飭

請賞義兵諸將狀

謹 啓爲相考事舟師自募義兵將順天校生成應祉僧將守仁義能等乘此亂離不思偷安激發義氣募聚軍兵各率三百餘名擬雪 國恥極爲可嘉海陣兩載自備軍粮轉轉分供艱以繼絶其勤苦之狀有倍官軍猶未憚勞到今益勤曾經戰討亦多顯效其爲 國奮義之心始終不怠極爲可嘉上項成應祉僧將守仁義能等宜自 朝廷各別褒奬以勵後人順天居前萬戶李元男募率義軍乘騎戰船願屬舟師故時方定將討賊

請賞呂島萬戶金仁英狀

謹 啓爲相考事全羅左道所屬呂島萬戶金仁英自變初奮不顧身屢經大戰每每先登斬馘亦多只陞訓鍊副正他例不同前後軍功相考請依鉢浦萬戶黃廷祿例論賞以勵其餘

請措劃軍粮狀

謹 啓爲相考事全羅左右道沿海十九官內十官全屬舟師自變生之後陸陣諸處輸運軍粮殆無虛日已盡蕩竭左道四官右道一官又

經自焚之患左右道戰船先集者一百十隻伺候船一百十隻射格並無慮一萬七千餘名每一名朝夕各五合式分給一日所食少不下百餘石一朔所供三千四百餘石慶尚右道蕩敗之餘尤無辦餉之路亦賴全羅十官而以十官餘儲軍粮計除救民之穀而舟師之粮則僅繼五月望時其前若未能蕩滅兇徒則此後軍粮百無所措極爲悶慮自 朝廷商量處置

陳倭情狀

謹 啓爲倭情事今三月初六日巨濟邑前曾

島洋中到南海縣令奇孝謹馳報內倭小船一隻固城越邊下陸招呼我船而觀其形狀則或着紅衣或青衣唐人二名倭人八名云唐人所持牌文並為輸送故看審則　天朝宣諭都司府譚禁討倭賊事牌文而唐兵招致問其所由則前年十一月分都司譚老爺等到熊川至今仍留以待　天朝許和之　命近日倭人等恐㤼舟師之威喪心落膽都司老爺前百般哀乞牌文成送云黠詐倭奴百生奸計與同處　天兵自作牌文乞寄唐人判然可知着禁斬倭奴

則經略提督摠兵府尚無分付之令矣牌文唐兵二人業已賫來南海縣令奇孝謹成公事一時輸送拒以不受亦似未穩舟師未及畢至兵勢似為孤弱牌文回答成給佯示停止之意更探賊情乘機進討計料矣牌文監封上送而其回答曰朝鮮國陪臣等謹答呈于　天朝宣諭都司大人前倭人自開釁端連兵渡海殺我無辜生靈又犯京都行兇作惡無所紀極一國臣民痛入骨髓誓不與此賊共戴一天各道舟艦無數整理處處屯駐東西策應謀與陸地神將

等水陸合攻使殘兇餘孽隻櫓不返擬雪　國家讐怨本月初三日領先鋒船二百餘隻將欲直入巨濟蕩滅巢穴次次殲滅俾無遺種而倭船三十餘隻闌入于固城鎮海之境焚蕩閭家殺戮遺民又多擄去輸充斫竹滿載其船原其情狀極為痛憤撞焚其船隻追逐其兇徒馳報舟師都帥府領大軍合勢直擣之際都司大人宣諭牌文不意到陣奉讀再三諄諄懇懇極矣盡矣但牌文曰日本諸將莫不傾心歸化俱欲捲甲息兵盡歸本國爾各兵船速回本處地方

毋得近駐日本營寨以起釁端云倭人屯據巨濟熊川金海東萊等地是皆我土而謂我近日本之營寨云者何也謂我速回本處地方云本處地方亦未知在何所耶惹起釁端者非我也倭也日本之人變詐萬端自古未聞守信之義也兇狡之徒尚不歛惡退據沿海經年不退豕突諸處刼掠人物有倍前日捲甲渡海之意果安在哉今之講和者實涉詐偽然大人之教不敢違越姑寬程限馳達　國王伏惟大人遍諭此意俾知逆順之道千萬幸甚事臣及元均李

億祺同狀着名成送譯都司稱號之人某月日間熊川下來與否都元帥權慄處探問回答事移牒矣上項唐兵一時出來之我國被擄人尙州接私奴希順亦能解倭語以兼通事出來故唐兵茂火處以希順不可還率去事舉理開諭而持疑不決又為開說曰乞降來此則我國人其可還率去乎云則唐兵辭塞不答因以棄歸賊中形勢及唐兵出來根因並為推問招內以尙州居人前年四月自京城下來賊倭處被擄到釜山之後倭奴等晋州陷城還釜山同年七

月唐兵十五名一時移到熊川同處賊將即墨甘屯陣中至今留在又有唐兵三十餘名去十一月追到唐兵持牌文出來事我國舟師蔽海齊進撞焚倭船故賊將即墨甘屯恐其直擣懇乞于唐將前成文出送時倭將使小人及茂火往朝鮮陣中說道曰日本之人不欲與戰而朝鮮何以出戰乎云云事言送而出來熊川之賊以三陣每陣或千餘名或八九百名而病斃者數多且困於土木之役還逃本土者不知其幾許船隻則三陣中小船並所見三百餘隻大船只有二隻將帥則一陣即墨甘屯一陣即沙古汝文屯一陣即阿里萬屯前年十一月老唐將一員到陣中仍留率倭三名持書契發向中原故彼倭回還則賊倭盡數還本土云云我國男女或入送日本或因在使喚本土女人又多率來使喚賊倭日役或鐵丸打造或築城造家軍粮今月初生中船六隻滿載出來新倭或二十名或三十名載來他餘事迷劣人的知不得云云上項奴希順為賊被擄久留賊中巧黠情謀無不詳知而反覆窮問略無直告思還賊中露

於言色嚴刑機物備設其前則大略納招多有修飾之狀既還本土少無仍留之計叛國之罪不可頃刻待時而慮有更問之端移囚興陽縣以待 朝廷命令

唐項浦破倭兵狀

謹 啓為焚滅事巨濟熊川之賊數多作綜鎮海固城等處恣意出入焚蕩閭家殺掠人物故乘其往來相勢勦捕之意飭令三道諸將整勵舟楫嚴鍊器具一邊各處通望峯頭望將定送瞭察賊船登時馳告矣今三月初三日未時到

固城境碧方望將諸漢國等馳報內當日平明
倭大船十隻中船十四隻小船七隻永登浦始
出二十一隻固城境唐項浦七隻鎭海境吾里
梁三隻猪島指向云云臣卽發傳令于慶尙右
水使元均全羅右水使李億祺等處更嚴申約
一邊巡邊使李蘋處依前約束領軍馬馳進勦
捕下陸之賊事移文後同日戌時三道諸將無
遺率領閑山洋中發船乘暗潛行二更巨濟內
面紙島洋中經夜初四日曉頭留戰船二十餘
隻於見乃梁以備不虞又抄三道輕銳船全羅

左道左斥候將蛇渡僉使金浣一領將盧天紀
二領將曹長宇左別都將前僉使裵慶男判官
李渫左衛左部將鹿島萬戶宋汝悰步駐統將
崔道傳右斥候將呂島萬戶金仁英一領將尹
鵬龜船突擊將主簿李彥良全羅右道鷹揚別
都將虞候李廷忠左鷹揚將於蘭萬戶鄭聃壽
右鷹揚將南桃浦萬戶姜應彪助戰統將裵胤
前部將海南縣監魏大器中部將珍島郡守金
萬壽左部將金甲島萬戶李廷彪統將郭好信
右衛中部將康津縣監柳瀣左部將木浦萬戶

田希光右部將主簿金南俊慶尙右道彌助項
僉使金勝龍左遊擊將南海縣令奇孝謹右突
擊都將蛇梁萬戶李汝恬左斥候將固城縣令
趙凝道先鋒將泗川縣監奇直男右斥候將熊
川縣監李雲龍左突擊將平山浦萬戶金軸遊
擊將河東縣監成天裕左先鋒將所非浦權管
李英男中衛右部將唐浦萬戶河宗海等三十
一將抄擇舟師助防將魚泳潭定將唐項浦吾
里梁等賊船住泊處潛師馳送臣與李億祺元
均等統率大軍永登場門賊陣前洋之甑島洋

中鶴翼列陣橫截一海前示兵威後遏賊路矣
倭船十隻出自鎭海船滄緣岸行舟助防將魚
泳潭所率諸將等一時突進左右挾攻六隻鎭
海境邑前浦二隻固城境於善浦二隻鎭海境
柴仇叱浦棄船登陸並無遺撞破焚船鹿島萬
戶宋汝悰倭船被擄人固城正兵沈巨元鎭海
官婢孔今咸安良女南月等奪還又被擄二名
賊倭斬頭棄去唐項浦入泊倭船大中小並二
十一隻望見煙焰莫不摧心自知勢窮下陸結
陣巡邊使李蘋處更爲催促移文又令魚泳潭

領其所率諸將直向同處矣適汐水已退日且奄暮進擊不得唐項浦浦口把截經夜初五日曉頭臣及李億祺結陣大洋以應外變魚泳潭領諸將直入同浦同日未時到魚泳潭等馳報內賊倭盡為逃遁倭船二十一隻滿載盖冗及王竹而列泊故並為撞破焚滅云云全羅右水使李億祺諸將所報亦為一樣假氣殘孽莫敢抗戰棄船宵遁當此之時水陸相應一時合攻則庶可殲滅而水陸駐兵相距隔遠未易馳通使籠中之賊未得全捕極為痛憤固城鎮海橫

行之賊自是以後庶有顧忌之慮未能恣意出入同日舟師一軍全數合勢充滿大洋砲聲振天東西變陣揚示掩擊之狀則永登場門薺浦熊川安骨浦加德天城等地雄據之賊恐其直擣伏兵假幕盡數自焚畏縮竄穴頓絕形影初六日固城境阿自音浦發船從風懸帆首尾相接而臣濟邑前胥島前洋指向時南海縣令奇孝謹以倭船一隻自永登始出越邊下陸唐兵二人及倭奴八名唐兵所持牌文並為輸送牌文回答緣由別狀俱由論　啓矣大槩一陣將

士乘勝踴躍皆欲決死生直突飢羸奄奄之卒亦皆樂赴倭船三十餘隻盡數焚滅無一隻網漏仍討場門永登之賊次次勦滅計料而舟師所屬羅州以上九官加造戰船及元戰船並至今不為回泊同道各鎮浦亦因各官水軍不齊捉送為半整齊不得忠清水使具思稷尚未到陣兵勢似為孤弱相勢進勦次今三月初七日還到閑山陣中三道諸將賊船焚滅數李億祺魚泳潭所報詳細磨鍊開坐于後倭物以搶掠之賊別無有關之物只有衣粮釜鼎木器等雜

物故搜得軍卒等各各分給慶尚右水使元均以賊船三十一隻其道諸將並為獨當焚滅據成公事輸送一陣將士莫不駭怯自　朝廷參商施行

全羅左右道諸將折衝將軍舟師助防將魚泳潭倭大船二隻焚滅右斥候將訓鍊副正兼呂島萬戶金仁英倭大船一隻中船一隻焚滅右部將西部主簿兼鹿島萬戶宋汝悰倭大船一隻小船一隻焚滅右突擊將訓鍊主簿李彥良倭中船二隻焚滅左斥候將折衝將軍蛇渡僉

使金浣倭中船一隻焚滅左別都將前僉使裵慶男訓鍊判官李渫同力倭大船一隻焚滅左部步戰統將前訓鍊奉事崔道傳左斥候一領將正兵保盧天紀二領將正兵保曹長守同力倭小船一隻焚滅繼援將水軍虞候李廷忠倭大船一隻焚滅前部將海南縣監魏大器倭中船一隻焚滅左鷹揚將訓鍊判官兼於蘭萬戶鄭聃壽倭大船一隻焚滅右鷹揚將訓鍊判官兼南桃浦萬戶姜應彪倭中船一隻焚滅中衛左部將訓鍊判官兼金甲島萬戶李廷彪倭中

船一隻焚滅左衛左部將訓鍊判官兼木浦萬戶田希光倭小船一隻焚滅右衛中部將康津縣監柳瀣右部將主簿金南俊同力倭中船一隻焚滅右斥候一領將兼司僕尹鵬右鷹揚助戰將忠順衛裵侃中衛左部步駐統將正兵保郭好信同力倭小船一隻焚滅慶尙道諸將右水使元均倭中船二隻焚滅左斥候一先鋒將泗川縣監奇直男倭大船一隻焚滅左突擊將軍器寺副正兼固城縣令趙凝道倭大船一隻焚滅左斥候先鋒都將熊川縣監李雲龍倭大船一隻焚滅遊擊將河東縣監成天裕右部將唐浦萬戶河宗海同力倭中船一隻焚滅左先鋒將訓鍊判官兼所非浦權管李英男倭大船二隻焚滅右突擊都將訓鍊正兼蛇梁萬戶李汝恬倭中船一隻焚滅前部將巨濟縣令安衛倭中船一隻焚滅右遊擊將鎭海縣監鄭沆倭中船一隻焚滅

請罪過期諸將狀

謹

啓為推考事忠淸水使具思稷所管諸將一齊率領去二月初五日內陣中回泊事定限

矣率戰船十隻去三月十六日到陣而具思稷牒呈內道屬戰船四十隻軍糧軍器優數整齊左道各官浦則元山島右道各官浦則伽倻台島正月二十七日一齊準到事四五度行移撿飭水使則二月初二日朝水本鎭舟師率領下海元山島到泊累日留待結城代將徐福千板屋挾船各一隻率來他餘各官浦不在約會處右道期會伽倻台島下來而無一船來到羣山浦前洋留泊待風矣所斤浦僉使朴潤馬梁僉使姜應虎舒川浦萬戶蘇希益庇仁代將安訓

安興代將崔大寬舒川代將金弘等板屋挾船各一隻追到故本鎭板屋船三隻並十隻領率今三月十六日到陣各官之各鎭浦入防水軍無一名捉送以此射格整齊不得未及期限極爲駭愕軍士無意捉送各官及本邑舟師趂不整齊尤甚如韓山林川洪州瑞山藍浦泰安保寧海美兵營波智島等官吏依軍律痛治未到舟師急急催促罔晝夜下送云云矣七路彌滿之賊咸聚一方兇謀巧計無所不至移犯之患迫在呼吸之間而韓山等八官守令之各浦入

防水軍無一名起送使各浦戰船亦未能整齊各其本邑舟師亦不整送軍令重事弛緩至此極爲痛愕韓山林川洪州瑞山藍浦泰安保寧海美等官守令戰船過期不送入防水軍專不起送之罪狀及波智島兵營舟師再再督促終不進來大犯軍律並自 朝廷處置以警其他戰船罔晝夜馳進事本道巡察使尹承勳處各別申飭恐好大槩水使具思稷當此兇賊發謀之時未及期會難免後期之罪而各官水軍全不捉送近日尤甚各鎭浦戰船未易整調各道同然爲先行首軍官及都訓導依軍令決罪

設武科別試狀

謹 啓爲試取事去十二月二十三日到撫軍司關據巡察使李廷馣關有東宮駐駕全州府設場之命海陣士卒咸欲樂赴而以十二月二十七日擇日矣水路遥遠未及期限且與賊相對不無意外之患精軍勇士一時出送不得舟師所屬軍依慶尙道例自陣中試取以解軍情規矩有騎射而遠海絶島無可馳騁之地騎射代以片箭試才似爲便益故敢 稟矣兵曹關

內 啓下左水使 啓稟內辭緣曹 啓目粘連 啓下而全州文武之科業已唱榜續續設科似爲未安舟師之軍累年勤苦而獨爲停擧情甚曖昧嶺南元帥陣試取之科未及一時唱榜於全州則分試取人彼此無異依狀 啓除騎射以片箭鐵箭試取而任意多取慮有不精之患一百人定額試取何如萬曆二十二年二月初七日右副承旨臣李光庭次知 啓依允相考施行事武科別試試取時以有名文官叅試官差定起送事都元帥權慄處移牒矣三嘉

縣監高尚顔叅試官差定故試官臣及全羅右
水使李億祺忠清水使具思稷叅試官長興府
使黃世得固城縣令趙凝道三嘉縣監高尚顔
熊川縣監李雲龍等以今四月初六日開場鐵
箭五矢二巡二中以上片箭五矢一巡一中以
上並依軍官射例給分試取入格人一百名一
二三等居鄕職姓名父名年歲並為別狀開録
上送

哨探倭兵狀

謹 啓為待變事今四月十八日到巨濟縣令

安衛馳報内以賊勢哨探射士率領今四月十
五日境内國祀堂峯頭看望矣玉浦前洋楊州
巖倭船六隻内三隻依泊海操二隻向加德一
隻向永登浦境内東西各處陸行之賊處處放
砲同日遠望則倭船百餘隻各竹懸帆本土始
出一運釜山前絶影島一運金海江熊川指向
而安骨浦項北甚盛臣陣一處昭然通望永登
場門浦屯賊無加減而新倭多數出来云矣兇
謀叵測故都元帥巡察使兵使各陣移文撿飭
諸將使之待變

陳倭情狀

謹 啓為倭情事今四月十八日到全羅右道
中衛將水軍虞候李廷忠牒呈内十七日酉時
見乃梁伏兵將珍島代將李世熙牒呈内所屬
統船率領伏兵處待變當日午時荒唐小船一
隻自巨濟場門浦始出伏兵處向来故茂長挾
船一隻兵營挾船一隻發送追捕巨濟縣接兼
司僕金應之等男女並十六名我國漁採船偷
騎出来故並為執捉起送云云故金應之及同
縣正兵許能連金加應孫別侍衛趙允信水軍

劉應上處被擄逃還節次及賊中所為推問招
内金應之巨濟縣東面居生與校生許應奎幸
世英等同力討賊許應奎為賊被戮而小人得
生前年七月十九日倭賊七名處被擄結縛自
場門浦捉歸同處留屯賊將頓丹屯稱名倭處
捉付留五日後傳送于倭將烏乘監右丹屯陣
各留五日又傳永登浦倭將沈我損屯陣亦留
五日熊川笠巖平義智陣載送留五日釜山浦
名不知倭陣次次移送留連同處乘隙逃躲熊
川往来與利倭船乘騎還到熊浦即到場門浦

我國被擄人多數留在留連同處漁採連命每
欲出來計料而倭奴等不離守直逃來不得適
於守直倭奴二名出他之際許能連金加應孫
趙允信金應上等及巨濟居女人十一名與小
人並十六名今四月十六日夜間乘船出來賊
倭形止場門浦留屯賊將三陣損丹屯陣倭為
三百餘名而我國人三分之一相雜中小船並
五十餘隻軍粮則造作三十間二庫盈入為乘
監陣倭為四百餘名而我國人五六名中小船
並三十七隻軍粮則造作三十間二庫盈入浦

口以長大木多數作筏以拒行舟浦口兩岸築
墻多設我國天地字銃筒右丹屯陣倭為四百
餘名而我國男女三十餘名中小船並三十餘
隻留泊軍糧則三十間二庫盈入沈我損屯陣
倭為三百餘名我國男女三十餘名其陣軍糧
與各陣軍器數並知不得常時出入之倭持環
刀銃筒熊川笠巖賊將平義智外他陣賊將名
字則知不得熊川笠巖一陣熊浦二陣安骨浦
三陣加德一陣金海一陣竹島一陣豆毛浦東
萊釜山等處五陣永登場門並為十八陣時留

云云去三月初生間為乘監陣中船十七隻頓
丹屯陣中船五隻右丹屯陣中船六隻並二十
八隻及永登屯陣倭所送船並三十餘隻鎮海
固城間家盖瓦中竹取來而且欲擄掠我國人
矣舟師三百餘隻向鎮海固城撞焚其賊船場
門浦屯賊等畏其兵威蒼黃顛仆軍器等物及
本國戰馬滿載其船或入山谷第五日前出送
見敗賊倭等還來言內朝鮮兵船三百餘艘盛
陳兵威而圖抱不能當敵下陸船隻或焚滅或
曳去艱以乘夜逃來到熊浦乘船入來云而彼

徒常時所役造家材木斫伐鍊正載其大船入
送本土新倭交遞而出來自中相喜到泊形止
目覩不得而大槩各陣賊倭雄據如前他餘事
知不得許能連以巨濟邑內居正兵前年七月
二十四日並其妻四名一時為賊所擄場門浦
為乘監陣中捉付十二歲女子他倭處移賣不
知去處小人夫妻及七歲女子傳賣於釜山浦
屯倭處留連適見逢授倭等以沽酒事出他乘
隙偷船到熊浦兼司僕金應之為賊所擄同處
留在同心密議場門浦移渡漁採資生與金應

之等謀約出来而賊中所為金應之招辭一樣
劉應上慶尙右水營吹螺赤巨濟居生日不記
前年七月為賊所擄頓丹屯陣中捉付轉轉移
賣於釜山浦賊倭處到釜山乗隙逃亡還到本
縣頓丹屯倭處還為被捉與金應之等同謀出
来賊中所為金應之一樣趙允信以巨濟居知
世浦入防別侍衛日不記前年七月山谷避亂
倭奴十名不意突進被捉轉轉移賣釜山浦留
連艱難逃亡還向本縣亦為場門浦鳥乗監陣
倭處被捉留連同處金應之等同謀出来賊中

所為金應之一樣金加應孫以巨濟正兵與同
生兄應之同心待變兄應之前年七月先為被
擄小人日不記同年熊浦留屯倭處亦為被捉
到熊浦留五日後乗隙偸船還到本縣場門浦
鳥乗監陣倭處被捉漁採資生與同生兄應之
同謀出来賊中所為應之招辭一樣矣金應之
許能連金加應孫趙允信劉應上等招集被擄
女人十一名偸船出来極為可嘉依金海出来
人例略給糧物事本道觀察使處　啓下以勸
他人

舟師所屬諸將休番狀

謹　啓為相考事今四月初二日祗受司書書
狀内南邊舟師長在海上所屬守令各率所部
以舟為邑絶無還官之期方春已晩農事政急
種子口食賑饑等事專廢不舉至於城池甲兵
修繕之事一委之品官本邑之事日就虛踈云
極為可慮今後則舟師所屬守令使之各自代
將時或番休相遞還官兼察本任事有令矣舟
師所屬左道光陽順天興陽寶城及右道康津
海南珍島長興等官守令下海待變左道樂安

右道靈巖守令遞罷後不為到陣耕農賑救事
在急急故去三月初五日固城境唐項浦等處
賊船三十一隻合勢撞焚後即時順天光陽興
陽寶城康津海南珍島等官守令等以他人定
代將勸農賑饑等事盡心檢舉使之更待傳令
馳来而已為出送

請罷闕防諸將狀

謹　啓為相考事自上年二月為始全羅左右
道及慶尙右道射格整齊合會一處終年把守
病死不多今年正月陣中癘疫大熾臥病者相

枕多備藥物百爾治療而差效者鮮少死亡者極多其中久病人則載船出送自正月二三四月三道物故數全羅左道四百六名時方卧痛一千三百七十三名右道物故六百三名卧痛一千八百七十八名慶尚右道物故三百四十四名卧痛二百二十二名忠清道物故三百五十一名卧痛二百八十六名合三道物故數一千七百四名卧痛三千七百五十九名無辜軍民如是死亡舟師射格日漸減縮許多諸船勇疾運用為難近日新倭多數出来移犯之患當

在呼吸之間極為悶慮大槩有水軍各官守令等不念危急之勢赴戰水卒專不起送行移督促連絡道路略不動念遣軍官持傳令推捉則囑耳使命使之捉因傳令軍官不得接跡空往空来勢不得已流離丐乞之輩雜聚充格久饑之人不至重痛旋即自斃尤為痛憤前日尤甚不捉送守令請罪之全羅左道南原府使趙誼玉果縣監安鵾右道羅州牧使李用淳務安縣監高鳳祥等為先繩律以警其餘關防水軍剋期督發守令親領交付一以盛兵威一以遞久

留病卒事各別申明事 啓下

封進鳥銃狀

鳥銃三十柄前已上送矣今因祗受有 旨三十柄擇出改修補監封上送

請防踏僉使擇差狀

新除授防踏僉使魚泳潭癘疫得病今四月初十日在陣身死其代各別擇差催促赴任

請忠清戰船剋期回泊狀

新除授忠清水使李純信除授有 旨時未下来同道卜定戰船六十隻内二十隻同道觀察

使尹承勳報撫軍司減除其餘四十隻内十一隻前水使具思稷去三月十六日領来二十九隻尚未回泊新倭多數出来兵勢極為孤弱新水使李純信以檢舉事急同道諸將檢舉待變事傳令防踏假將以臣軍官擇定檢飭忠清道未到戰船剋期回泊事請於同道觀察使尹承勳處申明 啓下

請送醫救癘狀

三道舟師合會一陣自春至夏癘疫大熾多備藥物百爾治療差效者鮮少死亡者極多無辜

軍民日漸减縮許多戰船運動爲難臨危當急
極爲悶慮自 朝廷十分叅商解事醫負 特
命下送使之救藥

李忠武公全書卷之四

李忠武公全書卷之五目錄

亂中日記一

李忠武公全書卷之五目錄

李忠武公全書卷之五

亂中日記一

壬辰正月初一日壬戌晴曉舍弟汝弼及姪子
菶豚薈来話但離天只再過南中不勝懷恨
之至○兵使軍官李敬信来納兵使簡及歲
物長片箭雜物
初二日癸亥晴以 國忌不坐與金仁甫話
初三日甲子晴出東軒別防點考題送各官浦
公事
初四日乙丑晴坐東軒公事

初五日丙寅晴仍在後東軒公事
初六日丁卯晴出東軒公事
初七日戊辰朝晴晩雨雪交下終日菶姪往牙
山○南原陪箋儒生入来
初八日己巳晴出客舍東軒公事
初九日庚午晴早食後出客舍東軒封箋文拜
送
初十日辛未終日雨雨防踏新僉使入来
十一日壬申小雨終日晩出東軒公事李鳳壽
往見先生院浮石處来告已鑿穴大石十七
塊云西門外壕子四把許頽圮○與沈士立
話
十二日癸酉陰雨不霽食後出客舍東軒本營
及各浦鎭撫優等試射
十三日甲戌朝陰出東軒公事
十四日乙亥晴出東軒公事後射帿
十五日丙子陰而不雨曉行望 闕禮
十六日丁丑晴出東軒公事各官品官色吏現
謁防踏兵船軍官色吏以其兵船不爲修繕
决杖虞候假守亦不檢飭至於此極不勝駭

恠徒事肥己如是不顧他日之事亦可知矣
城底土兵朴夢世以石手往先生院鎖石浮
出處害及四隣狗子故决杖八十
十七日戊寅晴寒如大冬朝修簡于巡使及南
原半刺處○夕鐵鎖孔石回泊事送四船于
先生院金孝誠領去
十八日己卯晴出東軒公事呂島天字船回去
優等啓 聞及代加單子封送于巡營
十九日庚辰晴東軒公事後各軍點考
二十日辛巳晴而大風東軒坐起公事

二十一日壬午晴出東軒公事監牧官来宿
二十二日癸未晴朝光陽倅来謁
二十三日甲申晴以仲兄忌日不坐司僕寺受
来留養馬上送
二十四日乙酉晴以伯兄忌日不坐見巡使答
狀則以古阜郡守李崇古仍留狀　啓重被
物論以是辭狀云
二十五日丙戌晴出東軒公事後射帿
二十六日丁亥晴出東軒公事後與興陽順天
兩倅共話

二十七日戊子晴午後光陽倅来
二十八日己丑晴出東軒公事
二十九日庚寅晴出東軒公事
三十日辛卯陰而不雨暖如初夏東軒公事後
射帿
二月初一日壬辰曉行望　闕禮煙雨暫灑晩
霽出船滄點擇可用板子時水場內儵魚雲
集張網獲二千餘箇可謂壯矣仍坐戰船上
飲酒與虞候共看新春景色
初二日癸巳晴東軒公事○鐵鎖橫設大中石
堄八十餘箇載来○射帿十巡
初三日甲午晴曉虞候以各浦摘奸事乘船出
去○公事後射帿○耽羅人率子女并六口
逃出泊于金鰲島防踏循環船被捉上使故
捧招送囚昇平書送行移○是夕火臺石四
箇輸上
初四日乙未晴出東軒公事後上北峯築煙臺
處築處甚善萬無頹落之理李鳳壽之勤事
可知矣終日觀望當夕下来巡視垓坑
初五日丙申晴出東軒公事後射帿十八巡

初六日丁酉晴終日大風出東軒公事巡使簡
二度来
初七日戊戌晴而大風出東軒公事鉢浦到任
公狀来
初八日己亥晴又大風出東軒公事是日捧龜
船帆布二十九疋○當午射帿趙而立與卞
存緒爭雄趙不勝○虞候還自防踏極言防
踏盡心防備事○東軒庭立石柱火臺
初九日庚子晴曉以鐵鎖貫長木斫伐事李元
龍領軍送斗山島

初十日辛丑煙雨或晴或暗出東軒公事○金
仁問自巡營還見巡使簡則通事等多受賂
物誣告　中朝致有請兵之舉非但此也
中原疑我國與日本有他志其為凶悖極為
無謂通事等已為拿囚云不勝駭怛痛憤
十一日壬寅晴食後出船上新選點考
十二日癸卯晴且風静食後出東軒公事移坐
海雲臺射帳觀沈獵雉極其從容軍官輩亦
皆起舞趙而立吟絶句乘夕還来
十三日甲辰晴右水使軍官来箭竹大中百箇

鐵五十斤送之
十四日乙巳晴牙山問安羅將二名出送
十五日丙午大風雨出東軒公事石手等以新
築浦坑多致頽落决罪使之更築
十六日丁未晴出東軒公事後射帳六巡新舊
番點考
十七日戊申晴以　國忌不坐
十八日己酉陰
十九日庚戌晴發巡到白也串監牧官慶則昇
平府伯率其弟来待妓生亦来雨後山花爛

開景物之勝難可形言暮到梨木龜尾乘船
到呂島則瀛洲倅與呂島權管出迎防備點
閱興陽以其明日行祭先行
二十日辛亥晴朝點各項防備戰船則皆新造
軍器亦皆少完晩發到瀛洲左右山花郊外
芳草如畫古有瀛洲亦如此景耶
二十一日壬子晴公事後主人設席射帳丁助
防將亦来見黃叔度亦来同醉裵秀立出同
盃酌甚歡夜深而罷使申弘憲釀酒分飲前
日使喚三班下人等

二十二日癸丑朝公事後往鹿島黃叔度亦同
行先到興陽戰船所親點船與什物仍往鹿
島直上新築峯頭門樓上景槩之勝境内尤
最也萬户之盡心無處不到矣興陽黃綾城
及萬户飲醉兼觀放砲明燭移時而罷
二十三日甲寅陰晩發船至鉢浦逆風大吹舟
不能行艱到城頭下船馬行雨勢大作一行
上下盡濕花雨入鉢浦日已暮矣
二十四日乙卯細雨滿山咫尺不辨冒雨發程
到馬北山底沙梁乘舟促櫓到蛇渡則興陽

亦已至矣戰船點考日暮仍宿
二十五日丙辰陰各項戰備多有頉處軍官色
吏決罪僉使捉入教授出送防備五浦中最
下而以巡使褒 啓未能撿罷可笑逆風大
吹未能發船仍宿
二十六日丁巳早朝發船到介伊島則呂島船
與防踏迎逢船出待日暮到防踏公私禮畢
後軍器點考則長片箭無一部可用可悶戰
船則差完可喜
二十七日戊午陰朝畢點後登北峯觀望形勢

則孤危絶島四面受敵城池且極齟齬可慮
可慮僉使則盡心而未及施設奈何奈何晚
乘船到京島汝弼而立與軍官虞候載酒出
迎與之共樂日沒還衙
二十八日己未陰而不雨出東軒公事後射帿
二十九日庚申晴而大風出東軒公事巡使關
來到而中衛將改定順天云可歎
三月初一日辛酉行望 闕禮食後點別軍及
正兵下番軍點放公事後射帿十巡
初二日壬戌陰而風以 國忌不坐僧軍百名

拾石
初三日癸亥雨雨終夕是日佳節而雨勢若此
不能踏青與趙而立虞候軍官輩共話盃酌
于東軒
初四日甲子晴朝趙而立餞別出客舍中大廳
公事後巡見西門垓坑及城加築處僧軍拾
石不實故首僧決杖牙山問安羅將入來聞
天只平安多幸多幸
初五日乙丑晴出東軒公事軍官等射帿○暮
上京鎭撫入來左台簡與增損戰守方略册

送來見之則水陸戰火攻等事一一論議誠
萬古之奇論也
初六日丙寅晴朝食後出坐軍器點閱弓甲冑
鍪箭兒環刀則多有破毀之物不成樣者甚
多色吏弓匠監考等論罪
初七日丁卯晴出東軒公事射帿
初八日戊辰雨雨終日
初九日己巳雨雨終日出東軒公事
初十日庚午晴而風出東軒公事後射帿
十一日辛未晴

十二日壬申晴食後出往船上點京江船乘舟出名浦時東風大起無格還歸直坐東軒射帿十巡

十三日癸酉朝陰巡使簡来

十四日甲戌大雨終日早朝以巡使相會事往順天雨勢大作去路不辨艱到先生院秣馬行到海農倉坪路上水深幾至三尺間關到府夕與巡使話阻

十五日乙亥陰而細雨晚收坐樓上射帿軍官等分邊射

十六日丙子晴順天設酌于喚仙亭兼射帿

十七日丁丑晴曉告歸巡使来到先生院秣馬後還營

十八日戊寅晴出東軒公事

十九日己卯晴出東軒公事

二十日庚辰雨勢大作晚出東軒公事各房會計○順天搜討未及期限故代將及色吏都訓導等推論蛇渡亦以期會事移文而獨爲搜討又半日之內內外羅老島大小平斗搜討同日還浦云事甚虛僞以此推考事行移興陽蛇渡以氣甚不平早入

二十一日辛巳晴氣不平終朝臥痛晚出東軒公事

二十二日壬午晴以城北峯下水渠掘出事虞候及軍官十人分送食後出東軒公事

二十三日癸未朝陰晚晴食後東軒公事寶城板子趂未輸納色吏更爲發關推捉順天上使蘇國進決杖八十巡使送簡言鉢浦權管不合領軍之才處置云故姑勿遞差仍留防備事答送

二十四日甲申以　國忌不坐虞候搜討無事還来巡使都事答簡宋希立並持来巡使簡中嶺南方伯致簡曰島主書契曾有一船出送而若未到貴國則必爲風所敗云其言極凶詐東萊相望之海萬無如是之理而作辭如此其爲譎詐難測云

二十五日乙酉晴而大風出東軒公事後射帿十巡慶尚兵使不到平山浦而直向南海云余以未得相面爲恨之意答送巡見新築城而南邊九把許頹破矣

二十六日丙戌晴虞候與宋希立往南海○晩
出東軒公事後射帿十五巡
二十七日丁亥晴而無風早食後騎船到召浦
監鐵鎖橫設終日觀立柱木兼試龜船放砲
二十八日戊子晴東軒公事射帿十巡則五巡
連中二巡四中三巡三中
二十九日己丑晴以　國忌不坐牙山問安羅
將入来聞天只平安多幸多幸
四月初一日庚寅陰曉行望　闕禮公事後射
帿十五巡別助防點考

初二日辛卯晴食後氣甚不平漸漸痛重終日
達夜呻吟
初三日壬辰晴氣力眩亂苦痛達夜
初四日癸巳晴朝始似暫歇
初五日甲午晴晩小雨出東軒公事
初六日乙未晴出鎭海樓公事後令軍官射帿
餞別舍弟汝弼
初七日丙申以　國忌不坐巳時備邊司秘密
行移来到嶺南方伯與右兵使啓　聞據行
移也

初八日丁酉陰而不雨朝封天只前送物晩汝
弼離去獨坐客窓懷思萬端也
初九日戊戌朝陰晩晴出東軒公事方應元到
防公事成貼而送○軍官等射帿光陽以捜
討事乘船来告歸
初十日己亥晴食後出東軒公事射帿十巡
十一日庚子朝陰晩晴公事後射帿○巡使簡
及別錄軍官南僴持来○始製布帆
十二日辛丑晴食後騎船放龜船地玄字砲○
巡使軍官南公審去○午移坐東軒射帿十

巡上衙時見路臺石
十三日壬寅晴出東軒公事後射帿十五巡
十四日癸卯晴出東軒公事後射帿十巡
十五日甲辰晴以　國忌不坐修巡使答簡及
別錄即令驛子馳送日沒時嶺南右水使傳
通內倭船九十餘出来釜山前絶影島駐泊
一時又到水使關倭賊三百五十餘隻已到
釜山浦越邊云故即刻馳　啓兼移巡使兵
使右水使慶尙嶺南方伯關亦到如是
十六日乙巳二更嶺南右水使移關釜山巨鎭

已爲陷城云不勝憤惋卽馳 啓又移文三
道
十七日丙午陰雨晩晴嶺南右兵使送關賊倭
釜山陷城後仍留不退云晩射帿五巡仍畨
水軍及奔赴水軍續續到防
十八日丁未朝陰早朝出東軒公事巡使關來
到錚浦權管已爲汰去假將定送云故羅大
用卽日定送未時到嶺南右水使關東萊亦
爲陷沒梁山蔚山兩守亦以助防將入城並
爲見敗云其爲憤惋不可勝言兵使水使領

軍到東萊後面還卽回軍云尤可痛也夕順
天領軍兵房留在石堡倉不爲領付故捉致
囚禁
十九日戊申晴朝品防掘鑿事定送軍官早食
後出東門上親督品防役午後巡見上隔臺
是日奔赴軍七百名逢點役事
二十日己酉晴出東軒公事嶺南方伯移關大
賊熾張其鋒莫能敵者長驅乘勝如入無人
之境云而整理戰艦來援事請 啓云
二十一日庚戌晴城頭軍列立事坐于帿基出

令午後順天馳來聽約而去
二十二日辛亥曉候望摘奸事軍官發送裵應
祿往折甲島宋日成往金鰲島又使李景福
宋漢連金仁問等斗山島敵臺木運下事各
率軍人五十名送之餘軍品防役事（自二十三日至三十日缺）
五月初一日庚午舟師齊會前洋是日陰而不
雨南風大吹坐鎭海樓招防踏僉使與陽倅
鹿島萬戶則皆憤激忘身可謂義士也
初二日辛未晴宋漢連自南海還言南海倅彌

助項僉使尚州浦曲浦平山浦等一聞賊倭
聲息輒已逃散使其軍器等物盡散無餘云
可愕可愕午時乘船下海結陣與諸將約束
則皆有樂赴之志而樂安則似有避意可歎
然而自有軍法雖欲退避其可得乎夕防踏
疊入船三隻回泊前洋軍號龍虎伏兵則山
水
初三日壬申細雨終朝招中衛將約明曉發行
卽修啓 聞是日呂島水軍黃玉千逃避其
家捕斬梟示

初四日癸酉晴質明發船直到彌助項前洋更為約束由介伊島過平山浦尙州浦彌助項

自初五日至二十八日缺

二十九日戊戌晴右水使不来獨率諸將曉發直到露梁則慶尙右水使来會問賊所泊處則賊在泗川船滄云故直至其處倭人已為下陸結陣峯上列泊其船于峯下拒戰甚固余督令諸將一時馳突射矢如雨放各樣銃筒亂如風雷賊徒畏退逢箭者不知幾百數多斬倭頭焚滅十三隻軍官羅大用中丸余

亦左肩上中丸貫于背不至重傷

六月初一日己亥晴蛇梁後洋結陣經夜

初二日庚子晴朝發直到唐浦前船滄則賊船二十餘隻列泊回擁相戰大船一隻大如我國板屋船船上粧樓高可二丈閣上倭將巍坐不動以片箭及大中勝字銃筒如雨亂射倭將中箭墜落諸倭一時驚散諸將卒一時攢射逢箭顚仆者不知其數盡殲無餘俄而倭大船二十餘隻自釜山列海入来望見我師奔入介島

初三日辛丑晴朝更勵諸將挾攻介島則已為奔潰四無餘類欲往固城等地則兵勢孤弱憤鬱留宿

初四日壬寅晴懸望右水使之来日午右水使領諸將懸帆而来一陣將士無不踴躍合兵申明約束宿鑿浦梁

初五日癸卯朝發到固城唐項浦則倭大船一隻如板屋船船上樓閣巍巍賊將坐其上中船十二隻小船二十隻一時撞破逢箭死者不知其數斬倭將七級餘倭下陸而走然餘

數甚少軍聲大振

初六日甲辰晴

初七日乙巳晴探賊船朝發到永登前洋聞賊船在栗浦令伏兵船指之則賊船五隻先知我師奔走南大洋諸船一時追及蛇渡僉使金浣一隻全捕虞候李夢龜一隻全捕鹿島萬户鄭運一隻全捕合計倭頭三十六級

初八日丙午晴與右水使留泊洋中

初九日丁未晴直到天城加德則無一賊船再三搜見旋師還唐浦經夜未曉發船到彌助

項前洋與右水使話
初十日戊申晴(自十一日至八月二十三日缺)
八月二十四日(干支缺)晴申時發船促櫓到露梁
後洋下碇三更乘月行船到泗川毛思郎浦
東方已曙曉霧四塞咫尺不辨
二十五日(干支缺)晴辰時霧捲由三千前洋幾到
唐浦慶尚右水伯繫舟相話申時泊于唐浦
宿
二十六日(干支缺)晴行到見乃梁駐船與右水伯
相話順天亦到夕移舟到角呼寺前洋宿

二十七日(干支缺)晴與嶺右水伯同議移舟到巨
濟漆乃島熊川倅李宗仁来話聞斬倭三十
五級云暮渡薺浦西院浦則夜已二更西風
吹冷客思不平
二十八日(干支缺)晴(自二十九日至癸巳正月缺)
癸巳二月初一日丙戌雨雨終日鉢浦呂島順
天乗會鉢浦鎮撫崔已再犯軍律行刑
初二日丁亥晚晴鹿島假將蛇渡興陽等船入
来樂安亦到
初三日戊子晴諸將準會而寶城未及可歎自

戌時風雨大作各船艱難救護
初四日己丑晚晴城東邊九把頽毁出坐客舍
東軒酉時雨勢大作達夜不止風亦甚惡各
船艱難救護
初五日庚寅驚蟄故行纛祭雨下如注晚時霽
朝食後出坐中大廳寶城倅冒夜由陸馳来
拿入問後期之罪治其代將是夕李彥亨告
歸
初六日辛卯朝陰晚晴平明放船掛帆午時逆
風暫至暮到蛇梁宿

初七日壬辰晴曉發直到見乃梁右水使元平
仲已先至奇叔欽来見李英男李汝恬亦来
初八日癸巳晴朝嶺南右水伯到船極言全羅
右水伯後期之失今刻先發云余力止待之
約以今日日中當到午時果然張帆而来一
陣望見無不欣躍申時發船初更到溫川島
初九日甲午大雨終日仍留不發
初十日乙未朝陰晚晴卯時發船直到熊川熊
浦則賊船列泊再度誘引曾㥘我師乍出乍
還終莫捕殲痛憤痛憤二更還到永登後蘇

秦浦入泊經夜
十一日丙申陰休兵仍留
十二日丁酉朝陰晩晴三道一時曉發直抵熊川熊浦則賊徒如昨進退誘引竟不出海兩度追逐幷未捕滅痛憤痛憤初更到漆川島雨勢大作經夜不止
十三日戊戌雨雨如注以議討事順天光陽防踏招来話鄭聃壽来見
十四日己亥晴早朝營探候船来朝食後合三道約東嶺南水伯以病不會獨與全羅左右

諸將合約但虞候使酒妄言其為無謂何可盡說於蘭萬户鄭聃壽南桃萬户姜應彪亦如之當此大賊紏討之際亂飲至此其為人物不勝痛憤加德僉使田應麟来見
十五日庚子朝晴夕雨日氣和暖風亦不動掛帳射之順天光陽及蛇梁萬户李汝恬吽非浦李英男永登禹致績亦来是日巡使送關
天朝又遣舟師預知而處之云暮元平仲令
公来見
十六日辛丑晴晩朝大風午後右水伯来見順天防踏亦来見夜二更慎環與金大福来賫
傳 教書二度及副察使關仍聞 天兵直擣松都今月初六日當陷京城之賊云
十七日壬寅陰而不雨終日東風李英男許廷誾鄭聃壽姜應彪等来見午後往見右水伯又見新珍島成彥吉與右水伯同到嶺南水伯船聞宣傳官賫有 旨来促櫓還陣路逢
宣傳標信延入船承受有 旨則急赴歸路截殺逃遁之賊事即修付祗受單子夜已四更矣

十八日癸卯晴早朝行軍到熊川賊勢如前蛇渡僉使伏兵將差定領呂島萬户鹿島假將左右别都將左右突擊將光陽二船興陽代將防踏二船等伏于松島使諸船誘引則賊船十餘隻踵後而出慶尚伏兵五隻輕先追逐之際伏船突入回擁多般放射倭人死者不知其數賊氣大挫更不出抗日暮還到沙火郎
十九日甲辰晴西風大作不能放船仍陣沙火郎○南海来見高汝友李孝可亦来見

二十日乙巳晴曉發船東風暫至與賊交鋒則大風輒發各船自相觸破幾不能制船卽令角立招搖止戰諸船幸賴不至重傷還到蘇秦浦經夜○是日鹿羣走東西順天捉一鹿送来

二十一日丙午陰而大風李英男李汝恬来見右水伯元令公順天光陽亦来見○夕雨作三更雨止

二十二日丁未曉雲暗東風大吹然討賊事急發行到沙火郎待風風似歇促行到熊川兩

僧將及成義兵送于薺浦為將下陸之形右道諸將船擇其不實送于東邊亦為下陸之狀倭賊奔遑之際合戰船直衝賊勢分力弱幾為殲盡而鉢浦二船加里浦二船不令突入觸掛淺狹為賊所乘其為憤痛憤膽如裂有頃珍島上船為賊所擁幾不能救而虞候直入救出慶尚左衛將及右部將視而不見終不回救其為無謂不可言痛憤痛憤今日之憤何可盡說皆慶尚水伯之致也張帆還到蘇秦浦宿○牙山薈芬簡来于熊川戰所天只簡亦来

二十三日戊申陰元水使来見其為凶險無狀無狀○崔天寶自陽花下来細傳唐兵之奇兼傳調度御史之簡

二十四日己酉晴曉温牙簡及家書修送○朝發行到永登前洋雨勢大作不能直抵回棹而還漆川梁

二十五日庚戌晴風勢不順仍留漆川梁

二十六日辛亥大風終日留

二十七日壬子晴而大風與右水伯李令公會

話

二十八日癸丑晴且無風曉發到加德則熊川之賊擁縮略無出抗之計我船直向金海江下端禿沙里項右部報變諸船張帆急往回擁小島則慶尚水使軍官及加德僉使伺候船并二隻出沒島嶼其情態荒唐故縛送于元水使則水使大怒其本意皆在送軍官搜得漁採人首故也○初更豚兒薈来宿于沙火郎

二十九日甲寅陰慮有風惡移舟漆川梁右水

伯李令公来見嶺南水伯亦来見
三十日乙卯終日雨雨縮坐蓬下
三月初一日丙辰乍晴而夕雨防踏僉使来順
天則以病未能来
初二日丁巳雨雨終日縮坐蓬下百念攻中懷
思煩亂李英男李汝恬来因聞元令公非理
歎恨歎恨
初三日戊午朝雨今日乃踏青而兇賊不退擁
兵浮海未聞唐兵之入京與否為悶可言
初四日己未始晴聞 天將李如松至松京聞

北路之賊踰雪寒嶺還歸西關云不勝痛悶
初五日庚申晴風色甚惡順天以病還歸故朝
覲見而送○探候船来明日討賊事相約
初六日辛酉晴曉發行到熊川則賊徒奔避陸
地結陣山腰軍官等鐵丸片箭如雨亂射死
者甚衆被擄泗川女人一名奪還宿漆川梁
初七日壬戌晴與右水令公話初昏發船到乞
望浦則日已曉矣
初八日癸亥晴還到閑山島朝食後光陽樂安
防踏来防踏光陽則備酒饍而来右水伯亦

来於蘭亦送桃林數物○夕雨雨
初九日甲子陰雨竟日元埴来見
初十日乙丑晴向蛇梁樂安人至自 行在所
傳言唐兵曽到松京連日下雨道路泥濘勢
難行軍待晴入京師結約云聞此言不勝欣
踊之至○李僉使弘明来見
十一日丙寅晴營探候船来
十二日丁卯晴朝各官公事題送○蕣及羅大
用金仁問歸營○食後手談于右令公
十三日戊辰雨大作晩朝晴李令公及李僉使

弘明手談
十四日己巳晴各船起送船材運来
十五日庚午晴與右水伯諸將射帿觀德我諸
將多勝右水伯作餅酒而来
十六日辛未晩晴諸將等又射帿我諸將亦勝
十七日壬申晴大風終日申景潢来傳有 旨
宣傳官来營云
十八日癸酉晴大風終日人不敢出入奇南海
来見
十九日甲戌雨雨與右水伯同話

二十日乙亥晴午後聞宣傳官持 有旨来
二十一日丙子晴
二十二日丁丑晴 自二十三日至四月缺
五月初一日甲寅晴曉行望 闕禮
初二日乙卯晴宣傳官李春榮持有 旨来到
大槩截殺逋賊事○是日實城鉢浦兩將来
會其餘諸將以退定未會
初三日丙辰晴右水使率舟師来會而舟師多
有落後可歎可歎○李春榮還歸李純一来
初四日丁巳晴是辰乃天只生辰而未能往獻

壽盃平生之恨也
初五日戊午晴宣傳官李純一還自嶺南○日
晩令軍官等分邊射帿
初六日己未朝慎戚定與菶姪至自蟹浦○晩
大雨如注終日不止川渠告漲還满農人之
望可幸可幸
初七日庚申陰而不雨與右水使同飯登船向
彌助項則東風大作波濤如山艱難到泊
初八日辛酉陰而不雨曉頭發行到蛇梁洋中
萬户出来問右水使在何處則時在昌信島

云而軍不聚未及乘船云直到唐浦則李英
男来見詳言水使多妄
初九日壬戌陰朝發到乞望浦風不順與右水
使加里浦共坐談兵○夕元水使率二隻船
来會
初十日癸亥陰而不雨朝發船到見乃梁點閱
興陽軍○宣傳官高世忠持有 旨来大槩
往討釜山歸賊事○夕嶺南虞候李義得来
見
十一日甲子晴宣傳官還歸○永登探賊人等

還告加德外洋賊船無慮二百餘艘留泊出
沒熊川亦如前日云
十二日乙丑晴本營探候船入来○新造正鐵
銃筒送于備邊司○嶺南来宣傳官成文漑
来見黑角弓帿矢給送之成也李鎰女壻之
故也○曉左右道體探人定送于永登等地
十三日丙寅晴張帿小峯頂與諸將分邊争雄
日暮下船海月满船百憂攻中獨坐輾轉雞
鳴假寐
十四日丁卯晴宣傳官朴振宗及宣傳官寧山

令福亂持有　旨俱到因聞　天兵所為痛
惋余移乘右水使船對話宣傳酒數行嶺南
水伯元平仲来使酒一船將士莫不駭憤其
為誣罔不可言即夕兩宣傳還
十五日戊辰晴朝樂安郡守来見○尹東耇持
其將狀　啓草来到其為誣罔不可說也○
晩朝菶姪蔚兒與尹奉事齊賢偕到
十六日己巳晴各官公事題給○菶姪與薈兒
還歸○氣甚不平臥枕呻吟因聞　天將遲
留中路不無巧計為　國多慮事事如是尤

極興歎而潸淚也○午時因尹奉事傳聞舘
洞叔母避亂于楊州泉川別世云不勝痛哭
何時事若是其酷耶喪葬誰其主之大進先
已棄世云尤極痛也
十七日庚午晴曉大風下存緒以病還歸○嶺
南水伯送軍官持見晉陽馳報則李提督時
在忠州云賊徒四散焚掠痛憤痛憤○終日
大風心事煩亂固城倅送軍官来問且致秋
露與桃林一枝及蜂筒然遭服之中受之未
安而恩情所致義不可還送故給軍官等氣

甚不平早入船房
十八日辛未晴早朝氣甚不平吞温白元四丸
有頃快注氣似平安○奴木年至自蟹浦因
聞天只平安即答書還送甘藿五同送于家
○全州府尹送關今為兼巡使節制云而不
踏印信未知所然也○大金山永登等望軍
来告倭賊出沒而別無大段兇謀云
十九日壬申晴巡使送關依　天將牌文釜山
海口已為往截云○永登望軍来告無他變
二十日癸酉晴望軍来告倭船無形云

二十一日甲戌曉發船到巨濟柚子島中洋大
金山望軍進告賊之出入如前云元水使虛
辭移文致大軍動搖軍中欺誣如是其為兇
悖不可言
二十二日乙亥雨雨大洽人望晚朝羅大用至
自本營持宋侍郎牌文而来宋侍郎差員以
戰船探察事入来云即定虞候出送延候羅
大用以問禮事出送
二十三日丙子曉陰而不雨晚乍雨乍晴嶺南
右兵使軍官来傳賊事且傳本道兵使簡昌

原之賊欲舉討而賊勢熾張不能輕進云○
夕豚薈来傳唐官到營騎船入来云嶺南水
伯来議唐官接待事
二十四日丁丑乍雨乍晴朝移陣于巨濟前漆
川梁海口羅大用探見唐官于蛇梁後洋先
来傳唐官及通事表憲與宣傳官睦光欽来
云未時唐官楊甫到陣門使右别都將李渫
出迎引来到船多有喜色請乘我船謝 皇
恩再三邀與對坐則固辭不坐立談移時多
稱舟師之盛致禮單則初似固辭而受之喜

悦致謝至再○豚薈夜歸本營
二十五日戊寅晴朝更請譯官表憲問 天將
所為則 天將之言未知何為也只欲驅送
倭賊云而已報曰宋侍郞欲審舟師虛實而
使其所率夜不收楊甫送来而舟師之盛如
此欣喜無比云云晩唐官還歸本營○午時
移陣于巨濟縣前柚子島海口與右水伯論
兵○初更後嶺南来唐人二名右方伯營吏
一人接伴使軍官一員来到陣門而夜深不
入

二十六日己卯雨雨朝見唐人乃浙江砲手王
敬得粗解文字對話有時不能解聽可歎○
自二更大風大作各船不能止定初與右水
伯船相搏艱難救却又與鉢浦所騎船搏之
幾傷破而僅免宋漢連所騎挾船則為鉢浦
船所觸多有傷處云○朝嶺南水伯来見○
巡邊使李薲送關多有過辭可笑
二十七日庚辰以風雨所觸移陣于柚子島挾
船三隻無去處晩後入来○嶺南兵使答簡
来全羅兵使簡亦来昌原之賊以陰雨不開

未遂進討云
二十八日辛巳雨雨終日光陽人持 啓回還
光陽縣監則仍任督運任發英有推考治罪
之 教一族之事亦有依前之 命
二十九日壬午雨雨下有憲李銖等来
三十日癸未終日雨雨申時暫晴還雨南海奇
孝謹船泊我船之傍而以其船載小娥恐有
人知可笑當此 國家危急之時至載美女
其為用心無狀無狀然其大將元水使亦如
是奈何奈何○夕趙鵬来話

六月初一日甲申朝探候船入來見天只簡則平安多幸豚簡及峯簡幷至○忠清水使丁令公來與之從容談話

初二日乙酉晴朝本營公事題送○溫陽姜龍壽到陣通刺而來見○加里浦具虞卿來話移時

初三日丙戌曉晴晩大雨巡使巡邊使兵使防使答簡來各道軍馬多不過五千而糧亦幾絶云賊徒肆毒日增事事如此奈何奈何

初四日丁亥雨雨終日食前順天來食後忠清

水使丁令公及李弘明光陽來終日談兵

初五日戊子雨雨終日風勢甚惡各船艱難救護○慶尙水伯以熊川之賊或入甘同浦移文入討云可笑其兇計也

初六日己丑乍晴乍雨實城遞去金義儉爲之云○夕營探候人來則天只平安云

初七日庚寅陰而不雨夕本道右水虞候來見

初八日辛卯乍晴風且不和羅大用以病還營○探候船入來○各官色吏十一名決罪玉果鄕所自前年領軍不勤多致闕到幾百有餘名而每以欺詐對之故是日行刑梟示

初九日壬辰晴連旬苦雨始霽一陣將士莫不欣悅○氣甚不平終日臥船○因接伴官到付來呈聞李提督還到忠州云

初十日癸巳晴右水伯來此細論兵策○夕永登望軍來告熊川賊船四隻本土入歸又金海口賊船百五十餘隻出來十九隻則本土入歸其餘釜山指向云○四更元水使移關明曉進戰云其爲兇險猜忌不可言即夜不答

十一日甲午乍雨乍晴朝成討賊公事送于嶺南水伯則以醉不省

十二日乙未乍雨乍晴夜二更下存緖及金良榦入來聞東宮未寧憂悶無極柳相簡及尹知事簡來僧海宗亦來

十三日丙申晴晩乍雨而止唐人王敬及李堯來見舟師盛否因聞李提督不爲進討獲責天朝云從容論話多有慨慨○夕移陣巨濟細浦

十四日丁酉乍雨乍晴轉運使朴忠侃關及書

簡来○暮風雨大作須臾止
十五日戊戌乍雨乍晴右水伯及忠清水伯順
天樂安防踏来共喫時物日暮而罷
十六日己亥乍雨日晩因樂安倅得見鎮海告
目則咸安各道大將聞倭奴進陣于黄山洞
皆退守晋陽與宜寧云不勝驚愕○初更永
登望軍来告金海釜山賊船無慮五百餘隻
来入于安骨浦薺浦等處云不可盡信然賊
徒合勢不無移犯之計故通于右水伯與丁
水伯二更大金山望軍来告亦如之送宋希

立于慶尚右水伯處議之則明曉領舟師進
来云賊謀難測
十七日庚子或雨或晴早朝元水使與右水使
丁水使来議咸安各道諸將退守晋州之言
果實矣○食後往李景受令公船終日談論
○趙鵬至自昌原傳賊勢極熾大云
十八日辛丑或雨或晴朝探候船入来○午後
往慶尚右水伯船同坐談兵
十九日壬寅或雨或晴大風吹不止移陣于烏
楊驛前風不定船又移陣于固城亦浦○峯

及下有憲兩姪送還本營探天只氣候而来
二十日癸卯陰且大風趙鵬與其姪應道来見
○是日船材運下因宿亦浦夜風定
二十一日甲辰晴曉移陣閑山島○朝豚薈入
来因聞天只平安為幸為幸午時元埏来
二十二日乙巳晴初更永登望軍来告別無他
奇但賊船二隻入于温川巡探而還歸云
二十三日丙午晴新船本板畢造
二十四日丁未食後大雨大風竟夕不止○夕
永登望軍来告賊船五百餘隻二十三日夜

半合入蘇秦浦先鋒到漆川梁云
二十五日戊申大雨終日與右水伯同議討賊
嶺南水伯亦到議事○聞晋陽被圍而無敢
進迫云以連日下雨使賊不得肆毒觀之則
天佑湖南矣○順天軍粮二百石来納
二十六日己酉大雨南風大吹伏兵船報變賊
船到烏楊驛前云令角舉碇合到赤島結陣
○夕金鵬萬自晋陽探見賊勢来告賊徒合
陣東門外大雨連日為水所阻賊外無繼援
之路若大軍合力攻之則一舉可殲云

二十七日庚戌乍雨乍晴午時賊船見乃梁現
形云故舉陣出来則已為逃遁陣于弗乙島
前面
二十八日辛亥乍雨乍晴　國忌不坐聞康津
望船與賊相戰舉陣發行到見乃梁則賊徒
望見我師驚怖退走風水俱逆未能入来因
留經夜四更到弗乙島○奴奉孫愛守等入
来細聞墳山消息多幸多幸
二十九日壬子晴西風乍起霽色光明順天光
陽来見於蘭萬户所非浦等亦来

七月初一日癸丑晴　國忌不坐夜氣甚凉寢
不能寐憂　國之念未嘗小弛獨坐篷下懷
思萬端○初更宣傳官持有　旨来
初二日甲寅晴日晩右水伯来見○宣傳官午
後還歸○日暮金得龍来傳晋陽陷沒黃明
甫崔慶會徐禮元金千鎰李宗仁金峻民死
之云不勝驚慟然萬無如是之理必狂人誤
傳之語也○初昏元埏及埴来到極言軍中
事可笑
初三日乙卯晴賊船數隻見乃梁踰来一邊陸
地出来以我船出洋追討則賊奔去
初四日丙辰晴夕退陣于乞望浦宿
初五日丁巳望軍来告賊船十餘隻踰来見乃
梁云故諸船一時發行到見乃梁則賊船蒼
皇退走巨濟境赤島有馬無人故載来○夕
晋陽陷城之報至自光陽○還到乞望浦結
陣經夜
初六日戊午晴朝防踏来見所非浦亦来○以
閑山島新造船曳来事中衛將率諸將出去
○工房郭彦壽自　行朝入来都承旨沈喜

壽尹自新與左相尹斗壽有簡尹者獻亦送
問并見邸報則多有嗟嘆之情事
初七日己未晴順天加里浦光陽来見論兵各
抄輕鋭十五隻往探見乃梁則無賊蹤云巨
濟被擄人一名得来細問賊之所為則兇賊
見我舟威欲為退歸又言晋陽已陷豈越全
羅乎云此言詐也○右令公到船共談
初八日庚申晴因南海往来人趙鵬聞賊犯光
陽光陽之人已為焚蕩官舍倉庫云不勝駭
恠順天光陽即欲發送路傳不可信故停之

蛇渡軍官金鵬萬出送使之探知
初九日辛酉晴南海又来傳光陽順天已為焚
蕩云故光陽順天及宋希立金得龍鄭思立
李渫等發送而聞来痛骨不能措語○與右
令公及慶尚令公論事○是夜海月清明一
塵不起水天一色凉風乍至獨坐船舷百憂
攻中三更營探候船入来傳賊奇則實非倭
賊嶺南避亂人假着倭形突入光陽閭閻焚
蕩云晉陽之事亦虛云然晉陽事萬無是理
雞已鳴矣

初十日壬戌晴金鵬萬自豆峙来言光陽賊事
實矣而但賊倭百餘名自淘灘来犯光陽然
銃筒無一放之云倭豈有不放砲之理也○
昏吳水自巨濟加參島来言賊船內外不見
云又曰被擄人逃還言賊徒無數向昌原等
地云然人言不可信矣○初更移陣閑山島
末端細浦
十一日癸亥晴李祥祿以違令諸將傳令事出
去還告賊船十餘隻自見乃梁下来云舉碇
出海則賊船已到陣前追之則奔去申時還
到乞望浦汲水○蛇渡僉使来言豆峙度賊
事虛傳而光陽之人變着倭服自相作亂云
不勝痛憤昏吳壽成自光陽来告曰光陽賊
事皆晉州避亂人及縣人出此凶計官庫一
空閭里寂然順天尤甚樂安次之云
十二日甲子晴食前蔚與宋斗男吳壽成歸○
加里浦軍粮鎮撫来傳蛇梁前洋来宿時倭
賊變着我衣乘我船突入放砲欲掠去云故
各定輕鋭船三隻申令馳送使之捕捉又定
各三船送鑒梁防塞而来

十三日乙丑晴營探候船入来光陽豆峙等處
無賊云○順天龜船格軍慶尚人奴太壽逃
走被捉行刑○晩興陽倅入来傳豆峙之虛
誤及長興府使柳希先之妄㤼又云其縣山
城倉穀無遺分給又傳幸州之捷
十四日丙寅晴晩小雨浥塵而已氣甚不平終
日呻吟○順天入来本府之事不可形言○
移陣閑山島豆乙浦
十五日丁卯晴晩蛇梁搜討船呂島金仁英及
順天金大福入来○秋氣入海客懷擾亂獨

坐篷下心緖極煩月入船舷神氣清冷寢不
能寐雞已鳴矣
十六日戊辰晴夕驟雨洽農望○氣甚不平
十七日己巳雨雨氣大不平○光陽来
十八日庚午晴氣不平或坐或卧○鄭思立還
来右令公来見申景潢自豆峙来傳賊虛事
十九日辛未晴李英男来傳晋州河東泗川固
城等賊已盡遁歸云○夕光陽送傳晋州被
殺將士名錄見之不勝慘痛也
二十日壬申晴探候船自營入来兵使簡及唐

將報文来其報文之辭可怍可怍豆峙之賊
爲唐兵所驅而遁還其誣妄不可言 上國
如是他何足論也可歎可歎○忠清水使及
順天防踏光陽鉢浦南海来見
二十一日癸酉晴慶尚右水使及丁水使並到
同議討賊事而元水使所言極兇譎無狀如
是而同事可無後慮乎○初更吳水等自巨
濟望来告永登賊船尚留橫恣云
二十二日甲戌晴蔚入来細陳天只平安多幸
二十三日乙亥晴蔚還歸○丁水使来見

二十四日丙子晴順天光陽與陽来見○吳水
被擄逃来傳賊退去而長門浦如前云
二十五日丁丑晴右水伯来話趙鵬亦到言體
察使關子到嶺南水使處而多有問辭云
二十六日戊寅晴順天光陽防踏来右水伯亦
同話加里浦幷来
二十七日己卯晴右營虞候至自本營傳言右
道之事多有可愕之事
二十八日庚辰晴慶尚右水伯及忠清水伯本
道右水伯並到約束○鄭汝興持公事及簡

往體察使處○順天光陽来見即還○蛇渡
僉使伏兵時所捉鮑作十名倭衣變着所行
綢繆故窮問則慶尚水使所使云只決杖而
放
二十九日辛巳晴曉夢得兒男得被擄兒人占
也○順天光陽蛇渡與陽防踏招来與語與
陽則痛瘧還其餘從容坐防踏則伏兵事歸
○本營探候人来葂病未差悶極悶極○夕
實城所非浦樂安入来
八月初一日壬午晴曉夢到巨闕狀如京都與

領相相對言及 鑾輿播遷之事揮淚嗟嘆
賊勢則已息云而相與論事之際左右之人
無數雲集而覺未知何應也
初二日癸未晴朝食後心緒鬱結擧碇出于浦
口丁水使亦隨至順天光陽來見所非浦又
到夕還到陣處○李弘明來○昏右令公到
船言防踏歸覲事懇懇而以諸將未能出送
答之又傳元水使妄言向我多有不好之事
而皆妄矣何關乎○探船入來則葂痛處成
瘇鍼破則惡汁流出少遲數日則難救云不

勝驚歎今則少有生道喜幸可言醫人鄭宗
之恩莫大焉
初三日甲申晴李景福梁應元及營吏姜起敬
等入來
初四日乙酉晴順天光陽來見而還○夕都元
帥軍官李緩以三道賊勢馳報狀不送軍官
色吏推捉事到陣可笑
初五日丙戌晴趙鵬李弘明右令公及虞候來
夜深而還歸所非浦亦夜歸○牙山李禮夜
來

初六日丁亥晴朝李緩與宋漢連呂汝忠往都
元帥處○食後順天光陽寳城鉢浦李應華
等來見○夕元水使來李景受令公丁水使
亦來議論間元水使所論動輒矛盾可歎
初七日戊子朝晴暮雨大洽農望唐浦萬户以
其小船推去事來故給送事敎于蛇梁○夕
慶尚水使軍官朴致公來傳賊船退去云而
元水使及其軍官素善妄傳不可信也
初八日己丑晴食後招順天光陽防踏與陽等
共議入伏等事○忠清水使戰船二隻入來

而一隻不用云金德仁以其道軍官來
初九日庚寅晴朝豚薈入來知天只平安又知
葂病向蘇喜幸喜幸○午後到右水使船忠
清令公亦到嶺南水使則伏兵軍一時送伏
事約之而先送云可駭可駭
初十日辛卯晴朝防踏探船入來有 旨及備
邊司行移監司關並到海南與李僉使來順
天光陽亦來○右令公請之故往其船則海
南設盃而氣不平艱難坐話而還
十一日壬辰晚驟雨大作風亦煩惡午後雨止

風則不定也○氣甚不平終日坐臥

十二日癸巳或雨或晴氣甚不平臥吟終日虛汗無常沾衣而强坐順天及右令公李僉使來終日爭博○營探候船入來則天只平安云

十三日甲午營來公事題送氣甚不平獨坐蓬下懷思萬端也○李景福啓　聞陪去事出送○宋斗男軍粮米三百石太三百石輸來

十四日乙未晴防踏酸物備來右水伯忠清水伯順天亦來

十五日丙申晴此日乃秋夕右水伯忠清水伯順天光陽樂安防踏蛇渡興陽鹿島李應華李弘明左右都令公並會話○夕薈往營

十六日丁酉晴光陽酸物備來右水伯忠清水伯防踏順天加里浦李應華並到○朝聞諸萬春自日本昨日出來云

十七日戊戌晴上船煙薰移騎左別都船○晚往右水伯船忠清水伯亦來諸萬春招來捧招則多有憤憤之辭終日話論而罷○是夜月色如晝波光如練

十八日己亥晴右令公丁令公亦同話趙鵬來言朴致公持　啓上京云

十九日庚子晴朝食後往元水使處請移乘我船右水伯丁水使亦來元巡又同話元公兄弟移去後徐櫓到陣右水使丁水使同坐細話

二十日辛丑朝食後宋希立問安于巡使持諸萬春所招公事而去○防踏蛇渡以突山島近處流移人作黨掠奪財物者左右分衛捕捉事出送○夕赤梁萬戶高汝友來夜深而去

二十一日壬寅晴

二十二日癸卯晴

二十三日甲辰晴尹侃及蕾菶來傳天只平安又聞蔚痛瘧

二十四日乙巳晴菶還

二十五日丙午晴夢有賊形故曉通各道大將出陣于外洋日暮還入閑山內洋

二十六日丁未或雨或晴元水使來有頃右令丁令並會順天光陽加里浦卽還興陽來饋

以酸物則元公欲飲酒故略饋之而泥醉妄
發可笑○見樂安送來秀吉上書于 皇朝
草及唐人到郡所記不勝痛憤
二十七日戊申晴
二十八日己酉晴元水使來見
二十九日庚戌晴汝弼及豚蔚卞存緖一時到
來
三十日辛亥晴元水使來督往永登可謂凶矣
其所領二十五船盡爲出送獨與七八隻如
是出言其用心行事類如此

九月初一日壬子晴成公事送于都元帥及巡
邊使○汝弼卞存緖蕃等還歸○右令公丁
令公會話
初二日癸丑晴 啓草書下○慶尙虞候李義
得李汝恬等來見○昏李英男來傳宣兵使
到昆陽立功事及南海受責於體察使云可
笑孝謹之無狀也已知之
初三日甲寅晴朝菶姪入來因審天只平安又
聞營中之事○以啓 聞封送事成草○巡
察使關來到而凡軍士一族等事一切勿侵
云新到不察之事也
初四日乙卯晴陳弊啓 聞及銃筒上送事諸
萬春拾辭封上事並三度封上李景福持去
裁簡于柳相及尹參判自新尹知事又新沈
都承旨喜壽李知事鎰安習之尹耆獻全鰒
表情而送之○菶姪與尹侃還歸
初五日丙辰晴食後進泊于丁水使船傍終日
論話光陽興陽及虞候來見
初六日丁巳晴曉以船材運回事諸船出送○
食後往右令公船終日談話因聞元公凶悖

之事又聞鄭聃壽無根造辭之狀可笑手談
而還○破船材木各船曳回
初七日戊午晴朝材木捧納○防踏來見○巡
使處陳弊公事及改分軍公事成送○終日
獨坐懷思不平苦待探候船而不來
初八日己未晴曉出送宋希立等於唐浦山獲
鹿而來右水伯與忠淸水伯來
初九日庚申晴食後會登于山頂射帿三巡右
水伯丁水伯及諸將合會而光陽以病未參
也

初十日辛酉晴公事題送于探候船○日晩到右水伯船與防踏同飮而罷○體察使密關入來寶城亦到而還

十一日壬戌晴丁水使設酒而來見右水伯亦到樂安防踏共之○興陽倅受由歸徐夢男亦給由

十二日癸亥晴食後所非浦及柳忠信金萬户等招饋酒○鉢浦萬户還來

十三日甲子晴奴漢京年石還來夕奴年石等還歸

十四日乙丑晴正鐵銃筒最關於戰用而我國之人未詳其造作妙法今者百爾思得造出鳥筒則最妙於倭筒唐人到陣試放無不稱善焉已得其妙道內一樣優造事見樣輸送巡察使兵使處移牒知委

十五日丙寅晴（自十六日至十二月缺）

李忠武公全書卷之五

李忠武公全書卷之六目錄

亂中日記二

李忠武公全書卷之六目錄

李忠武公全書卷之六

亂中日記二

甲午正月初一日庚辰雨下如注侍天只同添
一年此亂中之幸也○晩操錬戰備事還營
雨勢不止
初二日辛巳雨止而陰以　國忌不坐
初三日壬午晴出東軒公事日暮入衙與諸姪
話
初四日癸未晴出東軒公事
初五日甲申雨雨

初六日乙酉雨出東軒南平都兵房行刑
初七日丙戌雨坐東軒公事○夕南宜吉入
對話夜深而罷
初八日丁亥晴坐東軒公事南原都兵房行刑
初九日戊子晴
初十日己丑晴朝邀南宜吉話及避亂時事備
道艱苦之事不勝慨歎也
十一日庚寅陰而不雨朝以覲乘舟從風直抵
古音川南宜吉尹士行芬姪同往謁天只前
氣息奄奄言語則不錯討賊事急不能久留

十二日辛卯晴朝食後告辭天只前則教以好
赴大雪　國辱再三諭諭少無以别意爲歎
也還到船滄氣似不平直入北房
十三日壬辰晴而大風氣甚不平臥席發汗
十四日癸巳陰而大風晩出東軒啓　聞成貼
義能免賤公文封上
十五日甲午晴
十六日乙未晴晩出東軒黄得中入來聞文學
柳夢寅以暗行入興陽縣云
十七日丙申曉雪晩雨早朝登船汝弼及諸姪
與豚等別送只率芬蔚放舟是日　啓本出

送申時到兀頭逆風退潮不能運行下碇少
憩酉時舉碇渡到露梁呂島萬户順天李璣
及虞候亦到宿
十八日丁酉晴曉發行逆風大起到昌信則風
便順吹舉帆到蛇梁風旋逆而大作萬户及
水使軍官田允來見
十九日戊戌陰而晩晴大風朝發到唐浦外洋
從風半帆瞬息已至閑山島上坐射亭與諸
將對話○夕元水使來○因所非浦闕嶺南

諸船射格幾盡饑死慘不忍聞
二十日己亥晴而大風極寒各船無衣之人龜
縮吟寒不忍聞也軍粮不到是亦悶也○樂
安右虞候来見晩所非浦熊川鎮海倅亦来
○病死人收瘞差使員鹿島萬户定送
二十一日庚子晴朝營格軍七百四十二名饋
酒○光陽入来○夕鹿島萬户来告病屍二
百十四名收埋○被擄逃還二名自元水使
處来備說賊情然不可信矣
二十二日辛丑晴日氣温且無風上坐射亭令

鎮海行肅拜禮于 教書射帿終日
二十三日壬寅晴樂安古阜出去○興陽戰船
二隻入来崔天寶柳滉柳忠信丁良等入来
晩順天亦来
二十四日癸卯晴且暖朝山役事耳匠四十一
名宋德馹領去○嶺南元水使送軍官来報
左道之賊三百餘斬馘云多喜多喜平義智
時在熊川云未詳也
二十五日甲辰陰晩晴宋斗男李祥祿等以新
造船回泊射格一百三十二名率往○朝右

虞候来晩射帿右虞候與呂島爭射呂島勝
七分余則射十巡餘皆廾巡
二十六日乙巳晴朝上射亭射帿十巡論順天
後期之罪
二十七日丙午晴曉船材曳来事虞候出去○
天只簡及汝弼簡来則天只平安云多幸但
東門外海雲臺傍及未坪明火作賊云可愕
可愕○夕鹿島伏兵處倭賊五名横行放砲
之際射斬一倭其餘逢箭逃去○虞候船材
木領来

二十八日丁未晴朝虞候来見○慶尚虞候馳
報劉提督旋師今月二十五六日間上去云
又慰撫使弘文校理權缺名道内巡慰後舟師
入来云又作賊李謙等捉囚牙温等官横行
大賊九十餘捕斬云又翼虎將近當入来云
○戰船始役
二十九日戊申雨雨終日達夜曉報各船無事
○氣不平竟夕卧吟大風波濤舟不能定心
懷極煩○彌助項僉使以粧船事告歸
三十日己酉陰而大風晩晴風亦小息順天及

右虞候康津来告出歸○余則氣甚不平終
日流汗軍官及諸將射帿
二月初一日庚戌晴晩上射亭公事○清州居
兼司僕李祥持有　旨內慶尚監司韓孝純
馳　啓左道之賊合入巨濟將犯全羅之界
卿其合三道舟師勦滅事○午後招右虞候
射帿○初更蛇渡僉使率戰船三隻到陣
初二日辛亥晴晩上射亭射帿十廵風亂不温
○蛇渡僉使以未及限論勘
初三日壬子晴大風食後上射亭射帿○右助

防將到因聞反賊之奇不勝慮且痛憤也○
元埴元㙛来告上京○日暮下幕
初四日癸丑晴大風朝食後順天右助防將来
話○晩營戰船龜船入来因菶姪来聞天只
平安喜幸喜幸
初五日甲寅晴夢乘良馬直上層巖大嶺則峯
巒秀麗逶迤西東又有峯上平衍之處欲爲
擇卜而覺未詳厥應也有一美人獨坐指示
余拂袖不應可笑○朝軍器寺受来黑角一
百張及樺皮八十九張計數着署○鉢浦萬

户右虞候来見○晩上射亭右助防將及右
虞候呂島等射帿○元帥答送到則沈遊擊
已定和解云然奸謀巧計不可測而前陷其
術又陷如是可歎
初六日乙卯雨雨午後晴順天助防將及熊川
蛇渡来見
初七日丙辰晴西風大吹天只前問安書付芬
姪之行菶與芬出去菶則往羅州芬則往温
陽懷思不平○固城縣令馳報賊船五十餘
隻到春院浦云○是日改分軍格軍移載各

船○寶城戰船二隻入来所非浦来見
初八日丁巳晴東風大吹日氣甚冷朝順天来
言固城所非浦賊船五十餘出入云即招諸
萬春問地形便否○晩上射亭公事夕還海
月清爽寢不能寐順天及右助防將来話二
更罷
初九日戊午晴曉虞候領二三船往所非浦後
面刈茅○朝固城来因問唐項浦賊船来往
又問民生饑餓相殺食將何保活○晩上射
亭射帿十餘廵○李惟緘又来告歸問其字

則汝實云順天及右助防將虞候蛇渡呂島
鹿島康津泗川河東寶城所非浦等官亦来
初十日己未細雨不霽大風午後助防將及順
天来竟夕相話討賊論議
十一日庚申晴朝獮助項僉使来食後上射亭
則慶尚水使右助防將亦到同醉射帿三巡
十二日辛酉晴早朝營探船入来○巳時移陣
赤島○未時宣傳官宋慶苓到陣有 旨二
度密 旨一度並三度內一度 天兵十萬
及銀三百萬兩出来一度兇賊意在湖南盡

心把截相勢勦擊事內出秘 旨經年海上
為國勤勞予常不忘有功將士未蒙重賞者
馳 啓等事因聞京中雜奇又聞逆賊之事
自 上憂勤宵旰事聞来慨戀何極領台簡
持来
十三日壬戌晴且温朝答簡于領台食後與宣
傳官更話相別終日駐船○申時所非浦蛇
梁永登萬户来○酉時發船還向閑山島時
慶尚軍官諸名缺自三峯来言賊船八隻入泊
春院浦可以入擊云故即令羅大用送于元

水使曰見小利而入勦大利不成姑用停之
乘機勦滅事傳之○獮助項及順天助防將
来夜深還歸
十四日癸亥晴且温而風亦和慶尚南海河東
泗川固城等則宋希立下存緖柳滉盧潤發
右道則下有憲羅大用等點考出送○營軍
粮二十石載来○防踏僉使及裵僉知来○
張彥春免賤公文成給
十五日甲子晴曉龜船兩隻及寶城一隻等送
于駕木所伐處初更載来○食後上射亭推

左助防將後来之罪○與陽船摘奸則多有
虛疎之事○順天右助防將及右虞候鉢浦
呂島萬户康津縣監並至射帿○日暮巡使
送關調度御史朴弘老 啓本順天光陽豆
峙伏兵把守事入 啓而舟師守令並移不
合事回 啓達下公事来到
十六日乙丑晴見暗行御史柳夢寅 啓草則
任實李夢祥茂長李忠吉靈巖金聲憲樂安
申浩罷黜而順天則貪汚首論潭陽珍原羅
州昌平等守令則掩惡褒 啓欺罔 天聽

至於此極 國事如是萬無平定之理仰屋而已又論水軍一族及四丁內二丁赴戰事甚言非之不念 國家之急難徒務目前之姑息爲 國之痛愈甚○晩上射亭與順天興陽右助防將右虞候蛇渡鉢浦呂島鹿島康津光陽等官射帿十二巡

十七日丙寅晴暖如初夏朝上射亭公事○李弘明任希璡來竹銃筒造來試放則似有出聲而別無所用可笑○右水使入來而所領戰船只二十隻可恨也○順天右助防將亦

來射帿五巡

十八日丁卯晴食後上射亭决海南縣監魏大器傳令拒逆之罪右道諸將來現後射帿數巡

十九日戊辰細雨終日上射亭獨坐移時右助防將及順天來孫忠甲亦來招入問其討賊則不勝慨然終日論話

二十日己巳煙雨不收氣不平終日不出右助防將裵僉知來話

二十一日庚午晴順天及右助防將來告見乃梁伏兵處往審○淸州義兵將李(名缺)至自巡邊處備說陸地事日暮告歸○酉時碧方望將來告仇化驛前倭船八隻列泊云故傳令進擊而以待諸弘祿之來告

二十二日辛未諸弘祿來告倭船十隻到仇化驛六隻到春院云而日已曙矣未及追勦更令候察而送之(自二十三日至二十七日缺)

二十八日丁丑晴朝上射亭與從事官終日話○長興府使入來

二十九日戊寅碧方望將諸漢國馳報賊船十

六隻入臼所浦云故傳令知委

三月初一日己卯晴行望 闕禮上射亭黔毛浦萬戶决杖都訓導行刑○從事官還歸○初昏發船之際諸漢國馳報倭船已盡逃奔云故停行○初更長興二船失火盡燒

初二日庚辰晴晩上射亭與左右助防將順天防踏射帿○初更康津屯紫處失火盡燒

初三日辛巳晴朝拜箋後因坐射亭慶尙虞候李義得來言以水軍不能多捉來事被杖于其水使而又欲杖足掌云可愕可愕與順天

左右助防將防踏加里浦左右虞候等射帿
○酉時碧方望將馳報倭船六隻入五里梁
唐項等處分泊云故即傳令聚舟大軍則結
陣于胷島前洋精銳船三十隻則右助防將
魚泳潭領率勦滅事初昏行船到紙島四更
發船
初四日壬午晴到鎭海前洋倭船六隻追捕焚
滅楮島二隻焚滅○召所江十四隻入泊云
故助防將與元水使進討事傳令固城境阿
自音浦結陣經夜

初五日癸未晴兼司僕送于唐項浦探賊船撞
焚則右助防將魚泳潭馳報賊徒畏我兵威
乘夜逃遁空船十七隻無遺焚滅慶尙水使
馳報同然○是朝巡邊使處亦移文督討○
元水使到船諸將各還○是夕光陽新船入
来
初六日甲申晴晩向巨濟爲風所逆艱到胷島
則南海縣監馳報唐兵二人倭奴八名持牌
文入来故牌文及唐兵上使云取来看審則
唐譚都司禁討牌文余氣甚不平坐卧不便

暮與右水伯同見唐兵
初七日乙酉晴氣極不平轉側難便牌文使下
人成送則不成體貌元水使令孫義甲製送
而亦甚不合余强病起坐作文令鄭思立書
之而送○未時發船到閑山陣中
初八日丙戌晴病勢別無加減氣且憊終日苦
痛
初九日丁亥晴氣似暫歇移卧于温房痛無他
症
初十日戊子晴病勢漸歇然熱氣上衝思飮冷

物而已
十一日己丑大雨終日病勢大減熱氣亦消多
幸多幸
十二日庚寅晴而大風氣甚不平○啓　聞畢
正書
十三日辛卯晴朝　啓本封進○病似向差而
氣力甚困薈及宋斗男出送
十四日壬辰雨雨氣似歇而頭重不快○夕光
陽康津倅喪僉使同往○聞忠淸水使已到
新場云

十五日癸巳雨勢雖收而風勢大起終日呻吟
○彌助項僉使告歸
十六日甲午晴氣甚不平○右水伯来見○忠
清水使領戰船九隻到陣
十七日乙未晴氣不快平○海南以新倅交代
事出去黃得中等以伏兵事入巨濟島○探
船入来
十八日丙申晴氣甚不快○南海奇孝謹寶城
所非浦赤梁来見奇則以播種事還縣○樂
安留衛將鄕所等捉来囚禁○寶城告歸

十九日丁酉晴氣不平終日呻吟
二十日戊戌晴氣不平
二十一日己亥晴氣不平錄名官呂島南桃萬
戶所非浦權管差定
二十二日庚子晴氣似少平○元帥公事還来
則譚指揮移咨及倭將書契曹把摠持去云
二十三日辛丑晴氣如前不快○防踏與陽助
防將鉢浦来見
二十四日壬寅晴氣似少平○鄭思立斬倭而
来

二十五日癸卯晴興陽寶城出去○被擄兒人
自倭中持 天將牌文来者送于興陽○汝
弼及薈與卞存緒申景潢来細聞天只平安
但墳山盡爲野火延燒無人可禁痛極痛極
二十六日甲辰晴暖如夏日助防將及防踏来
見慶尙虞候永登萬戶亦来告歸于昌信島
二十七日乙巳陰而不雨右水伯来見○菶夕
不平云
二十八日丙午雨雨終日菶姪病勢甚重悶極
悶極

二十九日丁未晴探船入来則天只平安○熊
川河東長與防踏所非浦等官来見
三十日戊申晴食後上射亭忠清軍官都訓導
及樂安留衛將都兵房等決罪○三嘉倅高
尙顔来見
四月初一日己酉晴日當食不食○長興珍島
鹿島癘祭事告歸○忠清水使来見
初二日庚戌晴朝食後上射亭三嘉縣監及忠
清水使共話終日○荄姪入来
初三日辛亥晴是日癘祭三道戰軍饋酒一千

八十盆右水使忠清水使同坐而餉軍
初四日壬子陰元帥軍官宋弘得卞弘達持新及第紅牌来○慶尚右兵使軍官朴義英来傳其將問安○食後三嘉縣監来○晩上射亭長與進酒食終日穩話
初五日癸丑陰
初六日甲寅晴別試開場試官吾與右水伯忠清水使參試官長興固城三嘉熊川監試取
初七日乙卯晴早會捧試
初八日丙辰晴氣不平上試場

初九日丁巳晴畢試出榜○魚助防將棄世痛歎何言
初十日戊午陰巡撫御史到陣先文来
十一日己未晴巡撫入来云故問船出送
十二日庚申晴巡撫徐渻来話于我船右水使及慶尚忠清水使並到酒三行元水使佯醉發狂亂發無理之言巡撫不勝恠恠○三嘉告歸
十三日辛酉晴巡撫欲見習戰故出于竹島洋中較習○宣傳官元士彪金吾郎金悌男以忠清水使拿去事到来
十四日壬戌晴與金悌男細話晩到巡撫船細論兵機有頃右水使来順天防踏蛇渡並来告別還船○夕到忠清水使船酌別盃
十五日癸亥晴忠清水使與宣傳官金吾郎右水使並至別具虞卿
十六日甲子晴朝食後上射亭慶尚水使軍官高景雲都訓導及待變色營吏捉来指麾不應賊變亦不飛報故决杖○夕宋斗男自京下来一應 啓本一一回 啓施行

十七日乙丑晴晩上射亭公事○右水伯来見○巨濟縣令馳報倭船百餘隻自本土始出絶影島指向云○暮巨濟被擄男女十六名逃還
十八日丙寅晴曉逃還人處詳問賊情則平義智在熊川境笠巖平行長在熊浦云○忠清新水使順天及右虞候巨濟来
十九日丁卯雨雨金僉知敬老至自元帥府論議討賊策應等事因宿同船
二十日戊辰終日細雨右水使及忠清水使長

興馬梁来見手談且論兵
二十一日己巳或雨或晴獨坐篷下竟夕無人来到○防踏除忠清水使重記修正事告歸○夕金惺叔及昆陽李光岳来見興陽亦来
二十二日庚午晴風氣爽如秋天金僉知告歸○啓本及鳥銃封　進○夕長興興陽来
二十三日辛未晴順天興陽長興臨淄等官来昆陽李光岳持酒来
二十四日壬申晴朝書京簡○靈巖郡守馬梁僉使来見○順天告歸○各項啓　閒封

進○慶尚右水使慶巡察使從事官入来云
二十五日癸酉晴曉頭氣甚不平終日苦痛○實城来見
二十六日甲戌晴痛勢極重幾不能省○昆陽告歸
二十七日乙亥晴痛勢漸歇
二十八日丙子晴慶尚水使及李佐郞惟緘来見○蔚入来
二十九日丁丑晴氣似快平是日右道饋三道戰軍酒

五月初一日戊寅晴終日汗流如注氣似快平○朝豚葂入来
初二日己卯晴曉薈以天只辰日進饌事還歸○右水使及興陽蛇渡所斤僉使来見○氣漸向差
初三日庚辰晴興陽告由而歸○長興鉢浦来見○軍粮計備空名告身三百餘張及有旨兩度下来
初四日辛巳大風大雨終日不息達夜甚惡慶尚右水使軍官来告賊倭三名乗中船到楸

島相逢捉来云使之押来○夕問于孔大元則倭等從風放船向本土中洋値颶風不能制船漂到此島云然詐黠之言不可信矣○李渫李祥祿歸○營探船入来
初五日壬午風雨大作捲屋三重高飛片片雨脚如麻不能庇身風雨未時少止○鉢浦作餅送来
初六日癸未陰而晩晴元水使領擒倭三名来捧招則變詐萬端即令元水使斬之
初七日甲申晴氣似和平受鍼十六處

初八日乙酉晴元帥軍官邊應懿持来元帥關
及 啓草與有 旨欲進舟師于巨濟使賊
恇惑退遁事慶尚右水使及全羅右水使招
来議定○忠清水使入来
初九日丙戌雨雨終日獨坐空亭百念攻中懷
思煩亂
初十日丁亥雨雨曉起開窓遠望則許多之船
擁满一海賊雖来犯可以殲滅矣○右虞候
及忠清水使来争博○豚薈出海
十一日戊子雨雨終夕自三月積置公事一一

題決○樂安来話○大雨如注晝夜不止
十二日己丑大雨終日到夕少止右水使来見
十三日庚寅晴因黔毛浦萬户報慶尚右水使
所屬鮑作等載格軍而逃現捉而鮑作則隱
在於元水使所駐處云故送司僕等推捉之
際元水使大怒司僕等結縛云故送盧潤發
解之
十四日辛卯雨雨終日忠清水使樂安臨淄木
浦等官来見
十五日壬辰雨雨終日

十六日癸巳陰而細雨夕大雨終夜屋漏無乾
多慮各船人冒處之苦也○昆陽送簡兼致
惟政往来賊中問答草記見之不勝憤痛也
十七日甲午雨下如注海霧且暗咫尺不辨終
夕不止
十八日乙未雨下終日彌助項僉使尚州浦權
管来見○夕實城告歸
十九日丙申霖雨乍收薈葂等還送
二十日丁酉雨且大風熊川縣監及所非浦来
見○獨坐終日百念攻中多憾湖南方伯之

辜負 國家也
二十一日戊戌雨雨熊川所非浦来擲從政圖
○巨濟長門浦被擄人下師顔逃還言賊勢
不至盛大云
二十二日己亥雨且大風巡使及巡邊使處裁
簡出送
二十三日庚子雨熊川所非浦来○晩海南倅
来進酒饌忠清水伯請来
二十四日辛丑暫晴夕雨右水伯與忠清水使
来終日談話○荄姪入来

二十五日壬寅雨雨忠清水使来話而還雨勢不止戰軍之懷悶可言○荄姪還歸

二十六日癸卯或雨或收是日李仁元及土兵二十三名送于本營收牟

二十七日甲辰或晴或雨與忠清水使蛇渡鉢浦呂島鹿島射帿

二十八日乙巳暫晴蛇渡呂島来告射帿故右水使忠清水使請来同射醉話終日而罷○光陽四船摘奸

二十九日丙午朝雨晩晴珍島告歸○熊川及

巨濟赤梁来見而歸○昏鄭思立告南海人持船隻載出順天格軍云故捉囚

三十日丁未陰而不雨賊人等及逃還誘引光陽一船軍慶尚鮑作三名決罪○忠清水使慶尚虞候来見

六月初一日戊申晴晚射帿

初二日己酉晴晚往右水使陣康津呈酒射帿數巡元水使亦到余則氣不平早還卧看忠清水伯與裵門吉爭博賭勝負

初三日庚戌朝晴午後驟雨大作海水亦變濁近古所罕○忠清水使及裵僉使来爭奕

初四日辛亥晴兼司僕賫有 旨来舟師諸將不能相協今後盡革前習云慷歎何極此乃元均醉妄之故也

初五日壬子晴忠清水使蛇渡呂島鹿島並来射帿○夜二更及唱金山及妻子並三名癘疫死三年眼前信使者一夕死去可愕○是日耕菁○宋希立以樂安興陽寶城軍粮督促事出去

初六日癸丑晴與忠清水使呂島萬户射帿十

五巡

初七日甲寅晴忠清水使及裵僉使来話○決南海軍官及色吏等罪○宋德馹還来言有 旨入来云○是日種菁

初八日乙卯晴暑氣如蒸與忠清水使右虞候共射帿二十巡○夕奴漢京入来天只平安喜幸喜幸○會寧浦萬户到陣軍功賞職官教亦来

初九日丙辰晴忠清水使右虞候来射右水使来共話

初十日丁巳晴暑熱如蒸射帿五巡
十一日戊午晴暑如鑠金朝蔚往營別懷悠悠
○晩忠清水使来射因以同夕飯月下共話
玉笛寥亮
十二日己未大風而不雨旱氣太甚
十三日庚申風勢極惡暑熱如蒸
十四日辛酉炎旱太甚海島如蒸爲農事極可
慮也○與忠清令公蛇渡呂島鹿島射帿二
十巡
十五日壬戌晴午後灑雨申景潢持領台簡入
来憂國無喩於此聞尹知事又新喪懷悼不
已○順天寳城馳報唐揔兵官張鴻儒乗號
船領百餘名由海路已到珍島碧波亭云
十六日癸亥朝雨雨夕晴與忠清水使射帿
十七日甲子晴右水使忠清水使来話
十八日乙丑晴元帥軍官趙秋年持傳令入来
元帥到豆峙聞光陽倅移水定伏之時因私
用情云故送軍官問由可愕
十九日丙寅晴元帥軍官及裵應禄歸于元帥
處

二十日丁卯晴忠清水使来見射帿○探船李
仁元入来
二十一日戊辰晴唐將由水路已到碧波亭者
誤傳云
二十二日己巳晴以祖母忌日不坐是日庚炎
倍前大島如蒸人不堪其苦
二十三日庚午晴虞候以軍粮督促事出去見
乃梁生擒倭奴而来推問賊情形止且問所
能則焰硝煑取及放銃俱善云
二十四日辛未晴順天忠清水使来射二十巡
二十五日壬申晴扇子封 進與忠清水使射
帿十巡
二十六日癸酉晴忠清水使順天蛇渡呂島固
城等官射帿
二十七日甲戌晴射帿十五巡
二十八日乙亥晴 國忌不坐終日獨坐○陳
武晟碧方望摘奸来告無賊船
二十九日丙子晴順天呈酒食與右水使忠清
水伯同射帿○蔚入来天只平安云
七月初一日丁丑晴 國忌不坐裵應禄自元

帥處入來元帥悔言而送
初二日戊寅晴老暑如蒸射夫等試射賊贓分
給晩與順天忠淸水伯射帿
初三日己卯晴忠淸水使順天射帿○熊川縣
監告歸○各船累次偸粮人行刑
初四日庚辰晴忠淸水使馬梁僉使所非浦權
管來同飯○賊人五名逃軍一名並令刑之
射帿十巡
初五日辛巳晴探船入來審天只平安慰幸慰
幸○審藥下來甚庸劣可歎○右水伯忠淸

水使並來呂島進酒共飮射帿十餘巡
初六日壬午終日陰雨氣似不平不坐鄭元溟
等以格軍不整事囚之
初七日癸未灑雨右水使順天蛇渡加里浦鉢
浦鹿島共射○李英男以領船事出往昆陽
初八日甲申陰而不雨終日大風題送各官浦
公事固城被擄逃還人親問
初九日乙酉大風忠淸虞候 敎書肅拜○晩
決順天樂安寶城軍官色吏後期之罪樂安
軍粮正租二百石捧分

初十日丙戌朝晴夕雨聞豚葂病重悶慮○申
弘憲宋荃入來
十一日丁亥陰雨大風終日啓 聞草親修午
後與軍官等射帿○忠淸水伯來見
十二日戊子晴公事後射帿柳相之卒音到巡
邊使處云是嫉之者必作言毁之
十三日己丑雨中獨坐念葂兒病勢如何擲字
占之得吉卦少舒少舒雨晴與否又占之則
將作大雨爲農事可慮
十四日庚寅雨雨自昨夕雨脚如麻屋漏無乾

艱難度夜
十五日辛卯雨雨晩晴姜姪京奴入來細聞葂
病向差爲喜曷極因芬姪簡牙鄕墳山無事
家廟亦平又知天只平安多幸多幸○射帿
十餘巡後因上成樓徘徊之際朴注沙里急
到唐將船已到營前而直來于此云故即傳
令三道移陣于竹島
十六日壬辰陰而風冷晩朝雨雨終日如注元
水使忠淸水伯右水使並來見○唐將到三
千鎭留宿云夕還本陣

十七日癸巳晴曉出浦口結陣巳時　天將把摠張鴻儒率兵號船五隻張帆入來直到海營請下陸同話故吾與諸水使先上射亭請上則把摠下船即到與之同坐先謝海路萬里間關到此謝感無地云則答以前年七月自浙江開船到遼東則遼東之人以海路經過之地多嶼石隱角又將講和不可往矣強止至懇故仍留遼東馳報孫侍郎鑛及楊総兵文等處而今三月初生發船入來豈有勞艱乎余請進茶後進小酌情甚慷慨又說賊

勢不知夜深

十八日甲午晴請出樓上進酌多有明春領船直到濟州與我舟師合勢盡滅醜類事以誠懇懇初更罷散

十九日乙未晴進表禮單則不勝感謝云所呈者極盛問其字與別號則書給曰表字仲文軒號秀川云

二十日丙申晴朝通事來傳　天將不往南原劉総兵所住處直欲還歸云余懇傳于　天將處曰初以把摠到南原懇懇之情已布劉総兵令止不往其間必有人言頗往見而還可也云則把摠聞之果然匹馬獨往相面後即直往羣山乘船云朝食後把摠到余船從容談話勸別盃七酌而後解纜共出浦外再三繾綣之意別送因與景受及忠清順天鉢浦蛇渡共上舍人巖醉話而還

二十一日丁酉晴唐將問答報于元帥處○午後興陽軍粮船入來○聞豚薈杖房子拿豚入庭責教而不杖○晚鉢浦以伏兵出去事來告而去右水使軍粮二十石貸去

二十二日戊戌晴朝　啓草修正午後與諸將射帿

二十三日己亥晴射帿○荄姪還歸

二十四日庚子晴各項　啓本親封夕射帿七巡

二十五日辛丑晴食後往于右水使處射帿十巡河千守持　啓本出送

二十六日壬寅晴各官浦公事題送○鹿島萬戶捉逃軍八名而來故其中魁首三名行刑其餘決杖○見豚等書則天只平安葂病向

蘇云多幸多幸○尹暾以從事官下來云申
天機申霽雲盧潤發入来
二十七日癸卯陰而風與忠清水使順天射帿
二十八日甲辰晴申霽雲　除主簿而去
二十九日乙巳終日細雨氣甚不平呻吟達夜
八月初一日丙午雨雨大風夕樂安帶率姜緝
軍粮督促事捧軍律供招而出送
初二日丁未雨下如注宋希立入来
初三日戊申朝陰暮晴與忠清水伯同射
初四日己酉灑雨晚晴慶尚水使軍官色吏以

唐將接待時女人戴進餠物事决罪順天鉢
浦来射
初五日庚戌朝陰午後往慶尚水使處相話移
時而還是日熊川所非浦永登及尹東耉等
以先鋒諸將来此
初六日辛亥朝晴暮雨射帿十巡○探船入来
聞天只平安菀漸差云
初七日壬子雨雨終日
初八日癸丑雨雨丁助防將入来
初九日甲寅雨雨右水使及丁助防將忠清水

伯順天蛇渡共話
初十日乙卯雨雨　啓草修正
十一日丙辰大雨終日
十二日丁巳陰而不雨晚與忠清水使及順天
熊川所非浦共射○元帥軍官沈俊持来傳
令欲為面議約束今十七日出待于泗川云
十三日戊午晴沈俊告歸盧潤發亦送○巳時
下船率諸將往于見乃梁別定銳將送于春
院等地伺賊捕勦
十四日己未朝陰暮雨蛇渡及所非浦熊川等

馳報倭船一隻春院駐泊不意掩襲則倭奴
等棄船逃走我國男女十五名及賊船奪還
○未時還陣
十五日庚申晴食後發船與元水使同到月明
浦宿
十六日辛酉晴曉發到所非浦泊船朝食後張
帆到泗川船滄則奇直男與昆陽来到因宿
十七日壬戌陰元帥午到泗川送軍官邀話故
進于元帥所駐處行　教書肅拜後公私禮
因而同話多有觧情之色甚責元水使水使

不能擧頭
十八日癸亥陰而不雨朝食後元帥請之故進話因告歸元水使則醉臥不來故余獨與昆陽巨濟所非浦等回船到三千前洋
十九日甲子晴曉到蛇梁後面則元水使尚未到採葛六十同元水使始來晩發船到唐浦
二十日乙丑晴曉發到陣中右水使丁助防將來見與右水使及諸將射帿○忠淸水使以其大夫人病重告歸興陽
二十一日丙寅晴昆陽蛇渡馬梁南桃永登會寧所非浦來見

二十二日丁卯晴慶尙右虞候及樂安昆陽巨濟來見
二十三日戊辰晴公事因而射帿
二十四日己巳晴各官水軍徵發事朴彦春金倫申景潢發送○丁助防將還歸
二十五日庚午晴昆陽所非浦招來共話射帿六巡○鄭元溟入來
二十六日辛未晴公事興陽鮑作莫同者長興軍三十名潛載其船逃出故行刑梟示○上射亭射帿忠淸虞候亦來同射
二十七日壬申晴右水使與諸將來射而興陽呈酒○見蔚書則夫人病重云故薈出送
二十八日癸酉小雨大風珍島守來見
二十九日甲戌晴而北風大吹公事○南海縣監入來○義將成應祉化去可悼可悼
三十日乙亥晴且無風南海倅玄楫來見晩右水使及長興忠淸虞候熊川巨濟所非浦亦來○聞夫人病勢極重云然國事至此不可念及他事○金良幹自京持來領台簡及沈忠謙簡多有憤意元水使事極可駭也以我爲逗留不前云是千載之歎也○昆陽以病還歸未見而送尤極恨也

九月初一日丙子晴巡撫使徐渻公事及　啓草入來
初二日丁丑晴聞夫人之病向歇而元氣極弱甚可慮也
初三日戊寅雨曉有密　旨入來則水陸諸將拱手相望不爲奮一策設一計進討云三年海上萬無如是之理誓與諸將決死復讐之

志日復日日而第緣據險窟處之賊不可輕
進況知己知彼百戰不殆云乎初昏明燭獨
坐自念國事顚沛內無濟策奈何奈何適興
陽知吾獨坐入來話到三更
初四日己卯晴元水使來話所非浦呂島入來
初五日庚辰晴忠淸水使入來
初六日辛巳晴且風殘與忠淸水使及虞候馬
梁射帿○暮聞金敬老到右道云
初七日壬午晴見順天府使簡則左台巡察使
初十日間到本府云

初八日癸未晴長興爲獻官興陽爲典祀以明
日纛祭入齋○金僉知來
初九日甲申晴諸將射帿三道並會而元水使
以病不來金僉知同射
初十日乙酉晴且風靜蛇渡設射右水伯亦會
○金敬叔還歸
十一日丙戌晴公事決南平色吏及順天格軍
三度偸粮人行刑○忠淸水使來見
十二日丁亥晴答丁助防將簡○右水伯忠淸
水使並來

十三日戊子晴且溫和見調度御史尹敬立
啓草二度則一度珍島郡守請罷一度水陸
軍勿侵事及守令勿赴戰所其意頗在姑息
○夕河千壽持 啓回下及紅牌九十七張
而來首台簡亦來
十四日己丑晴興陽呈酒右水伯忠淸水使共
射帿○防踏僉使行公私禮
十五日庚寅晴曉與忠淸水使及諸將行望
闕禮新及第紅牌分給○忠淸虞候出去本
道

十六日辛卯晴
十七日壬辰晴且溫與諸將射帿○虞候李夢
龜以屯田收穫事出去
十八日癸巳晴且過溫射帿終日○李壽元入
來
十九日甲午雨雨終日興陽順天海南來話
二十日乙未風雨獨坐記夜夢則海中孤島走
到眼前止蹲其聲如雷四境驚奔余獨立觀
其始終極可欣壯
二十一日丙申晴出坐射亭公事射帿使諸將

趂越又令軍士角力相争夜深罷

二十二日丁酉右水使及長興慶尚虞候並来聽令而去○元帥密書来到念七定舉師云

二十三日戊戌晴而風悪朝出射亭公事○元水使来議軍機而去○樂安軍士十一名防踏水軍四十五名點考

二十四日己亥晴終日大風公事是日分號衣左道則黃衣九件右道則紅衣十件慶尚道則黑衣四件

二十五日庚子晴金僉知領軍七十名朴僉知領軍六百名入来趙鵬亦来同宿夜話

二十六日辛丑晴曉郭再佑金德齡等到見乃梁送朴春陽問渡来之由則舟師合勢事元帥傳令云

二十七日壬寅朝晴暮雨朝發船出浦口則諸船一時發行駐赤島前洋則郭僉知金忠勇韓別將朱夢龍並到約束後分送所願處○夕宣兵使到船故使騎營船

二十八日癸卯陰曉明燭獨坐卜討賊吉凶則多吉陣于胷島內洋

二十九日甲辰晴發船突入長門浦前洋賊徒據險不出高設樓閣築壘兩峯略不出抗先鋒賊船兩隻勦擊則下陸逃遁空船撞焚漆川梁經夜

十月初一日乙巳與忠清水使及先鋒諸將直入永登浦則兇賊等掛船水濱一不出抗日暮還到長門浦前洋則蛇渡二船掛陸之際賊小船直入投火火雖未起而滅極為憤痛右水使軍官及慶尚水使軍官略論其失蛇渡軍官則重治其罪二更還到漆川梁經夜

初二日丙午晴令先鋒船三十隻往見長門賊勢而来

初三日丁未晴親率諸將早往長門終日相戰賊徒畏不出抗日暮還到漆川梁

初四日戊申晴與郭再佑金德齡等約束抄軍數百下陸登山先鋒先送長門使之出入挑戰晩率中軍進迫水陸相應則賊徒蒼黃失勢奔走東西陸兵見賊揮劔旋即下船還陣于漆川○宣傳官李繼命持標信宣 諭教書到 內賜貂皮

初五日己酉大風終日修 啓草

初六日庚戌晴早使先鋒送于長門賊窟則倭人牌文揷地其書曰日本與大明方和睦不可相戰云○倭奴一名来到漆川山麓欲為投降故昆陽郡守招降載船問之則乃永登倭也移陣于胷島

初七日辛亥晴宣兵使郭再佑金德齡等出去○刈茅一百八十三同

初八日壬子晴且無風朝發船到長門賊窟則如前不出耀兵後還到胷島刈茅二百六十

同因行船到閑山夜已三更

初九日癸丑晴金僉知敬老朴僉知宗男金助防將應誠韓助防將命達晉州牧使裵楔金海府使白士霖並来告歸○射帿終日○南海河東泗川固城告歸

初十日甲寅晴 啓草修正○朴子胤與昆陽因留不發興陽寶城長與告歸

十一日乙卯晴公事題之○忠清水使来見

十二日丙辰晴慶尚元水使討賊之事自欲直啓云故成公事以送○備邊司公事據元帥鼠皮耳掩左道十五令右道十令慶尚道十令忠清道五令分送 啓草修呈

十三日丁巳晴從事官已到泗川云泗川一船出送

十四日戊午晴曉夢賊倭等乞降六穴銃筒五柄納之環刀亦納傳言者則其名金書信云而倭奴等盡為納降

十五日己未晴朴春陽持 啓本出去

十六日庚申晴巡撫使徐渻日暮到此與右水伯元水使同話

十七日辛酉晴御史来從容談話多言元水使欺罔之事極可駭也從事官入来

十八日壬戌晴從事官行肅拜禮

十九日癸亥風不順朝與從事官話

二十日甲子朝陰巡撫御史出去右水使来告歸

二十一日乙丑晴從事官虞候鉢浦出去○降倭三名自元水使處来捧招

二十二日丙寅陰李迪及僧義能出去

二十三日丁卯晴

二十四日戊辰晴招虞候射帿
二十五日己巳晴而西風大起南桃永登来話
○前樂安申僉知浩持體察使關及木花毛
笠與正木一同賫来與之相論向夜退順天
權俊拿去時亦来見之懷思不平
二十六日庚午晴
二十七日辛未朝雨晩晴彌助項僉使来行
教書肅拜因與之話日暮告歸
二十八日壬申晴公事金甲梨津来見○食後
右虞候慶尚虞候来受木花而去

二十九日癸酉晴西風極寒冽
三十日甲戌晴欲為搜討入送而慶尚道無戰
船待其聚集○三更豚薈入来
十一月初一日乙亥曉行望 闕禮
初二日丙子晴左道則蛇渡右道其虞候李廷
忠慶尚道彌助項僉使成允文定将搜討入
送
初三日丁丑晴金天碩持備邊司關率降倭也
汝文等三名到陣
初四日戊寅晴聞降倭等事情○箋文儒生入
来
初五日己卯陰而細雨巡邊使使其軍官押送
降倭十三名
初六日庚辰陰暖如春日李英男李廷忠申僉
知来共話
初七日辛巳晩晴金甲蛇渡呂島永登来見○
申僉知鄭元帥留舟師
初八日壬午灑雨晩晴
初九日癸未晴而風不順
初十日甲申晴李喜男入来薈姪亦来營中云

十一日乙酉冬至曉行望 闕禮戰軍饋粥○
右虞候及鄭聃壽来見
十二日丙戌晴
十三日丁亥晴元帥使防禦使軍官領降倭十
四名而来
十四日戊子晴右兵使降倭七名使其軍官領
来
十五日己丑晴温如春日陰陽失序矣○是日
以親忌不出獨坐房中懷慟可言可言見豚
蔚等簡則天只平安多幸多幸領相簡来

十六日庚寅晴風氣稍冷右虞候呂島會寧浦蛇渡鹿島金甲島永登前於蘭鄭聃壽等来見而歸

十七日辛卯晴且温積霜如雪蕃與蔚入来

十八日壬辰晴大風竟夕

十九日癸巳晴大風達夜不息

二十日甲午晴元水使来見而歸

二十一日乙未晴李渫褒貶啓 聞持去

二十二日丙申晴射帿五巡

二十三日丁酉晴與陽順天軍粮入来李景福

来聞巡邊使等被論

二十四日戊戌晴温和如春公事題之

二十五日己亥陰曉夢與李鎰相會余多費辭而言之曰當 國家危難之日身受重寄不留心於報效強畜淫女不入官舍私處城外之家取人譏笑於意如何又以舟師各官浦分定陸戰軍器督促無暇是亦何理耶巡邊語塞不答欠伸而覺乃一夢也○食後出坐大廳公事

二十六日庚子小寒晴且温

二十七日辛丑晴左右道分送降倭盡數聚来使之習放○右虞候巨濟蛇渡呂島並来見

二十八日壬寅晴 自二十九日至十二月三十日缺

乙未正月初一日甲戌晴明燭獨坐念至 國事不覺涕下又念八十病親耿耿達夜曉諸將及諸色軍来告易歲元塽尹彦諶高景雲等来見諸色軍饋酒

初二日乙亥晴以 國忌不坐修正 啓草

初三日丙子晴早出大廳題送各官浦公事

初四日丁丑晴右虞候巨濟金甲島所非浦呂

島等官来見

初五日戊寅晴題公事○蕃與蔚入来聞天只平安喜幸喜幸終夜懷念萬端不能成寐

初六日己卯晴魚應麟及固城縣監来

初七日庚辰晴與興陽及方彦淳話南海降倭也汝文等来現

初八日辛巳晴而大風受光陽公禮後以傳令過限決杖

初九日壬午晴食後也汝文等還送南海

初十日癸未順天府使朴晋行 教書肅拜聞

慶尚水使元均来到船滄云招入同話順天
右虞候興陽光陽熊川固城巨濟亦来告歸
十一日甲申雨雹東風食後順天興陽固城熊
川永登来話固城以新船督造事告歸
十二日乙酉陰而大風各官浦公事題送○晩
順天告歸嶺南虞候李義得来見
十三日丙戌朝晴暮雨朴致恭来
十四日丁亥晴東風大吹以氣不平臥吟永登
泗川呂島来見
十五日戊子晴招右虞候李廷忠則廷忠失足

落水游泳有時艱難拯出招而慰之
十六日己丑晴出大廳公事
十七日庚寅晴暖而無風出大廳公事右虞候
及所非浦巨濟彌助項並来射帿而罷
十八日辛卯陰題公事○晩射帿十巡而罷
十九日壬辰晴出大廳公事沃溝避亂人李元
軫来長興樂安鉢浦入来決後期之罪有頃
呂島戰船失火光陽順天鹿島戰船四隻延
燒不勝痛歎
二十日癸巳晴朝汝弼荄與李應福出去豚蔚

與芬入来聞天只平安多幸多幸
二十一日甲午終日細雨與李景明争博長興
来見因聞巡邊使李鎰處事極無狀害我甚
力可笑可笑
二十二日乙未晴終日大風元帥軍官李台壽
持傳令来諸將到未到知去云○晩出樓上
決失火諸船將及色吏初更金甲島萬户所
接家失火盡燒
二十三日丙申大風終日長興府使與虞候興
陽来話日暮還

二十四日丁酉晴而大風别李元軫
二十五日戊戌晴長興興陽及虞候永登巨濟
来見
二十六日己亥陰而風探船入来興陽拿去羅
將入来云李禧亦来
二十七日庚子晴寒冱如冬出大廳受靈巖康
津等公禮
二十八日辛丑晴大風且冽黄承憲入来
二十九日壬寅陰而不雨
三十日癸卯晴東風大吹實城入来

二月初一日甲辰晴而風早出大廳決寶城後
期之罪逃倭二名行刑○禁府羅將来傳與
陽拿去事
初二日乙巳陰而大風與陽拿去○出大廳公
事
初三日丙午晴早出大廳推投火于興陽船者
申德壽推詰則不能得實囚之
初四日丁未晴氣似不平長興及右虞候来元
帥府回答公事從事官答簡亦来奉耆與呉
從壽入来

初五日戊申晴忠清水使来○天城萬户尹弘
年 教書肅拜
初六日己酉晴而大風與長興右虞候等射帿
初七日庚戌晴寶城進酒終日話
初八日辛亥陰
初九日壬子雨
初十日癸丑灑雨風亦大吹與黃叔度終日話
十一日甲寅雨晩乍霽黃叔度與芬及許宙下
存緖還歸○終日公事暮有 旨入来則屯
田撿飭事

十二日乙卯晴風不起尹曄入来晩射帿十餘
巡長興右虞候来射
十三日丙辰晴早出大廳道陽屯租三百石載
来分給各浦右水使及珍島務安咸平南桃
浦馬梁會寧浦等官入来
十四日丁巳晴且温和食後珍島務安咸平
教書肅拜後入防水軍不齊起送及戰船不
造来事決罪靈巖倅亦論罪○奉菱及芬與
方應元並出去
十五日戊午晴且和暖曉望 闕陳賀右水使

加里浦珍島並来叅○上船烟熏
十六日己未晴出坐大廳則咸平倅趙撥逢駁
告歸故饋酒而送申助防將浩到陣行 教
書肅拜因與共話夕乘船移泊洋中二更行
船到春院島日欲曙慶尚舟師未到
十七日庚申晴朝促軍食直到右水營前洋城
内倭奴七名見我船奔遁回船出来招長興
及申助防將終日論策而還陣暮林榮及丁
助防將鷹運入来
十八日辛酉晴探船入来

十九日壬戌晴朝出大廳公事巨濟務安平山
浦會寧浦及許廷誾亦来宋漢連来言捉魚
貿軍粮云
二十日癸亥晴右水使長興申助防將来話多
傳元公之兇悖可愕可愕
二十一日甲子小雨晚晴實城熊川右虞候所
非浦康津平山等官来見
二十二日乙丑晴出大廳封 啓本晚招虞候
及樂安鹿島饋餠
二十三日丙寅晴申助防將及長興来話

二十四日丁卯陰雷電大作而不雨氣似不平
元㙉告歸
二十五日戊辰陰風且不順蓄與蔚入来因聞
天只平安○狀 啓陪持人李荃入来朝報
及首台箚持来
二十六日己巳陰朝書狀 啓本並十六度封
付鄭汝興
二十七日庚午寒食晴元均交代于浦口裵水
使揳到此令 教書肅拜云則多有不平之
色再三諭諭後勉從強行云可笑其無知極
矣
二十八日辛未晴出大廳與長興右虞候話光
陽木浦亦来
二十九日壬申晴高汝友出昌信島裵水使来
議作屯等事申助防將亦来夕王浦萬户方
承慶多慶浦萬户李忠誠等行 教書肅拜
三十日癸酉雨出大廳公事
三月初一日甲戌晴合三道過冬軍卒 恩賜
木綿分給丁助防將入来
初二日乙亥陰

初三日丙子晴
初四日丁丑晴朴助防將宗男入来
初五日戊寅雨雨盧大海来
初六日己卯晴
初七日庚辰晴朴助防將申助防將虞候及珍
島来見
初八日辛巳晴食後出大廳右水伯慶尚水使
兩助防將虞候加里浦樂安寶城光陽鹿島
並来會話
初九日壬午晴晚出大廳防踏新僉使張麟王

浦新萬户李曇行公私禮晉州李坤忭来見
而歸
初十日癸未陰而細雨與朴助防話實城倅安
弘國告歸
十一日甲申陰而大風司𦳝主簿趙亨道来言
左道賊勢及投降倭所告秀吉三年出師終
無其效加兵渡海欲於釜山設營而三月十
一日渡海事已定云
十二日乙酉陰朴助防將與虞候爭博
十三日丙戌陰而大風朝朴子胤令公招與同

飯夕食後趙亨道来見而還
十四日丁亥雨雨風止南海到陣
十五日戊子雨乍收風亦息食後趙亨道告歸
○晩射帿
十六日己丑雨蛇渡僉使金浣入来因聞前忠
清水使李立夫軍粮二百餘石見捉於調度
御史姜簽處而拿推云又忠清新水使李繼
勳船上失火云不勝驚愕○權同知俊来本
營云
十七日庚寅雨勢似歛豚藐與許宙及朴仁英

等還歸○是日軍糧會計付標○忠清虞候
馳報水使李繼勳失火投水死軍官及格軍
並百四十餘名焚死云可愕可愕○晩右水
使馳報見乃梁伏兵處所来降倭沈安隱已
招問則渠是永登屯倭而其將沈安頓代其
子近將入歸云云
十八日辛卯晴權彦卿與汝弼莘姪及壽元入
来因聞天只平安喜幸萬萬○右水伯来話
十九日壬辰晴與權彦卿令公射帿
二十日癸巳雨雨食後往右水伯處路逢裵水

使船上暫話以密浦作屯處審見事告歸因
到右水伯處醉甚暮還
二十一日甲午晴晩汝弼莘姪壽元還歸羅州
半刺及虞候来見○午時往朴助防將處爭
奕
二十二日乙未東風大吹日氣早陰晩晴與三
助防將射帿右水使到此同射日暮罷還
二十三日丙申晴朝食後與三助防將及虞候
步登前峯則三望無阻眼通北路設帿地開
坐基終日忘返

二十四日丁酉陰而無風公事題之晩與三助
防將同射
二十五日戊戌雨終日權同知及虞候南桃浦
羅州半刺来見靈光又来與權同知爭博而
權勝夕氣甚不平雞鳴氣暫降而汗不流
二十六日己亥晴靈光出去晩與申朴兩助防
將及虞候射帿十五巡夕裵水使李雲龍安
衛来告新方伯延命事往蛇梁○二更東昏
即明未知何祥
二十七日庚子晴食後右水伯到此終日射帿

昏到朴助防將處招鉢浦蛇渡鹿島共談而
罷探船入来表馬及奴金伊等入来則天只
平安云
二十八日辛丑晴射帿十餘巡晩蛇渡僉使来
告各浦兵符巡使關據直分各浦云未知厥
緣也
二十九日壬寅晴食後兩助防將李雲龍趙繼
宗射帿二十三巡裵水使至自巡使處彌助
項僉使亦到陣
四月初一日癸卯晴而大風聞南原儒生金軏

以水軍事到陣與之言
初二日甲辰晴終日公事
初三日乙巳晴三助防將往右營陣余與蛇渡
射帿
初四日丙午晴朝慶尚水使請射故與權朴兩
助防將同船往于水使處則全羅水使已先
到與之同射終日話而還
初五日丁未晴宣傳官李燦持秘密有 旨到
陣
初六日戊申細雨終日與權同知同話

初七日己酉晴暮下海昏到見乃梁宿○宣傳
官還歸
初八日庚戌晴東風大吹聞賊夜遁不爲入討
晩到砧島與右水伯裵水使射帿諸將亦皆
入叅夕還本陣
初九日辛亥晴與朴助防將射帿
初十日壬子晴仇化驛子来告賊船三隻又到
驛前云故三道中衛將各領五隻船馳到見
乃梁觀勢勦滅
十一日癸丑晴右水使来見因而射帿終日談

話而歸鄭汝興入來又見下存緖簡知好還
家不勝喜倒
十二日甲寅晴　啓本回下十八度領右台簡
與子任令公答簡來到○以軍粮督促事牙
兵梁應元則順天光陽裵承鍊則光州羅州
宋義連則興陽寶城金忠義則求禮谷城定
送○三道中衛將成允文金浣李應彪還自
見乃梁來告賊退○裵水使密浦出去
十三日乙卯陰雨三助防將並來啓　聞及書
狀四度封付巨濟軍官上送○夕固城縣令

趙凝道來言賊事又言巨濟之賊請兵于熊
川欲爲夜驚云雖不可信亦不無是慮矣
十四日丙辰乍雨朝與陽行　敎書肅拜
十五日丁巳陰各項　啓本及端午進上封
進
十六日戊午大雨終日雨勢洽滿今年農事可
占大有
十七日己未晴東北風大吹食後出大廳與三
助防將射帿十五巡裵水使到此因往海平
場起耕處彌助項僉使亦到射帿而去

十八日庚申晴食後出坐大廳右水使裵水使
及加里浦彌助項熊川蛇渡與李義得鉢浦
等官三道邊將並來會射權申兩助防將共
會
十九日辛酉晴朴助防將以搜討事乘船
二十日壬戌晴晩往右水伯處從容談話而還
李英男持　啓回下下來則南海梟示云
二十一日癸亥晴而大風出大廳射帿十巡
二十二日甲子晴午後彌助項僉使及李雲龍
赤梁萬戶高汝友永登萬戶趙繼宗與兩助

防將並到故以鄭思竣所送酒肉共喫因見
南海違軍令梟示之文
二十三日乙丑晴南風大吹不能行船出坐樓
上公事
二十四日丙寅晴早朝蔚與薈以天只辰日
進饌事出送午時姜千石走來告逃倭望己
時老伏於茂草中捕得一倭投水死云即押
來三道分屬降倭盡爲招集即令斬首望己
時老少無難色就死可謂悍矣
二十五日丁卯晴且無風仇化驛子得福持慶

尚虞候馳報倭大中小並五十餘船出自熊
川鎮海指向云故吳水等偵探出送與陽来
見蛇梁萬户李汝恬告歸豚畓及芟入来聞
天只平安為幸為幸
二十六日戊辰晴曉右水使與申助防将領所
屬二十餘船巡探出去晩與權同知與陽蛇
渡呂島射帿二十巡
二十七日己巳晴且無風氣不平權同知彌助
項僉使永登萬户来共射十巡○三更右水
使捜討還陣並無賊蹤云

二十八日庚午晴食後出大廳公事右水伯及
慶尚水伯来射帿○宋德一拿河東倅来
二十九日辛未四更雨作卯時快霽海南縣監
公私禮後河東縣監再期不至決杖九十海
南倅決杖十度彌助項僉使告由○三助防
将同話○盧潤發採藿九十九同而来
三十日壬申晴射帿十巡
五月初一日癸酉大風雨
初二日甲戌晴朝風甚惡晩熊川及巨濟永登
玊浦来見○二更探船入来則天只平安云

從事官已到本營云
初三日乙亥晴射帿十五巡海南来見金甲到
陣
初四日丙子晴是日天只辰日也身未進獻獨
坐遠海懷思可言晩射帿十五巡海南告歸
見豚簡則遼東王爵德以王氏後裔欲為舉
兵云極可愕
初五日丁丑雨雨酉時暫開射帿三巡右水使
及慶尚水使與諸将合會申末從事官柳拱
辰入来李忠一崔大晟申景潢同到○氣寒

不平痛吐而宿
初六日戊寅晴且無風朝從事官 教書肅拜
後受公私禮與之話晩射帿二十巡
初七日己卯晴朝與從事虞候共話
初八日庚辰陰而不雨朝食後行船三道同歸
仙人巖話賞又射帿○是日防踏僉使入来
持豚等簡則初四日奴春世失火延燒十餘
家天只所接家不及云是則幸也○未暮回
船入陣從事官與虞候皆以榜會落後
初九日辛巳晴朝食後從事官還歸虞候亦同

往射帿二十巡
初十日壬午晴射帿二十巡而多中○從事官等到營云
十一日癸未晩雨灑豆峙軍粮南原淳昌玉果等合六十八石載來
十二日甲申陰雨不收夕暫開出坐大廳公事權同知與申助防將來
十三日乙酉雨下如注終日不止獨坐廳中懷思萬端白裵永壽彈琴又邀三助防將共話○彌日探船至六日不來未知天只平否煎

慮何極
十四日丙戌陰雨不收終晝夜朝食後出坐大廳蛇渡來告與陽所受戰船掛嶼傾覆云故代將崔璧及十船將都訓導捉來決杖權同知來
十五日丁亥陰雨不霽咫尺不辨曉夢多煩未聞天只平否者已七日煎悶煎悶又未知荄之好去否也朝食後出坐則光陽金斗劔以伏兵時順天光陽兩官疊受其朔料事罰赴于舟師而不佩劔又不佩弓矢多有侮慢之事決杖七十○晩右水使佩酒來極醉而歸
十六日戊子陰而不雨朝探船入來則天只平安夫人則失火之後心氣大傷痰喘又重云可慮可慮始審荄等之行○射帿二十巡權同知善中
十七日己丑晴朝出點營各船射格受料人等晩射帿二十巡朴權兩助防將善中○是日鹽釜一坐鑄成
十八日庚寅晴朝忠清水使到陣只結城保寧舒川萬戶領來忠清水使 教書肅拜後與

三助防將同話○夕射帿十巡巨濟來見因宿
十九日辛卯晴東風寒吹朝食後與權朴申三助防將及蛇渡防踏兩僉使射帿三十巡宣水使亦來同參○夕鹽釜一坐鑄成
二十日壬辰風雨竟夕達夜不息朝食後公事與宣水使權助防將同博
二十一日癸巳陰今日必有營人之到而時未知天只平否爲悶何極奴玉伊武才送于本營鮑魚及蘇魚醢卵片送于天只前○朝出

坐則降倭等来告其同類倭山素多有兇悖之事斬殺云故令倭斬之○射帿二十廵

二十二日甲午晴且和與權同知等射帿二十廵李壽元以上京事入来始知天只平安多幸多幸

二十三日乙未晴與三助防将射帿十五廵

二十四日丙申晴朝李壽元持　啓出去令朴助防與忠清水使宣水使射帿○塩釜鑄成

二十五日丁酉晴晩雨作慶尚水使右水使忠清水使會同射帿九廵忠清水伯進酒極醉

而罷因裵水使聞金應瑞重被臺評元帥亦參其中云

二十六日戊戌晩晴獨坐大廳與忠清水使三助防将終日話○夕玄德麟入来

二十七日己亥晴射帿十廵宣水使兩助防将醉還丁哲自京到陣　啓本回下内辭多有金應瑞擅言和事歸罪之言首台左台簡来

二十八日庚子陰而終夕夕雨大作竟夜大風戰船不能安定艱難救護食後與宣水使三助防将話

二十九日辛丑風雨不止終日注下○伏　社稷威靈粗立薄效寵榮超躐有踰涯分身居将閫功無補於消埃口誦　教書面有慚於軍旅

李忠武公全書卷之六

李忠武公全書卷之七目錄

李忠武公全書卷之七目錄

李忠武公全書卷之七

亂中日記三

六月初一日壬寅晩晴與權朴申三助防將熊川臣濟射帿十五巡宣水使以痢不射新番營吏入来

初二日癸卯終日細雨食後大廳公事韓棐還修簡于天只前○營吏姜起敬趙春種金景禧及申弘彦並下番○午後加德天城平山浦赤梁等官来見天城萬户尹弘年来傳清州李繼簡及庶叔簡而金介逝於三月云不

勝慘痛○暮權彦卿令公来話

初三日甲辰陰而不雨食後出坐各處報狀題送○晩加里南桃浦来權申兩助防將及防踏蛇渡呂島鹿島射帿十五巡○朝南海馳報海平君尹斗壽自南海渡本營云未知何縁即整船玄德麟送于營蛇梁萬户来告絶粮因告歸

初四日乙巳晴晋州書生金善鳴者欲為繼援有司到此保人安得稱名者率来聽其言審其實則難保其然姑觀其所為成公文給之

三助防將及蛇渡防踏呂島鹿島射帿十五巡○探船不来未知天只平否悶泣悶泣

初五日丙午晴與李助防將等同朝飯而朴子胤以病不来晩右水使熊川臣濟来終日同話自午雨作未能射帿余則氣甚不平廢夕食終日苦痛○京奴入来因審天只平安多幸多幸

初六日丁未雨勢終日氣甚不平宋希立入来因聞道陽場農作形地則興陽盡其心力故多有西成之望云林英繼援亦致其力云鄭

沆到此而余以氣不平終日微痛

初七日戊申雨雨終日氣甚不平呻吟坐卧

初八日己酉雨氣似少平晩三助防將来見傳昆陽奔外憂可歎可歎

初九日庚戌晴氣尚不快可悶可悶與申助防將及蛇渡防踏分邊射帿而申邊勝○夕元帥軍官李希參持有 旨到此則趙亨道誣啓舟師軍一名每日粮五合式水七合云人間事可愕可愕天地安有如是誣罔事乎○昏探船入来則天只得痢患云悶泣悶泣

初十日辛亥晴曉探船出送于本營晚三助防將及忠清慶尙水使來見光州軍粮三十九石捧

十一日壬子細雨大風朝元帥軍官李希參還歸○夕出坐囚光州軍粮偸竊人

十二日癸丑細雨風曉蔚入來因聞天只病患稍歇然九十之年得此危證爲慮且泣

十三日甲寅陰曉慶尙水使裵楔拿　命已下而其代權俊爲之南海奇孝謹仍任云可愕晚往見裵水使而還○昏探船入來金吾吏

已到營中又見別坐書則天只漸向差云幸幸

十四日乙卯曉大雨蛇渡請射右水使與諸將盡會而晚晴射帿十二巡夕金吾吏以裵水使拿去事入來權水使除朝辭關及　諭書密符亦來

十五日丙辰晴曉行望　闕禮食後出浦口別送裵楔心懷不平豚蔚還歸○午後與申助防將射帿十巡

十六日丁巳晴出坐公事順天七船將張溢偸軍粮見捉決罪○午後與兩助防將及彌助項等官射帿七巡

十七日戊午晴大風終日慶尙水使及忠清水使兩助防將並射帿

十八日己未或雨或晴晋州儒生柳起龍及河應文願爲繼餉來五石受去○晚與朴助防將射帿十五巡而罷

十九日庚申雨雨獨坐樓上夢寐之間豚葂與尹德種子雲輅同到因見天只簡審患候快平喜幸萬萬○申弘憲等入來納年七十六

石

二十日辛酉乍晴乍雨終日坐樓而聞忠清水使言語不明云夕時親往見之則不至重而多傷風濕可慮可慮

二十一日壬戌晴極熱食後出坐公事○申弘憲還歸巨濟亦來慶尙水使鄭平山浦病重云故出送事題送

二十二日癸亥晴以祖母忌日不坐慶尙水使來見

二十三日甲子晴與兩助防將射帿夕裵永壽

還歸
二十四日乙丑晴右道各官浦戰船摘奸溪女十二捕捉並其隊長論罪○晩受鍼不射帿許宙及荄姪入来戰馬亦来奇誠伯子澄憲與其庶叔景忠来
二十五日丙寅晴元帥公事入来則三衛將分三運起送云而行長来自日本講和已定云○夕與朴助防將同往忠淸水使處看其病勢則多有可怜之事
二十六日丁卯晴食後出坐射帿十五巡慶尙

水使来見今日乃彥卿令公辰日云故造麵極醉聽琴吹笛暮罷
二十七日戊辰晴許宙及荄姪奇雲輅等還歸吾與申助防將及巨濟射帿十巡
二十八日己巳晴以 國忌不坐
二十九日庚午晴早出大廳右水使来射帿十餘巡
三十日辛未晴文語恭以生麻貿易事出去李祥祿亦歸○晩巨濟永登来見防踏及鹿島申助防將射帿十五巡

七月初一日壬申乍雨以 國忌不坐獨依樓上念國勢危如朝露內無決策之棟樑外無匡國之柱石未知 宗社之終至如何心思煩亂終日反側
初二日癸酉晴是日乃先君辰日悲戀懷想不覺涕下晩射帿十巡又射鐵箭五巡片箭三巡
初三日甲戌晴朝往忠淸水使處問病則大歇云○晩慶尙水使到此相談後射帿十巡○二更探船入来則天只平安而食味不甘云

悶極悶極
初四日乙亥晴羅州判官領船還陣李荃等山役櫓木来納食後出大廳彌助項熊川来射軍官等爭射賭鄉角弓而盧潤發居首而得○夕林英曹應福来梁廷彥由歸
初五日丙子晴坐大廳公事○晩朴助防將申助防將来防踏射帿林英歸
初六日丁丑晴鄭沆金甲島永登来見○晩出坐射帿八巡○奴木年自古音川来因審天只平安

初七日戊寅陰而不雨慶尙水使兩助防將及忠淸水使来令防踏蛇渡等官分邊射帿慶尙右兵使處有　旨內禍慘國家讎在　廟社神羞人寃極地窮天尙未迅掃妖氛擧切共戴之痛則凡有血氣者孰不扼腕腐心欲臠其肉哉卿以對壘之將不有朝廷命令擅對賊面敢述悖逆之辭屢通私書顯有尊媚之態修好講和之說至徹於　天朝貽羞開釁少無顧忌按以軍律固不足惜猶且寬貸敎諭警責非不丁寧而執迷彌甚自陷罪辟

予甚怪駭莫曉其故玆遣備邊司郞廳金涌口授予意卿其改心惕勵毋貽後悔事觀此不勝驚悚金應瑞何如人也而未聞自悔改勵耶若有心膽則必自處矣

初八日己卯晴食後出坐永登朴助防將来見右水使軍官裵永壽以其將命来貸軍粮二十石而去○東萊倅鄭光佐来告赴任○射帿十巡而罷○奴木年還

初九日庚辰晴今日末伏秋氣轉凉意甚多懷○彌助項来見而去○熊川巨濟射帿而去○二更海月滿樓秋思極煩徘徊樓上

初十日辛巳晴氣甚不平晩見右水伯相話多說之粮無所計策極悶極悶朴助防將亦到飮數盃極醉夜深臥樓上新月滿樓懷不自勝也

十一日壬午晴朝書天只前簡及各處修送○武才朴永以其身役出歸○出坐射帿十巡

十二日癸未晴朝食後慶尙右水使来見與之射帿十巡鐵箭五巡日暮相叙而退加里浦亦来同

十三日甲申晴加里浦及右水使同来加里浦呈酒射帿五巡鐵箭二巡余氣甚不平

十四日乙酉晩晴軍士等給由使鹿島宋汝悰致祭于死亡軍卒給白米二石○李祥祿太九連孔太元等入来知天只快平喜幸何極

十五日丙戌晴晩出大廳則朴申兩助防將及防踏呂島鹿島保寧結城兩縣監及李彦俊等射帿饋酒慶尙水使亦来同話使之角力勝負○鄭沆来

十六日丁亥晴朝聞金大福病勢極危云不勝

痛癒即令宋希立柳洪根救療而未詳其證
極悶晩出坐公事順天鄭石柱靈光都訓導
朱文祥決罪○夕元帥公事及兵使慶移文
修草給之彌助項僉使及蛇渡僉使呈由狀
而成僉知則十日金僉知則三日給由而送
○鹿島仍任兵曹關下来
十七日戊子雨巨濟馳報巨濟之賊已盡撤歸
云故即令鄭沆定送出坐大廳公事明日發
船進去事傳令
十八日己丑晴朝出大廳與朴申兩助防將同

朝飯午後發行夕到紙島駐泊經夜三更巨
濟縣令来到言長門賊窟已盡空虛而只有
三十餘名云又逢佃獵倭射斬生擒各一云
四更發行還到見乃梁
十九日庚寅晴與右水使慶尚忠清水使兩助
防將談話而罷申時還陣唐浦萬户以推捉
不現之罪決杖○往見金大福病勢
二十日辛卯陰與兩助防將同朝食晩巨濟及
前鎭海鄭沆来○午後出坐公事射帿五巡
鐵箭四巡○左兵使軍官持簡来

二十一日壬辰大風雨聞虞候入来○食後太
九連彦福所造環刀忠清水使兩助防將慶
各一柄分送○昏蓄蔚與虞候同船到島外
豚等入来
二十二日癸巳陰而大風李忠一聞其父喪出
去
二十三日甲午晴晩以馳馬事往于元頭龜尾
則兩助防將及忠清水使亦到夕乘小船還
来
二十四日乙未晴以 國忌不坐忠清水使来

話
二十五日丙申晴以忠清水使辰日備饌来與
右水使慶尚水使及申助防將等官醉話夕
丁助防將入来
二十六日丁酉晴朝鄭永同及尹曄李壽元等
與興陽入来食後丁水使及忠清水使亦来
打話從容
二十七日戊戌晴御史移文入来明日到陣云
二十八日己亥晴朝食後下船三道合出浦内
結陣未時御史申湜到陣即下大廳對話移

時請各水使及三助防將同話
二十九日庚子陰大風御史左道所屬玉浦摘
奸點考夕到此從容談話
八月初一日辛丑風雨大作御史同朝飯即下
船點順天等五官船暮余下去御史處同話
初二日壬寅陰右道戰船點考後因留南桃浦
幕余出坐與忠清水使話
初三日癸卯晴御史晩往慶尚陣點考夕往慶
尙陣同話而氣不平即還
初四日甲辰雨御史到此合會諸將話終日而

罷
初五日乙巳陰而不雨朝以御史話別事到忠
清水使處餞別御史後丁助防將告歸
初六日丙午雨勢大作右水使慶尚水使兩助
防將合會同話終日而罷
初七日丁未雨雨朝豚蔚與許宙及玄德麟虞
候同船出去晩兩助防將及忠清水使同話
○夕標信宣傳官李光後持有　旨來則以
元帥領率三道舟師徑入賊窟事與之言達
夜

初八日戊申雨雨宣傳官出去慶尚水使忠清
水使及兩助防將同話同夕飯日暮各還
初九日己酉西風大作
初十日庚戌晴氣似不平獨坐樓上懷思萬端
晩出大廳公事後射帿五巡鄭霽與結城倅
同船出去
十一日辛亥或雨或晴奴漢京亦往本營○裵
永壽金應謙爭鵠金勝
十二日壬子陰早出坐公事晩與兩助防將射
帿金應謙往慶尚水使處還時入謁右水使

爭射裵永壽又負云
十三日癸丑雨雨終日修　啓草題公事○兗
水來而聞道陽場屯田之事李奇男所為多
有悖乖故虞候馳往摘奸事行移成送
十四日甲寅雨雨終日鎭海鄭沆及趙繼宗來
話
十五日乙卯曉行望　闕禮右水使加里浦臨
淄等諸將共到是日餉三道射士及本道雜
色軍終日與諸將同醉○是夜微月照樓寢
不能寐嘯詠永夜

十六日丙辰陰雨不霽終日霏霏懷思極亂兩
助防將同話
十七日丁巳細雨東風曉招金應謙問事○曉
出坐與兩助防將話射帿十巡
十八日戊午陰雨不收申朴兩助防將來同話
十九日己未日氣快晴與兩助防將及防踏射
帿○二更華姪及蒼蔚入來則體察二十一
日到晉城欲問軍務事體察軍官入來云
二十日庚申晴終日待體察使傳令而不至權
水使及右水使鉢浦來見而歸○二更傳令

入來三更開船到昆伊島
二十一日辛酉陰晩到所非浦前洋則全羅巡
使軍官李俊持公事來姜應虎吳繼成同到
共話移時裁簡于景受及彦卿子微彦深處
○暮到泗川境針島宿夜氣甚冷懷思不平
二十二日壬戌晴早朝各項公事成送于體察
○朝食後行到泗川縣午後至晉州南江邊
則體察已入晉州云
二十三日癸亥晴往體察處則從容言語間多
有爲民除疾之意湖南巡察多有毁言之色

可歎○晩余與金應瑞同到矗石閣其壯士
敗亡處則不勝慘痛有頃體察使使余先往
故乘船回泊所非浦
二十四日甲子晴曉到所非浦前則固城縣令
趙凝道來現因宿所非浦前洋體察使副使
與從事官亦宿
二十五日乙丑晴早食後體察與副使從事官
幷騎余所騎船辰時開船同入共立指點島
嶼及設鎭合並處與接戰處終日論話曲浦
則合于平山浦尙州浦則合于彌助項赤梁

則合于三千所非浦則合于蛇梁加背梁則
合于唐浦知世浦則合于助羅浦薺浦則合
于熊川栗浦則合于玉浦安骨則合于加德
事定奪夕到陣中諸將　教書肅拜公私禮
後罷
二十六日丙寅晴夕副使相會穩話
二十七日丁卯晴軍士饋飯五千四百八十名
夕到上峯指點賊陣及賊路風勢甚險乘夕
還下
二十八日戊辰晴早朝體察及副使從事官共

坐樓上議弊瘼食前下船開船出去
二十九日己巳晴早出公事慶尚水使来自體
察處
九月初一日庚午晴曉行望　闕禮探船入来
虞候至自道陽而到營公事来呈多有害思
立之意可笑從事官亦欲呈病還歸調理事
題送
初二日辛未晴曉發上船材木曳下軍一千二
百八十三名饋飯曳下忠清水使右水使慶
尚水使兩助防將幷到終日談話而罷

初三日壬申晴東風大吹汝弼與蔚有憲出歸
姜應虎以道陽塲收穫事亦同歸○鄭沆禹
壽李暹偵探入来則永登賊陣初二日空窟
樓閣諸巢盡爲焚燒云熊川投附人孔守卜
等十七名誘来
初四日癸酉晴慶尚水使来見請之終日談話
而歸○未知汝弼蔚等之如何而往心慮極
煩
初五日甲戌晴朝權水使送桃林少許忠清水
使申助防將同朝飯食後與申助防將宣水
使同船往慶尚水使處終日談話暮還是日
體察公事来到則順天光陽樂安興陽甲午
田稅載来云故即答報
初六日乙亥晴而大風忠清水使進酒故右水
使兩助防將来共宋德馹入来
初七日丙子晴食後慶尚右水使来忠清道兵
營船瑞山保寧船出送
初八日丁丑晴以　國忌不坐食後豚薈與宋
德馹同船出去○忠清水使兩助防將来話
初九日戊寅晴右水使及諸將齊會而營軍士

則分餠一石初更罷歸
初十日己卯晴午後余與忠清水使及兩助防
將往于右水使處同話夜還
十一日庚辰陰氣甚不平不坐
十二日辛巳陰朝忠清水使及兩助防將請来
同朝飯晩罷歸○夕慶尚水使與虞候及鄭
沆佩酒而来同話夜深而散
十三日壬午雨凭樓獨坐懷思不平
十四日癸未晴晩出坐右水使及慶尚右水使
並到同作別杯夜深而罷別贈宣水使短詩

曰北去同勤苦南来共死生一杯今夜月明
日別離情
十五日甲申晴宣水使来告歸又酌別盃而罷
十六日乙酉晴出坐公事啓　聞監封○是昏
月食向夜皎明
十七日丙戌晴食後京簡書送金希番持　啓
本出去柚子三十箇送于首台
十八日丁亥晩丁助防將入来同話
十九日戊子晴丁助防將入来即還
二十日己丑四更纛祭蛇渡僉使金浣以獻官

行事○朝右水使来見
二十一日庚寅晴與朴申兩助防將同朝飯欲
餞別朴助防將而因別慶尚水使而往值日
暮未果也○夕李宗浩入来只持木花而来
盡分
二十二日辛卯晴東風大吹朴子胤令公出去
慶尚右水使亦到餞別
二十三日壬辰晴以　國忌不坐熊川被擄人
朴禄守金希壽来謁兼道賊情故木各一疋
分給而送

二十四日癸巳晴朝書各處簡十餘度豚蔚菀
與方益純及温介等并出去○是夕右水使
慶尚水使来見
二十五日甲午晴未時鹿島下人失火延及大
廳與樓房盡爲燒燼軍粮火藥軍器等庫不
及火而樓下長片箭二百餘部燒燼可歎
二十六日乙未晴獨坐船上終日坐卧心思不
平○李彦良斫材木而来
二十七日丙申陰安骨浦附賊人二百三十餘
名出来船數則二十二隻禹壽来告食後上

火基指點造家地
二十八日丁酉晴食後上成造處右水使慶尚
水使来見薈蔚聞奇入来
二十九日戊戌晴
三十日己亥晴
十月初一日庚子晴與申助防將同朝飯因設
別盃晩申助防將出去
初二日辛丑晴上樑大廳又烟燻上船右水使
慶尚水使及李廷忠来見
初三日壬寅晴海平君尹根壽公事求禮儒生

持来則金德齡與全州金允先等擊殺無辜
之人逃入海陣云故捜之則九月初十日間
換牟種事到陣即還云
初四日癸卯晴
初五日甲辰早朝上樓看役而樓上外楹仰土
使降倭運役
初六日乙巳食後右水使及慶尚水使来見○
夕熊川来因聞 天使入釜山云是日被擄
人二十四名出来
初七日丙午晴和如春日臨淄僉使来見

初八日丁未晴莞姪入来珍原與菶姪簡亦来
初九日戊申晴各處答書書送○大廳畢造○
右虞候来見
初十日己酉晴晩坐大廳右水使慶尚水使並
来從容談話
十一日庚戌晴早上樓房終日看役
十二日辛亥晴早上樓上看役西廊造立○夕
宋弘得入来多有狂妄之言
十三日壬子晴早上新樓大廳仰土令降倭畢
役○宋弘得軍官隨行

十四日癸丑晴右水使及慶尚水使蛇渡呂島
鹿島等官来見
十五日甲寅晴曉行望 闕禮夕乘月往見右
水使景受餞別慶尚水使彌助項蛇渡亦来
十六日乙卯晴曉上新樓房○右水使及臨淄
木浦等官出去因宿新樓房
十七日丙辰晴朝加里浦金甲島来同朝飯晋
州河應龜柳起龍等繼援米二十石来納扶
安金成業彌助項僉使成允文来見鄭沆告
歸

十八日丁巳晴權水使及右虞候来見
十九日戊午晴蒼苑出去宋斗男持 啓上京
金成業亦歸李雲龍来見繼餉有司河應文
柳起龍出去
二十日己未晴晩加里浦金甲南桃蛇渡呂島
来見饋酒而送暮永登亦来夕飯而歸○是
夜風色甚冽寒月如晝寢不能寐轉輾終夜
百憂攻中
二十一日庚申晴李渫告由而不給○晩右虞
候李廷忠金甲萬户賈安策梨津權管等官

来見○風色甚冽寢不能寐招孔太元問倭
情
二十二日辛酉晴加里浦彌助項僉使虞候等
官来見夕宋希立及朴台壽梁廷彦入来陪
箋儒生亦入来
二十三日壬戌晴朝箋文拜送後出坐大廳公
事
二十四日癸亥晴慶尚水使来見河應龜亦到
終日話暮還○朴台壽金大福告歸
二十五日甲子晴加里浦虞候金甲會寧浦鹿

島等官来見而歸○夕鄭沇告歸餞別○以
刈茅事李祥祿金應謙河天壽宋義連楊水
泝等率軍八十名出去
二十六日乙丑晴聞任達英来招問濟州之行
○防踏入来○宋弘得希立等往獵
二十七日丙寅晴右虞候加里浦来
二十八日丁卯晴慶尚虞候来見○刈茅船入
来○夜雨雷如夏變怪
二十九日戊辰晴加里浦梨津還歸慶尚水使
熊川天城並来

十一月初一日己巳曉行望　闕禮晩出坐公
事蛇渡出去咸平珍島茂長戰船出送○金
希番自京下来持納朝報及首台簡○降倭
等饋酒午後與防踏射帿七巡
初二日庚午晴昆陽郡守李守一来見
初三日辛未晴黃得中入来傳倭兩船由青登
到胷島迫海北島衝火而歸到春院等處云
而曉還紙島
初四日壬申晴曉李宗浩姜起敬等入来見卞
存緖簡奉荄兄弟到營

初五日癸酉晴南海金甲島南桃於蘭會寧浦
及鄭聃壽来見防踏呂島招来而話
初六日甲戌晴宋希立入来刈茅四百同生葛
一百同載来
初七日乙亥晴河東縣監　教諭書肅拜慶尚
右水使自巡察使處来彌助項僉使南海亦
来
初八日丙子晴曉莞與京奴還營○晩金應謙
慶尚巡使軍官等来
初九日丁丑晴呂島萬户金仁英入来

初十日戊寅晴曉慶尙巡使軍官還歸
十一日己卯晴曉行　誕日賀禮○營探船入來卞主簿李壽元李元龍等來因聞天只平安喜幸喜幸○夕李義得來見金甲島會寧浦出去
十二日庚辰晴鉢浦假將李渫定送
十三日辛巳晴道陽場所出租太八百二十石
十四日壬午晴
十五日癸未晴以覲忌不出獨坐戀想懷不自勝

十六日甲申晴降倭沙文戀已也時老等來告倭等欲逃故令右虞候捉來摘其首謀倭時等二倭斬之○慶尙水使及虞候熊川防踏南桃於蘭鹿島來而鹿島則出送
十七日乙酉晴
十八日丙戌晴魚應麟來傳行長率其衆出海未知去處云故傳令慶尙水使使之水陸偵探○晩河應文來告繼餉事有頃慶尙水使熊川等來議而去
十九日丁亥晴早朝逃倭自來現二更芬奉荄薈入來知天只平安喜幸○河應文歸
二十日戊子晴巨濟永登來見
二十一日己丑晴北風終日曉宋希立出送摘奸于見乃梁賊船○是夕碧魚一萬三千二百四十級貿穀事李宗浩受去
二十二日庚寅晴曉冬至陳賀肅拜○晩熊川巨濟安骨玉浦慶尙虞候等來○卞存緖奉姪偕往
二十三日辛卯晴而大風李宗浩辭出是日見乃梁巡邏事慶尙水使定送而風甚惡不發

二十四日壬辰晴巡邏船出去二更還陣邊翼星爲曲浦權管而來
二十五日癸巳晴食後曲浦權管受公禮晩慶尙虞候來傳降倭八名自加德出來云熊川及右虞候南桃防踏唐浦來見與芬姪話到二更
二十六日甲午朝陰晩晴食後出坐公事光陽都訓導往伏逃去者獲捉決罪午時慶尙水使來降倭八名及引來金卓等二名並來故饋酒金卓等則各給木綿一疋而送○夕柳

滌林英等来
二十七日乙未晴金應謙以二年木斫来事耳
匠五名率去
二十八日丙申晴以　國忌不坐柳滌林英歸
與姪等話到夜深
二十九日丁酉晴以　國忌不坐
三十日戊戌晴南海降倭也汝文信是老等来
○慶尚水使来見體察田稅軍粮三十石慶
尚水伯受去
十二月初一日己亥晴曉行望　闕禮

初二日庚子晴巨濟唐浦曲浦等来見饋以酒
醉歸
初三日辛丑晴
初四日壬寅晴順天二船樂安一船點軍出送
而風不順未發芬荄往營○黃得中吳水等
青魚七千餘級載来故計給金希邦貿穀船
初五日癸卯晴而風不順氣似不平終日不出
初六日甲辰晴晚慶尚水使来見○夕蔚入来
審天只平寧喜幸萬萬
初七日乙巳晴而風不順熊川巨濟平山浦天
城等官来見而去清州李喜男慶答簡付送
初八日丙午晴右虞候南桃来見○體察使傳
令来則近日相會于所非浦云
初九日丁未晴氣不平達夜呻吟巨濟及安骨
禹壽来言賊勢無意退去○河應龜亦来
初十日戊申晴忠清道巡察及水使處移文成
送
十一日己酉晴見荄芬無事到營書喜幸而其
艱苦之狀不可形言
十二日庚戌晴慶尚水伯来見虞候亦来

十三日辛亥晴倭衣五十領及連幅缺○初更
奴石世来言倭船三隻小船一隻自登山外
洋泊于合浦云必是佃獵倭即令慶尚水使
防踏右虞候探見
十四日壬子晴曉慶尚水使及諸將合浦進去
開諭倭奴○彌助項僉使及南海河東入来
十五日癸丑晴體使所進去鎮撫入来而十八
日會于三千云故馳行初更慶尚水使来見
十六日甲寅晴五更發船乘月到唐浦前洋朝
飯到蛇梁後洋

十七日乙卯雨灑到三千鎮前則體察到泗川
云
十八日丙辰晴朝食後進于三千鎮午時體察
入堡同議從容初昏體察又要與同話話到
四更而罷
十九日丁巳晴朝食後出坐饋餉軍士畢饋後
體察發行吾下船風甚惡不能開船因留泊
經夜
二十日戊午晴大風 自二十一日至三十日缺
丙申正月初一日戊辰晴四更初入謁天只前

○晚南陽叔主及愼司果来話○夕辭天只
還營心思極亂終夜不寐
初二日己巳晴 國忌早出軍器點閱部將李
繼持備邊司公事来
初三日庚午晴曉下海舍弟汝弼及諸姪並到
船上平明開船相別午到曲浦洋中則東風
微動到尙州浦前洋風宿促櫓三更到蛇梁
宿
初四日辛未晴質明開船李汝恬来見問陣中
事則皆依前云到乞望浦則慶尙水使領諸

將出候虞候則先到船上泥醉不省即還其
船云
初五日壬申雨雨終日黎明虞候與防踏蛇渡
兩僉使到来問安成僉使允文右虞候李廷
忠李熊川雲龍巨濟安衛安骨萬户禹壽玉
浦李曇来李夢象亦以權水使所送来問而
歸
初六日癸酉雨蛇渡持酒而来軍粮五百餘
石措辦云
初七日甲戌晴晚權水使及虞候蛇渡防踏来

權俶亦来来時見乃梁伏兵將三千權管馳
報降倭五名自釜山出来云故使安骨浦萬
户禹壽及孔太元起送率来
初八日乙亥晴降倭五名入来故問其来由則
以其將倭性惡役且煩重逃来投降云實非
釜山倭也乃加德沈安頓所率云
初九日丙子陰各處公事題送○暮慶尙水使
来議防備西風終日船不得出海
初十日丁丑晴食後出坐大廳右虞候於蘭来
見蛇渡熊川曲浦三千赤梁亦来見

十一日戊寅晴西風達夜大吹倍於隆寒氣甚
不平○晚巨濟来見光陽入来
十二日己卯晴熊川縣監馳報倭船十四隻来
泊巨濟金伊浦云故慶尙水使領三道諸將
往見
十三日庚辰晴晚慶尙水使来告出船見乃梁
而去○是夕月色如晝微風不動獨坐煩懷
不能成寐召申弘壽聞簫
十四日辛巳晴而大風晚風息日氣似溫○與
陽入来鄭思立金大福入来趙琦金僩亦同

来
十五日壬午晴曉行望闕禮出大廳公事題
送因饋降倭酒食樂安興陽戰船軍器附物
及射格點考樂安尤甚齟齬云○是夕月色
極皎可占有年云
十六日癸未晴下霜如雪晚出坐慶尙水使右
虞候等来見熊川亦来醉歸
十七日甲申晴防踏僉使受由下存緖芬姪金
檥同船出去心思不平午出坐招虞候射帿
之際成允文與邊翼星来見同射而歸昏姜

大壽等持簡入来則金奴十六日到營云京
奴還来言豚薈今日歸恩津云
十八日乙酉晴朝裁軍衣終日○昆陽泗川来
到東萊縣令馳報倭奴多有反側之狀沈遊
擊與行長正月十六日先往日本云
十九日丙戌晴晚出坐慶尙水使来昆陽亦来
呈酒從容話釜山投入人四名来傳沈惟敬
與行長玄蘇正成小西飛正月十六日曉渡
海云是日燻造
二十日丁亥雨雨終日氣甚昏困晝睡半晌○

樂安来告屯租載来
二十一日戊子晴朝出坐○彌助項僉使及興
陽来見饋酒而送彌助項則告由○晚出大
廳蛇渡呂島泗川光陽曲浦来見而歸昆陽
亦来射帿十巡
二十二日己丑晴極寒風且甚嚴終日不出○
晚慶尙虞候来傳其水使之浮妄○此夜風
色冷烈慮兒輩之入来艱苦也
二十三日庚寅晴朝無衣軍士十七名給衣○
夕加德出来金仁福来現故問賊情○二更

苑莞及崔大晟申汝潤朴自邦至自本營得
見天只平書喜幸何極○雪下二寸深近歲
所無云是夜氣甚不平
二十四日辛卯晴北風大起吹雪揚沙人不敢
步舟不敢行○曉見乃梁伏兵馳報昨日倭
奴一名来到伏兵乞降投入云故送来事回
答○晚左右虞候及蛇渡来見
二十五日壬辰晴
二十六日癸巳晴出坐射帿
二十七日甲午晴右巡察使入来故往見于右

水使陣
二十八日乙未晴午時巡察来到射帿同話巡
察與吾對射所負七分故不無憮然之色可
呵
二十九日丙申雨雨終日早食後往慶尚陣與
巡使同話從容午後射帿巡察所負九分○
聽笛夜三更還陣
三十日丁酉雨雨晚晴軍官射帿○天城萬户
呂島赤梁来見○夕清州李喜男入来
二月初一日戊戌朝陰晚晴與諸將射帿權俶

到此醉去
初二日己亥晴蔚與趙琦同船出去虞候亦往
○夕蛇渡来傳因御史狀 啓罷黜云故即
成 啓草
初三日庚子晴朝修 啓○慶尚水使来見聞
赤梁萬户高汝友被訴於張聯年處巡使欲
啓罷云○昏於蘭萬户自見乃梁伏兵處告
曰釜山倭奴三名率星州投入人到伏兵欲
為貿販云故即傳令于長興府使明曉往見
開諭而此賊豈要市物為窺我虛實意矣

初四日辛丑晴朝 啓本封付于蛇渡人陳武
晟○晚與陽来見而歸○午後射帿十巡呂
島巨濟唐浦玉浦亦来○夕長興還自伏兵
傳倭奴還入
初五日壬寅朝陰晚晴蛇渡長興早来故同朝
食權俶来告歸故紙地佩刀給送○晚招集
三道諸將餉勞兼射帿作樂醉罷○右水使
簡到来而欲為後期可恨
初六日癸卯陰曉耳匠十名送于巨濟造船○
蛇渡僉使金浣以調度之 啓罷出送本浦

初七日甲辰陰氣不順晩出餉軍○招長興虞
候樂安興陽話日暮罷
初八日乙巳晴鹿島萬户来見興陽屯租三百
五十二石納
初九日丙午晴權水使来話射帿十廵○聞見
乃梁釜山倭船二隻出来云故熊川及虞候
送探
初十日丁未晴朴春陽来○夕親見庫家造慶
○熊川及右虞候自見乃梁還来告倭人恐
懼之狀

十一日戊申晴實城繼餉有司林瓚塩五十石
載去○任達英還自濟州濟州簡及朴宗伯
金應綏簡並持来○長興與右虞候来又招
樂安與興陽射帿
十二日己酉晴箭竹五十送于慶尚水使處晩
水使到来同話夕射帿長興興陽亦同
十三日庚戌晴食後出坐决康津後期之罪○
靈巖罷黜狀　啓成草○任達英歸濟州牧
使處答簡
十四日辛亥晴晩出坐　啓草修正○同福繼

餉有司金德麟来謁○慶尚水伯艾餅送来
招樂安鹿島等饋之○新庫家盖草○康津
来謁故慰之而飮以酒○夕引水厨邊以便
汲水之路○興陽有司宋象文来納米租並
七石
十五日壬子曉雨聞右道降倭與慶尚倭同約
欲爲逃去之計故傳令通之○朝　啓草修
正○同福有司金德麟興陽有司宋象文等
還歸
十六日癸丑晴朝修　啓草○晩出坐長興府

使右虞候加里浦来共射
十七日甲寅陰　國忌不坐食後菀往營夕興
陽来話同夕飯○彌助項成允文問簡来到
則令承方伯關將赴晋城未得更進其代則
黃彦實爲之云
十八日乙卯晴食後出坐體察使秘密關三度
来一則濟州牧繼援事一永登萬户趙繼宗
推考事一珍島戰船姑勿督聚事○夕金國
自京入来秘密公事兩度持来
十九日丙辰晴權水使来長興熊川樂安興陽

右虞候泗川等共話慶尚陣留在降倭使此
處倭亂汝文等縛来斷頭
二十日丁巳晴决孫萬世私作到防公文之罪
○午後射帿十巡
二十一日戊午雨
二十二日己未晴熊川興陽来見右虞候長興
樂安南桃加里浦呂島鹿島来射余亦射之
二十三日庚申晴早食出坐屯租改正新庫入
積一百六十七石○晩巨濟固城河東康津
會寧浦来見河天水李進亦来

二十四日辛酉晴食後出坐屯租改正一百七
十石入庫○右水使入来樂安遞奇来到
二十五日壬戌雨雨午晴 啓草修正○羅州
判官来見長興府使来言舟師之難辦方伯
之害事
二十六日癸亥晴慶尚水使来見有頃見乃梁
伏兵馳報倭船一隻自梁由入將到海坪場
之際禁止使不得留云
二十七日甲子陰與鹿島萬户等射帿與陽受
由歸

二十八日乙丑晴早受鐵○長興與體察使軍
官到此而長興以從事官報傳令捉去事来
云且有全羅舟師内右道舟師往来左右道
聲援事云○夕巨濟招来問事後即還送
二十九日丙寅晴朝公事草修正○食後出坐
右水使及慶尚水使與長興體察軍官来到
慶尚右巡察使軍官持簡来
三十日丁卯晴朝使鄭思立書報文送于體察
使長興往于體察處○日晩右水使報已當
風和策應時急率所屬欲赴本道云其為設

心極為駭怪其軍官及都訓導决杖七十○
夕宋希立盧潤發李元龍等入来○氣甚不
平達夜虚汗
三月初一日戊辰晴曉行望 闕禮朝慶尚水
使来話而歸○晩海南縣監柳珩及臨淄僉
使洪堅木浦萬户方守慶决後期之罪海南
則新到不杖
初二日己巳晴朝修 啓草○寶城入来○氣
甚不平不坐
初三日庚午晴李元龍歸營晩潘觀海来到使

鄭思立等書 啓是日節日招防踏呂島廉
島及南桃萬戶等饋以酒餅○送宋希立于
右水使處傳之悔意則答以慇懃焉
初四日辛未晴朝封 啓○晩決寶城郡守安
弘國後期之罪午後發船直由所斤頭回到
慶尙右水使處左水使李雲龍亦到從容談
話仍以同宿于佐里島洋中
初五日壬申晴五更初發船平明到見乃梁右
水使伏兵處適朝時故食後相見仍入李廷
忠花下從容論話雨勢大作先下船則薈荄

菀與蔚及壽元幷到乘雨還陣寨中則金洋
亦到與之話三更宿
初六日癸酉陰朝氣不平○食後河東固城咸
平海南告歸南桃亦歸限以五月初十日右
虞候康津則過初八日後使之出去○令咸
平南海多慶浦萬戶等官試劒
初七日甲戌晴晩出坐加里浦防踏呂島來見
而歸
初八日乙亥晴朝安骨萬戶加里浦各大廉一
口送來○食後出坐右水使慶尙水使左水
使加里浦防踏平山浦呂島右虞候慶尙虞
候康津等官來話終日泥醉而罷
初九日丙子朝晴暮雨右虞候及康津告歸饋
酒泥醉虞候則醉倒不歸○夕左水使來別
盃而送則醉倒宿于大廳
初十日丁丑雨朝更請左水使而來別盃而送
終日大醉未能出去
十一日戊寅陰荄薈莞及壽元出去○是夕防
踏僉使誤發非怒上船汲水軍決杖可愕卽
捉軍官及吏房笞軍官則二十吏房則五十

○晩舊天城則辭歸新天城則以體察關捉
去于兵使處羅州判官亦到饋酒而送
十二日己卯晴朝食氣困少睡○慶尙水使來
到同話呂島金甲島羅州判官亦到○夕蘇
國秦還自體察處則回答右道舟師合送本
道非本意云
十三日庚辰雨終日夕見乃梁伏兵馳告倭船
連續出來云故呂島萬戶金甲萬戶等抄送
○氣困臥吟
十四日辛巳陰雨不霽曉三道馳報來到則見

乃梁近處巨濟境細浦倭船五隻固城境五
隻来泊下陸云故三道諸將五隻加抄送事
傳令○防踏鹿島来見○汗流達夜
十五日壬午晴曉行望　闕禮慶尚水使来話
○終夜虛汗
十六日癸未雨勢如注終日不止辰時東南風
大起捲屋茅者多矣門窓破紙雨灑房中人
不堪其苦午時風止○夕軍官招来饋酒○
三更末雨勢暫止○流汗如昨
十七日甲申終日細雨達夜不止晚羅州判官

来見故醉而送之○昏朴自邦入来○是夜
虛汗沾背兩衣盡濕氣不平
十八日乙酉晴防踏金甲會寧浦玉浦等官来
見射帿十巡
十九日丙戌晴寶城郡守以付種撿舉事受由
金洋同船出去
二十日丁亥風雨終日氣甚不平汗沾衣衾
二十一日戊子大雨終日初更得霍亂嘔吐移
時三更小歇○是日招軍官宋希立金大福
吳轍等爭從政圖

二十二日己丑晴右水使慶尚水使来見饋酒
而送○聞小鯨浮死于島上云故送朴自邦
○汗出無常
二十三日庚寅晴金助防將浣及忠清舟師八
隻入来虞候又到○金奴持簡来則天只平
安汗流沾衣
二十四日辛卯晴朝後出坐馬梁僉使金應璜
波知島宋缺名結城縣監孫安國等决罪羅州
判官魚聖伋給由出送四月十五日為期○
氣甚困汗流無常

二十五日壬辰雨作終日汗流沾衣
二十六日癸巳晴慶尚水使来話○體察使傳
令来則前日右道舟師還送事誤見回　啓
云可笑
二十七日甲午晴晚出射帿虞候防踏忠清馬
梁僉使臨淄僉使結城縣監波知島權管并
来饋酒而送○夕愼司果與汝弼入来因聞
天只平安喜幸
二十八日乙未陰雨大作終日不晴
二十九日丙申陰雨不霽副察使自星州到陣

云
四月初一日丁酉大雨與愼司果話
初二日戊戌晴慶尙水使以副察使延來事出
去愼司果同船行
初三日己亥晴昨夕見乃梁伏兵馳報倭奴四
名自釜山與利出來為風漂流云故曉送虞
島萬户宋汝悰問其事由探其情跡則窺探
故斬之
初四日庚子陰朝吳轍出去○往見右水使醉
話而還○忠淸道軍栅設

初五日辛丑晴副察使入來
初六日壬寅陰副使試射
初七日癸卯晴副使出坐分賞○釜山人入來
則上　天使出奔云未知其事也
初八日甲辰終日雨雨晩與副使同對飮極醉
觀燈而罷
初九日乙巳晴副使出去故出浦口同舟話別
初十日丙午晴聞御史入來云晩御史入來同
話明燭而罷
十一日丁未晴與御史同對從容談話○饋餉
將士射帿十巡
十二日戊申晴御史炊飯餉軍後射帿十巡終
日談話
十三日己酉晴與御史同對晩出浦口則南風
大吹不能行船到仙人巖終日談話乘昏相
別
十四日庚戌陰雨終日洪州判官唐津萬户
敎書肅拜後忠淸虞候元裕男決杖唐津萬
户亦同受罪
十五日辛亥晴端午　進上監封鄭彦守授送

首台鄭領府事金判書命元尹知事自新趙
士惕申湜南以恭前修簡
十六日壬子晴右水伯慶尙水伯及加里浦防
踏共話入夜而罷是夜海月寒照一塵不起
○再流汗
十七日癸丑晴汝弼及菀率奴出歸
十八日甲寅晴各官浦公事題送○晩與忠淸
虞候慶尙虞候防踏金助防將射帿二十巡
○馬島軍官伏兵處降倭一名捉來
十九日乙卯晴以濕熱受鍼二十餘處○是日

因南汝文聞秀吉之死而未可信也
二十日丙辰晴慶尚水使来邀明日相會
二十一日丁巳晴往慶尚水使陣路入右水使
陣邀慶尚水使射帿終日
二十二日戊午晴釜山許乃萬送告目上　天
使出奔副　天使則如前在倭營四月初八
日以奔去之由奏　聞云
二十三日己未晴金僉知敬禄入来早食出坐
與之飲酒○晩軍中壯力人使之角力成福
者獨步故給賞○忠清虞候元裕男馬梁僉

使唐津萬户洪州判官結城縣監波知島權
管玊浦萬户等官同射十巡
二十四日庚申晴食後出湯子與諸將等話
二十五日辛酉晴右水使来話入浴湯水過熱
未久還出
二十六日壬戌晴慶尚水使来見體察軍官亦
来○入浴
二十七日癸亥晴體察公事回答来○入浴
二十八日甲子晴諸將皆来見○兩度入浴
二十九日乙丑晴一浴

三十日丙寅晴一浴○釜山許乃萬告目行長
似有移撤之意云金敬禄歸天只平書来
五月初一日丁卯陰慶尚水使来見○一度入
浴
初二日戊辰晴早浴還陣○銃筒二柄鑄成○
金助防及趙繼宗来見右水使梟金仁福
初三日己巳晴早氣太甚憂悶可言○慶尚虞
候来射帿十五巡
初四日庚午晴是日天只辰日未能進獻一盃
懷自不平虞候祭纛神于前峯

初五日辛未晴會寧萬户　教書肅拜後諸將
来會因以入坐慰勞盃四行慶尚水使行酒
幾半使之角力則樂安倅林季亨爲魁夜深
使之歡躍非強爲樂也欲使久苦將士暢申
勞苦之計也
初六日壬申晩作大雨洽滿農望喜幸不可言
○蔚與金大福同舟出去○昏銃筒炭庫火
出盡燒是監官輩不勤可歎可歎
初七日癸酉晩晴李英男入来台入從容話舊
初八日甲戌晴與李英男話晩出坐慶尚水使

来見射帿十巡○氣甚不平再度嘔吐○夕
莞入来金孝誠及庇仁縣監亦入来
初九日乙亥晴氣甚不平與李英男話西闗事
初十日丙子晴以　國忌不坐氣亦不平終日
呻吟
十一日丁丑晴食後出坐決庇仁縣監申景澄
後期之罪又杖順天格軍監官趙銘罪○氣
不平早入呻吟○巨濟永登與李英男同宿
十二日戊寅晴李英男還歸○氣不平終日呻
吟○金海府使馳報及釜山附賊人金弼同
告目亦来秀吉以為雖無正使副使尚存欲
為定和撤兵云
十三日己卯晴釜山許乃萬告目清正賊已於
初十日率其軍越海各陣倭亦將撤去釜山
倭則陪　天使渡海事仍留云○是日射帿
九巡
十四日庚辰晴金海府使白士霖馳報亦如乃
萬之告目故傳通于順天府使使之次次通
之○射帿十巡○結城倅孫安國出去
十五日辛巳晴曉行望　闕禮食後單騎馳上

闗山後峯望見五島及對馬島○日晩還到
小川邊與助防將及巨濟午飯暮還陣寨
十六日壬午晴忠清虞候洪州判官庇仁縣監
波知島權管及右水使来見
十七日癸未雨雨終日大洽農望可占有年
十八日甲申雨勢乍霽而海霧不收晩出坐射
帿○夕探候船入来天只平安
十九日乙酉晴防踏闗其母喪虞候假將定送
○射帿○汗沾一身
二十日丙戌晴熊川縣監金忠敏来見蛇渡僉
使還来
二十一日丁亥晴與虞候等射帿
二十二日戊子晴與忠清虞候元裕男左虞候
李夢龜洪州朴崙等射帿○洪祐持狀　啓
往于巡營
二十三日己丑陰與忠清虞候等射帿十五巡
朝彌助項僉使張義賢　教書肅拜後赴長
興
二十四日庚寅陰以　國忌不坐○釜山乃萬
告目入来左道各陣倭已盡撤去只留釜山

云
二十五日辛卯雨雨終日獨坐樓上懷思萬端
讀東國史多有慨嘆之志也
二十六日壬辰陰霧不收南風大吹晩出坐與
忠清虞候及虞候等射帿之際慶尚水使亦
來同射十巡
二十七日癸巳細雨終日忠清虞候左虞候來
此爭從政圖
二十八日甲午陰雨不霽聞全羅監司罷遞云
清正還到釜山云皆未可信

二十九日乙未陰雨終夕固城臣濟來見而歸
三十日丙申陰郭彦守入來首台及鄭領府事
尹知事自新趙士惕申湜南以恭簡來晩往
見右水伯終日極歡而還
六月初一日丁酉陰霖終日晩忠清虞候及營
虞候與朴崙申景澄名來談話○南海到任
狀來呈
初二日戊戌雨勢不止朝虞候往防踏庇仁倅
申景澄出去○晩出坐射帿十巡皮裙造下
初三日己亥陰朝薺浦萬戶成天裕 敎書肅
拜○金良幹載農牛出去○金甲島來見
初四日庚子晴食後出坐加里浦臨淄南桃忠
清虞候及洪州判官等官來射帿七巡右水
使來更書畫射帿十二巡而罷
初五日辛丑陰出坐射帿十巡
初六日壬寅晴四道諸將聚會射帿饋以酒食
且令射爭勝負而罷
初七日癸卯朝陰晩晴與忠清虞候等射帿十
巡
初八日甲辰晴早出射帿十五巡

初九日乙巳晴早出與忠清虞候唐浦呂島鹿
島等官射帿之際慶尚水使共射二十巡
初十日丙午雨終日午釜山告目來平義智初
九日早朝入歸對馬島云
十一日丁未雨雨晩晴射帿十巡
十二日戊申晴暑炎如蒸招忠清虞候等射帿
十五巡
十三日己酉晴慶尚水使佩酒而來射帿十五
巡
十四日庚戌晴早出射帿十五巡朝奮與壽元

同到閒天只平安
十五日辛亥晴曉行望 闕禮晩出坐招忠清
虞候助防將金浣等諸將射帿十五巡○是
日釜山許乃萬來傳倭情給粮還送
十六日壬子晴晩慶尙水使來話○出坐射帿
十巡○夕金鵬萬褒彌鍊等貿席到陣
十七日癸丑晴右水使來射帿十五巡而罷
十八日甲寅晴晩出射帿十五巡
十九日乙卯晴體察使處公事成送○晩出射
帿十五巡
二十日丙辰晴昨朝曲浦權管蔣後琓 教書
肅拜後平山浦萬戶以趂未到陣推責則答
以不限日云駭恠莫甚決杖三十○午南海
倅入來 教書肅拜後同話射帿忠淸虞候
亦來
二十一日丁巳朝招南海同朝飯而南海則往
慶尙水使處夕還同話
二十二日戊午晴以祖母忌日不坐與南海終
日話
二十三日己未雨雨終日與南海話晩南海往

慶尙水使處招助防將及忠淸虞候呂島蛇
渡等官饋以酒肉昆陽倅李克一亦來見河
東亦來還送本縣
二十四日庚申晴早出與忠淸虞候射帿十五
巡慶尙水使亦來共降倭也汝文等請殺其
類信是老云故命殺之
二十五日辛酉晴早出公事助防將及忠淸虞
候臨淄僉使木浦萬戶馬梁僉使鹿島萬戶
會寧浦萬戶波知島等官來射鐵箭五巡片
箭三巡帿五巡○南原金軜告歸
二十六日壬戌雨雨晩出坐射鐵箭及片箭各
五巡
二十七日癸亥晴出坐與金助防將忠淸虞候
加里浦唐津浦安骨浦等官射鐵箭五巡片
箭三巡帿七巡
二十八日甲子晴以 國忌不坐朝固城縣監
馳報巡察之行昨已到泗川縣云則今日當
到所非浦
二十九日乙丑朝陰暮晴晩出坐公事後與助
防將忠淸虞候羅州通判射鐵片帿並十八

巡

七月初一日丙寅晴以　國忌不坐慶尚右巡使到陣而是日則不為相見其軍官羅湙以其將傳語事来此

初二日丁卯晴往慶尚營陣與巡使共話移時上坐新亭分邊射帿慶尚巡使負百六十二畫終日極歡

初三日戊辰晴巡使與都事到此營射帿巡使邊又負夜深還歸

初四日己巳晴往慶營與巡使相會話有頃下

船同坐出浦口諸船外列終日論話到仙巖前洋解纜分去望見相揖因與右水伯慶尚水使同船入来

初五日庚午晴晚出射帿忠清虞候亦来共

初六日辛未晴早出公事巨濟熊川三千来見李鯤變箇亦来辭中多有立石之非可笑

初七日壬申晴慶尚水使及右水使與諸將並到設射三貫

初八日癸酉晴與忠清虞候射帿十巡

初九日甲戌晴慶尚水使到此多言通信所騎船風席難備云○午後射帿十巡

初十日乙亥晴體察傳令黃僉知令為　天使跟隨上使權滉為副使近日渡海所騎船三隻整齊回泊于釜山云忠清虞候蛇梁萬户知世浦萬户玉浦萬户洪州判官前赤島萬户高汝友等官来見○慶尚水使馳報春院島倭船一隻到泊云故諸將定送使之搜探

十一日丙子晴朝體察處通文船事公事成送○晚慶尚水使来議渡海格軍跟隨

十二日丁丑晴渡海格軍軍粮白米二十石中

米四十石差使員邊翼星水使軍官鄭存極受去○同年南致温来

十三日戊寅晴跟隨陪臣所騎船三隻整齊發送○晚射帿十三巡

十四日己卯雨夕固城縣監趙凝道来話

十五日庚辰雨灑慶尚水使全羅右水使並會射帿而罷

十六日辛巳曉雨晚晴是日忠清道洪州格軍新平居私奴杰福逃亡被捉梟示○河東泗川兩倅来

十七日壬午雨灑忠清鴻山大賊竊發鴻山倅
尹英賢被捉舒川郡守朴振國亦被率云外
寇未滅內賊如是極可駭痛○南致溫及固
城泗川告歸
十八日癸未晴公事題送○忠清虞候及洪州
半剌聞忠清賊事來稟○夕聞降倭戀隱己
汝耳汝文等兇謀欲害南汝文
十九日甲申晴南汝文斬戀已汝耳汝文等○
右水使來見而歸○慶尚虞候李義得及忠
清虞候多慶浦萬戶尹承男來

二十日乙酉晴慶尚水使來見○營探船入來
知天只平安喜幸喜幸因審忠清土寇為李
時發砲手所中卽斃云多幸
二十一日丙戌晴晩出坐巨濟及羅州洪州判
官與玉浦熊川唐津浦來通信使所請豹皮
持來次送船本營
二十二日丁亥晴順天官吏文狀忠清土寇發
於鴻山境被斬云而洪州等三邑見圍僅免
可痛可痛○樂安交替船入來
二十三日戊子大雨洪州判官朴崙告歸

二十四日己丑晴 國忌○是日往井改鑿慶
尚水使亦到巨濟金甲多慶追至泉脈深入
源長○午後還到射三貫
二十五日庚寅晴豹皮及花席送于通信使處
二十六日辛卯晴李荃自體相處來持標驗三
部一送于慶尚水使一送于全羅右水使處
○金吾羅將拿尹承男事來
二十七日壬辰晴晩往馳射場修路事教鹿島
○多慶浦萬戶尹承男拿去
二十八日癸巳晴晩與忠清虞候同射

二十九日甲午晴慶尚水使及虞候來見忠清
虞候亦到體相設場關到
三十日乙未晴晩助防將來射○夕探船入來
知天只平安○有 旨二度下來戰馬亦入
來
八月初一日丙申晴曉行望 闕禮○晩波知
島權管宋世應出歸○午後往射場馳馬暮
還○釜山去郭彥守還來傳信使之答簡
初二日丁酉雨勢大作
初三日戊戌晴或灑雨助防將虞候忠清虞候

来見因為射貫

初四日己亥晴東風大吹薈菀莞等出去鄭愃亦出去鄭思立受由而去

初五日庚子晴氣不平不出坐加里浦来見

初六日辛丑陰而不雨朝金助防將及忠清虞候慶尚虞候等官問病○唐浦萬户以其母病重来告○慶尚水使及右水使来見裵助防入来日暮還歸

初七日壬寅雨雨晩晴氣不平不坐書京簡○是夜汗沾兩衣

初八日癸卯陰而不雨姜憑老到此南海病勢漸歇云與之向夜話○義能来納生麻百二十斤

初九日甲辰陰朝捧守仁生麻三百三十斤○馬梁僉使金應璜居下出去○晩出坐公事射帳十巡

初十日乙巳晴朝忠清虞候問病来因與助防將同朝飯○氣甚不平移時卧枕○晩兩助防將及忠清虞候招致以霜花糕同嘗○昏月色如練客懷萬端寢不能寐

十一日丙午晴大風與裵助防將同朝飯與之同到射亭觀馳馬還營○初更巨濟馳報倭賊一船自登山由入松美浦二更又報阿自浦移泊定船出送之際又報見乃梁踰越云故伏兵將推捉

十二日丁未晴東風大吹向東之船絶不得来往久未聞天只平否悶極悶極○右水使来見

十三日戊申晴陰東風大吹與忠清虞候射帳○是夜汗流沾背

十四日己酉陰東風連吹禾穀損傷云○裵助防將及忠清虞候共談

十五日庚戌曉雨晩右水使慶尚水使及兩助防將與忠清虞候慶尚虞候加里浦平山浦等十九諸將會話

十六日辛亥晴南風大吹姜憑老歸南海○氣不平終日卧吟○夕體察到晋城文到来

十七日壬子晴慶尚水使忠清虞候巨濟来見○體相前探人出送

十八日癸丑或晴或雨三更　赦文差使員求

禮縣監入来○流汗無常

十九日甲寅或陰或晴曉與諸將 教文肅拜因與同朝飯求禮告歸○宋義連自營入来持蔚簡則天只向寧云為幸為幸○晩巨濟金甲島来話

二十日乙卯東風大吹曉戰船材木曳下事右道軍三百名慶尚道一百名忠淸道三百名左道三百九十名宋希立領去○晩朝搴茇薈菀莞與崔大晟尹德種鄭愃等入来

二十一日丙辰晴食後坐射亭令豚輩射習且

馳射裵助防將金助防將與忠淸虞候並到同午飯暮還

二十二日丁巳晴慶尚水使来見

二十三日戊午晴往見射場慶尚水使亦来同

二十四日己未晴

二十五日庚申晴右水使慶尚水使来見而歸

二十六日辛酉晴曉發船到泗川留宿與忠淸虞候終日話別

二十七日壬戌晴早發行到泗川午後因向晋城謁體察終日論話金應瑞亦到即還○暮還牧使處宿

二十八日癸亥晴早朝進體察前稟定終日初更後還到牧使處與牧使向夜話罷

二十九日甲子晴早發到泗川朝飯後因到船所固城亦到三千及李鯤變追到向夜同話宿仇羅梁

閏八月初一日乙丑晴日食早朝到飛望津與李鯤變等同朝飯相別暮到陣中則右水使慶尚水使出待而右水使相面話

初二日丙寅晴諸將来見晩慶尚水使右水使

来話

初三日丁卯晴

初四日戊辰雨雨是夜二更流汗

初五日己巳晴往射廳觀兒輩馳射○河千壽往體相前

初六日庚午晴食後與慶尚水使及右水使往射廳觀馳射暮還○防踏僉使到陣

初七日辛未晴牙山奴子向是入来

初八日壬申晴食後往射廳觀馳射光陽固城以試官入来河千壽至自晋州

初九日癸酉晴朝光陽倅行　教書肅拜奉審
及金大福官教肅拜因而與之語○是夕右
水使慶尚水使来話
初十日甲戌晴右水使慶尚水使裵助防將同
来二更罷歸
十一日乙亥晴以體相待候事發行到唐浦初
更體相探人来到則十四日發行云
十二日丙子晴終日促櫓二更到天只前則白
髮依依見我驚起含淚相持達夜慰悅
十三日丁丑晴朝飯侍側而進則多有喜悅之

色晚告辭到營酉時乘小船促櫓終夜
十四日戊寅晴曉到豆峙則體相與副使昨已
到宿云追及點處得逢名村察訪早到光陽
縣所經一境蓬蒿滿目慘不忍見姑除戰船
之整以舒軍民之勞
十五日己卯晴早發到順天體相一行入府故
余則宿于鄭思竣家巡使亦来與之話
十六日庚辰晴是日留
十七日辛巳晴晚向樂安郡則李好文李智男
等来見陳弊瘼專屬舟師

十八日壬午晴從事官金涌上京早發到陽江
驛午飯後上山城望遠指點各浦及諸島因
向興陽暮到其縣宿于鄉所廳○昏李至和
来見
十九日癸未晴發向鹿島路審見道陽屯田體
相多有喜色到宿
二十日甲申晴早發乘船與體相及副使同坐
談兵終日晚到白沙汀午飯後因到長興府
余則宿衙東軒○金應男来見
二十一日乙酉晴留宿丁景達来見

二十二日丙戌晴晚到兵營與之相見（兵使即元均）
二十三日丁亥晴仍留兵營
二十四日戊子吾與副使同往加里浦則右虞
候李廷忠亦先到同上南望則左右賊路諸
島歷歷可數真一道要衝之地而勢極孤危
不得已移合梨津
二十五日己丑早發到梨津午飯後仍到海南
之路中間金敬祿佩酒而来見不覺日暮舉
火行二更到縣
二十六日庚寅晴早發到右水營余則宿大平

亭與虞候話
二十七日辛卯晴體相自珍島入營
二十八日壬辰小雨留水營
二十九日癸巳小雨早朝行到南利驛午後到
海南縣○蘇國秦送于本營
九月初一日甲午灑雨曉行望　闕禮早發到
石梯院午後到靈巖宿于鄉社堂○趙正郎
彭年来見崔淑男亦来見
初二日乙未晴留靈巖
初三日丙申晴朝發到羅州新院判官招話暮

到羅州
初四日丁酉晴留羅州與體相謁　聖
初五日戊戌晴留羅州
初六日己亥晴先往務安事告體相登途到古
基院羅州監牧官羅德駿追到相見言語之
間多有慷慨與之久話暮到務安
初七日庚子晴與羅牧官及縣監論民弊移時
鄭大清入来云故請之坐話○晩發到多慶
浦與靈光倅話
初八日辛丑晴早飯用肉而以　國忌不食朝

食後到東山院秣馬促馬到臨淄鎮則李公
獻女息八歲兒與其四寸之女奴水卿同到
入謁思想公獻不勝慘然也水卿乃李琰家
遺棄得養者也
初九日壬寅晴招僉使洪堅問防備策朝食後
上後城審見形勢還到東山院午後到咸平
縣路逢韓汝璟馬上難見故諭以入来縣監
以敬差官延去云金億星亦同到
初十日癸卯晴留宿咸平食前務安鄭大清来
與之話縣儒生多有入陳弊瘼夕都事入来

與之談話
十一日甲辰晴朝食往靈光路逢辛景德暫話
到靈光則主倅　教書肅拜後入来同話
十二日乙巳風雨大作晩出登途十里許川邊
李光輔與韓汝璟佩酒来待故下馬同話安
世熙亦到暮到茂長
十三日丙午晴李仲翼及李光輔亦来同話仲
翼多言艱窘故脫衣給之終日話
十四日丁未晴又留
十五日戊申晴體相到縣入拜議策

十六日己酉晴體相發行自高敞到長城
十七日庚戌晴體相與副使往笠巖山城吾獨
到珍原縣與主倅同話從事官亦到暮到衙
中兩姪女出坐叙久還出小亭與主倅及諸
姪向夜同話
十八日辛亥小雨食後到光州與主倅話
十九日壬子風雨大作從事官簡及尹侃簽問
簡亦到○是朝光牧来同朝飯○午綾城入
来封庫光牧體相罷黜云
二十日癸丑雨勢大作見牧伯登程之際唐人

二名邀話故饋之以酒終日雨下未能遠行
到和順宿
二十一日甲寅或晴或雨早到綾城上最景樓
望見連珠山
二十二日乙卯晴晩出到李楊院則海運判官
先到見我行欲為邀話故與之話暮到寶城
郡宿
二十三日丙辰晴留以 國忌不坐
二十四日丁巳晴早發到宣兵使家則宣病劇
重可慮暮到樂安宿

二十五日戊午晴到順天與府伯同話
二十六日己未晴留順天府民為設牛酒請進
固辭而因主倅之懇暫飲而罷
二十七日庚申晴早發到寓所覲天只
二十八日辛酉晴以南陽叔辰日来營
二十九日壬戌晴食後出坐東軒公事
三十日癸亥晴宣諭軍官申析来言犒士日期
十月初一日甲子雨而大風曉行望 闕禮即
發覲行
初二日乙丑晴而大風不能行船

初三日丙寅晴陪天只與一行上船回到本營
承歡終日多幸多幸
初四日丁卯晴出東軒公事南海来
初五日戊辰陰與南海話
初六日己巳風雨大作與陽順天入来
初七日庚午晴早設壽宴終日極歡多幸多幸
初八日辛未晴天只氣候平安多幸多幸順天
相與別盃而送
初九日壬申晴終日侍天只
初十日癸酉晴拜辭天只未時乘船從風掛席

終夜促櫓還陣

十一日甲戌晴自十二日至丁酉三月缺

李忠武公全書卷之七

李忠武公全書卷之八目錄

李忠武公全書卷之八目錄

李忠武公全書卷之八

亂中日記四

丁酉四月初一日辛酉晴得出圓門到南門外
尹生侃奴家則菶芬及蔚與士行遠卿同坐
一室話久尹知事自新来慰備邊郎李純智
来見知事歸夕食後佩酒更来者獻亦至李
令公純信佩壷又来同醉致懇領台鄭判府
事琢沈判書喜壽金二相命元李叅判廷馨
盧大憲稷崔同知遠郭同知嶸送人問安
初二日壬戌雨雨終日與諸姪話方業進饌甚

豐
初三日癸亥晴早登南程金吾郎李士贇書吏
李壽永羅將韓彥香先到水原府余則秣馬
于仁德院暮投水原愼伏龍偶到見吾行備
酒慰之府使柳永健出見
初四日甲子晴早發登程到禿城下則半刺趙
撥備酒設幕吾山黃天祥家以待由振威到
黃以卜重出馬載送為謝不已由水灘投平
澤縣李内隱孫家則待之甚慇
初五日乙丑晴日出登途直到墳山拜哭因到
蕃家拜先廟聞南陽叔永世
初六日丙寅晴遠近親知皆来會叙曠而去
初七日丁卯晴金吾郎自牙縣来余往待甚懃
洪察訪李别坐尹孝元来見金吾宿于與伯
家
初八日戊辰晴設位哭南陽叔服晩到與伯家
接都事
初九日己巳晴洞中各佩酒壷慰遠行情不能
拒極醉而罷都事善飲不至亂
初十日庚午晴朝食後到與伯家與都事話

十一日辛未晴曉夢甚煩心懷極惡思戀病親
不覺淚下送奴探聽消息都事歸温陽
十二日壬申晴奴太文自安興梁入来傳簡而
初九日天只與上下無事到泊安興云豚蔚
先送于海汀
十三日癸酉晴早食後往延事出登海汀路路
入洪察訪家暫話間蔚送愛壽云時無船到
消息又聞黃天祥来到與伯家云與洪告别
到與伯家有頃奴順花至自船中告天只計
奔出擗踴天日晦暗即奔去于蟹巖則船已

至矣慟裂不可盡記 追錄

十四日甲戌晴洪察訪李別坐入哭治棺棺則在營備來少無欠處云 追錄

十五日乙亥晴晩入棺呉從壽盡心護喪粉骨難忘天安倅入来治行全慶福氏連日盡心製服等事哀感何言 追錄

十六日丙子陰雨曳船移泊中方浦靈柩上轝行還本家望里慟裂如何可言至家成殯雨勢大作南行亦迫呼哭呼哭只待速死而已天安倅還歸 追錄

十七日丁丑晴金吾書吏李壽永自公州到来促行 追錄

十八日戊寅雨雨終日氣甚不平只哭殯前退来奴今守家 追錄

十九日己卯晴早出登程哭辭靈筵天地安有如吾之事乎不如早死也到蕃家謁告先廟行到寶山院則天安倅先至川邊下馬而歇林川郡守韓述上京過去前路聞吾行入来吊去豚薈葂菶荄芬莞及卞主簿并隨至天安元仁男亦来見分手上馬行到日新驛宿夕雨灑 追錄

二十日庚辰晴朝飯于公州定天洞夕投尼城則主倅款待金德章偶到相見都事来見

二十一日辛巳晴早發到恩院則金瀷偶然到来云任達英以貿穀事到思津浦云其形跡極詭且譎夕宿于礪山官奴家中夜獨坐悲慟何堪

二十二日壬午晴午到參禮驛吏家夕到全州南門外李義臣家宿判官朴勤来見府尹亦厚接

二十三日癸未晴早發到烏原驛朝飯暮投任實縣則主倅例還倅洪彦純矣

二十四日甲申晴早發到南原十里外李喜慶奴家

二十五日乙酉多有雨意朝食後登途投雲峯朴龍家雨勢大作不能出頭因聞元帥已向順天云即送人于金吾處而留之主倅以病不出

二十六日丙戌陰而不霽早食登程到求禮縣孫仁弼家主倅急出来見待之甚慇金吾亦

来見
二十七日丁亥晴早發到順天松院則李得宗鄭愃来候夕到鄭元溟家則元帥知我之至送軍官權承慶致吊又問平否慰辭甚懇○夕主倅来見鄭思竣亦来多言元公悖妄顚倒之狀
二十八日戊子晴朝元帥又送軍官承慶問候因傳喪中氣困從氣蘇平出来云今聞親切軍官在於統制處云送簡與關文出来則率去看護云而簡與關成来

二十九日己丑晴慎司果及應元来見兵使亦以元帥聽議事入府云
三十日庚寅朝陰暮雨兵使李福男朝前来見多言元公之事監司亦到元帥處送軍官問信
五月初一日辛卯雨雨慎司果留話
初二日壬辰晩晴元帥往于寳城兵使往于本營巡使往于潭陽之路来見而歸府使来見陳興國至自左營揮淚而言元事李亨復申弘壽亦来南原奴末石来自牙山傳靈筵平安獨坐空軒悲慟何堪
初三日癸巳晴李竒男来見○蔚改名䓲䓲音悅萠芽始生草木盛長字義甚美○晩姜所酢来見而哭申時雨灑夕主倅来見
初四日甲午雨是日乃天只辰日悲慟何堪雞鳴起坐垂泣而已○午後雨大作鄭思竣来到李壽元亦来
初五日乙未晴朝府使来見晩忠清虞候元裕男至自閑山多傳元公之悖妄又道陣中將卒離叛勢將不測云云○是日午節也天涯

從軍遠離靈筵未營襄事是何罪辜得此報耶痛裂痛裂
初六日丙申晴晩綾城倅李繼命亦起復之人来見而歸鄭元溟還自閑山閑副察使出来左營以病留調云右水伯送簡而吊之
初七日丁酉晴朝定惠寺僧德修来納芒鞋拒之不納再三懇告給價送之○宋大器柳夢吉来見瑞山郡守亦自閑山来李元龍還自水營
初八日戊戌晴朝僧守仁率飯僧杜宇来○趙

琮改名瑛来見○元令送簡致吊是乃元帥
之令也
初九日己亥陰朝李亨立来見順天及第姜承
勳来募
初十日庚子陰雨晩大雨主人作麥飯而進副
使送吊状鹿島萬户宋汝悰亦致慰
十一日辛丑晴前光陽金惺以體相軍官到順
天因来見○副使到府鄭思立梁廷彦来傳
副使欲来見云而余以氣不平未見
十二日壬寅晴送李元龍問侯于副使副使又

送金德麟問安夕往鄉社堂與副使夜話三
更還宿處
十三日癸卯晴昨夜副使云上使送簡多歎令
公事○府使送行資未安未安
十四日甲辰晴朝府使来見而歸副使發向富
有○鄭思竣思立梁廷彦来告陪歸早食後
登程到松峙底歇馬雲峯朴龍来到暮到粲
水江下馬步渡到求禮主倅即来見
十五日乙巳或晴或雨與主倅終日話
十六日丙午晴夕南原探候人還告體相明日
由谷城入本縣留數日後因向晋州云
十七日丁未晴南原探候人還告元帥不往雲
峯之路以楊摠兵延接事馳往完山云吾行
狼狽為悶為悶
十八日戊申晴東風大吹金宗麗令公自南原
来見忠清水營營吏李燁来自閑山故家書
付之
十九日己酉晴以體相入縣留在城中未安移
出于東門外張世豪家主倅来見夕體相入
縣

二十日庚戌晴金僉知来見體相聞我之留先
送軍官李知覺俄頃又送軍官致吊云曾未
聞丁憂今始聞之驚悼驚悼因問夕可相見
余答以昏當進拜當昏入拜體相素服以待
從容論事出来時南從事送人問安
二十一日辛亥晴柳溥川海自京下来往閑山
立功云
二十二日壬子晴柳溥川往昇平因赴閑山故
全慶兩水使加里浦等處修問狀○晩體相
從事金光燁自晋州入縣裵伯起令公到来

云可得奉攄多幸多幸褒同知及主倅来見

二十三日癸丑朝鄭思龍李士順来見晩褒同知歸于閑山○體相送人招之故往拜論話從容多憤時事之已誤只待死日云明往草溪事告之則體相帖給募米二石而送之城外主人

二十四日甲寅晴朝光陽高彥善来見多傳閑山之事○體相送軍官李知覺問平否因傳欲圖畫慶尚右道沿海而無路幸以所見圖送云故余不能拒之草圖而應之

二十五日乙卯雨作朝欲發程而闕雨停行

二十六日丙辰大雨終日冒雨登程臨發蛇梁萬戶邊翼星来到暫得相面行到石柱關雨下如注艱難顛仆而行到岳陽李廷鸞家則閉門拒之金德齡之弟德麟借入余使莅強請入宿行裝盡濕

二十七日丁巳陰晴相半晩發到豆峙崔春龍家柳起龍来見

二十八日戊午陰而不雨晩發到河東主倅喜其相見邀接于城內別舍極致慇情

二十九日己未陰氣甚不平因留調理主倅多言情事

六月初一日庚申雨雨早發到清水驛歇馬暮投丹城地朴好元農奴家主人欣然接之而宿處不佳艱難過夜

初二日辛酉或雨或晴早發朝飯于丹溪晩到三嘉則主倅已往山城宿于空舘

初三日壬戌雨雨不能發程因宿焉

初四日癸亥晴早發臨行主倅送問狀且致行資到陝川地歇馬行到五里前則有岐路一

路直入郡一路由草溪故不越江而行纔十里則元帥陣望見矣接宿于文琡寓家○介峴行来奇巖千丈江水委曲且深路險棧危若扼此險則萬夫難過矣

初五日甲子晴朝草溪倅馳到即招入而話食後李中軍德弼亦馳来話舊有頃沈俊来見夕李承緒来言守伏逃避事

初六日乙丑晴毛汝谷主家隣居尹鑑文益新来見主家乃寡婦家即移他家

初七日丙寅晴元帥軍官朴應泗柳洪等来見

元帥從事官黃汝一送人問安故卽答謝而
送
初八日丁卯晴午後元帥到陣余卽往見與元
帥話到移時元帥示以朴惺上章草則朴惺
多陳元帥處事之踈脫元帥不自安上書于
體相前云到暮還来氣不平廢夕食
初九日戊辰陰雨晩送鄭翔溟于元帥處問安
初十日己巳晴元帥從事官送三陟洪漣海問
安晩欲来見云漣海者乃洪堅三寸姪也騎
竹同遊徐徽居陝川地聞余之至亦来見○

夕元帥從事官黃汝一来見因言山城無設
險之限當今討備踈虛等事
十一日庚午晴唐差官經略軍門李文卿来見
給扇柄而送○昨夕與從事論話時卞與伯
奴持家書来傳知靈筵平安懷痛可言但與
伯以我相見事到此空還淸道云可恨可恨
裵書送于興伯處○豚莀痛霍亂達夜呻吟
十二日辛未晴京奴與仁奴送于閑山陣簡于
全羅右水伯忠淸水使慶尙水使加里鹿島
呂島蛇渡裵同知金助防將巨濟永登南海

河東順天○晩僧將處英来見納圓扇芒鞋
故以物償送○午聞中軍將領軍赴敵云不
知其事往見元帥則右兵使馳報釜山之賊
欲焚於昌原等地西生之賊移陣於慶州云
送伏兵軍逼截耀兵云
十三日壬申晴兵虞候金自獻来見移時相話
十四日癸酉陰而不雨早朝李喜男入来牙山
靈筵與上下皆無事痛戀可言朝食後喜男
持簡往于右兵使處
十五日甲戌晴是日望日而身在軍中未能設

位而哭懷戀何言元帥從事官黃汝一送軍
官傳言元帥欲往山城云余亦隨往而到大
川邊慮有異議坐川上送鄭翔溟以病告之
因而還来
十六日乙亥晴招莀及李元龍造冊書卞氏族
譜○李喜男送簡言兵使不送○莀與鄭翔
溟往于大川洗戰馬而来卞光祖来見
十七日丙子陰而不雨朝食後往元帥前則多
言元公之不直又示備邊司啓下行移則曰
元均狀 啓內水陸俱進先擊安骨之賊然

後舟師進入于釜山等處安骨之賊未可先
討耶元帥狀 啓內統制使元均不欲進前
而姑以安骨先討為辭舟師諸將多有異心
而元均入內不出絕不與諸將合謀僨事可
知云○告元帥李喜男及卞存緖尹先覺並
為行移督來来時見黃從事論話移時還到
寓家送喜男奴于宜寧山城淸道則擺撥送
關
十八日丁丑陰而不雨黃從事送其奴問安唐
人葉盛自草溪来話且言唐人朱彥龍曾被

擄於日本今始出来則賊兵十萬已到沙自
麻或對馬島行長欲由宜寧直犯全羅淸正
則欲移慶州大丘等地因往安東云云○暮
元帥往泗川事来通故即送鄭司僕問行則
以舟師事往云
十九日戊寅曉到元帥陣則元帥與黃從事出
坐元帥以元公事告余曰統制之事不可言
安骨加德盡勦然後舟師進討云是誠何心
不過延拖不進之意故往泗川督之云余見
有 旨則安骨之賊不可輕入討之云○午

卞德基德章(右營吏) 卞慶琬(老除吏) 卞慶男(年十八)
来見進士李日章(進士信吉子)亦来
二十日己卯雨雨終日徐徹尹鑑文益新文琰
卞瑜来見
二十一日庚辰或雨或晴盈德縣令裵晉慶来
見多傳左道之事黃從事送問○夕卞存緖
尹先覺入来夜話
二十二日辛巳或晴或雨朝草溪倅備軟泡来
勸而多有敖慢之色○晚李喜男入来李先
孫来見

二十三日壬午雨朝火箭改鍊○晚右兵使送
簡兼致大小環刀羅宏子再興持其父簡来
見又致窘資未安未安李芳来見芳乃牙山
李夢瑞次子也
二十四日癸未曉霧四塞菁田耕種監官李元
龍李喜男鄭翔溟文林守等定送○安生員
克可来見論話時事陝川郡守送曹彥亨問
候
二十五日甲申晴更令種菁黃從事来見討論
兵事○夕京奴還自閑山聞實城郡守安弘

國中九致死不勝驚悼未捕一賊先喪二將
痛歎可言元帥今明還陣云
二十六日乙酉晴中軍將李德弼及卞弘達沈
俊等來見牙山奴平世入來靈筵平安各家
上下皆得平報葬日則七月二十七日八月
初四日推擇懷戀之至悲慟可言○右兵使
報于體相曰牙山李芳清州李喜男伏兵厭
憚避在元帥陣傍事體相移文于元帥元帥
極怒成公事送之未知兵使金應瑞之意也
二十七日丙戌晴魚應麟朴晋參來見李喜男

李芳往于體相行次所到處
二十八日丁亥晴黃海道白川居別將趙信玉
洪大邦來見○草溪吏告目元帥明往南原
云
二十九日戊子晴李喜男李芳等還來李中軍
來傳沈遊擊拿去而楊摠兵到三嘉結縛而
送之云
三十日己丑晴與陽申汝樑申霽雲等來見
七月初一日庚寅曉雨晩晴是日乃　仁廟國
忌而黃從事聽笛于大川邊云可愕

初二日辛卯晴
初三日壬辰晴井邑軍士李良崔彦環巾孫等
三人使喚事送來○陝川郡守吳澐來見多
言山城之事○午後往于元帥陣則左兵使
軍官押降倭二名而來乃清正所率云
初四日癸巳晴黃從事送鄭仁恕問安李芳及
柳滉來自募軍
初五日甲午雨下存緖往馬訖坊
初六日乙未晴卞存緖自馬訖坊還來安琨兄
弟亦隨興伯而來

初七日丙申晴宜寧倅金銓來自高靈多言兵
使處事顚倒
初八日丁酉晴家主李於海與崔台輔來見
初九日戊戌晴明欲送荄于牙山戀覲悲泣向
夜不寐
初十日己亥晴以送荄與卞存緖事坐以待曉
情不能自抑痛哭而送○黃從事來話移時
夕獨坐空堂懷思甚惡向夜不寐
十一日庚子晴卞弘達林仲亨來見
十二日辛丑方應元玄應辰洪禹功林英立等

自朴名賢處来到
十三日壬寅晴南海送簡多致食物又云戰馬率去晩李台壽趙信玉洪大邦来言討賊之事
十四日癸卯晴戰馬率来事送鄭翔溟于南海與方應元尹先覺玄應辰洪禹功等話禹功不欲從軍托辟病可愕○黄從事送鄭仁恕問安且示金海附賊人金億告目則初七日倭船五百餘隻出来于釜山初九日倭船千隻合勢與我舟師相戰于絶影島前洋而我

戰船漂到于豆毛浦七隻無去處云聞之不勝憤惋即馳去于黄從事處議事
十五日甲辰或雨或晴李中軍德弼来因聞舟師二十餘隻為賊所敗痛憤痛憤
十六日乙巳夕靈巖松進面居私奴世男自西生浦赤身到来問其由則七月初五日以虞候所騎船格軍漆川梁到泊初六日入于玉浦初七日未明由末串到多大浦則倭船八隻留泊諸船直突倭人無遺下陸空船掛在我舟師曳出衝火仍向釜山絶影島外洋値

賊船無慮千餘隻自對馬渡来相戰計料則倭船散亂回避終不得勦捕世男所騎船及他船六隻不能制船漂到西生浦前洋下陸之際幾盡就戮世男獨入林藪膝行得生艱難来此云聞来極可愕矣我國所恃惟在舟師舟師如是無復可望船將李燁為賊所縛云尤極痛惋
十七日丙午雨送李喜男于黄從事處傳世男之言
十八日丁未晴曉李德弼卞弘達来傳十六日

曉舟師大敗統制使元均全羅右水使李億祺忠清水使崔湖及諸將等多數被害云不勝痛哭有頃元帥到来曰事已至此無可奈何話到巳時不能定策余告以吾往沿海之地聞見而定云則元帥欣然余與宋大立柳滉尹先覺方應元玄應辰林英立李元龍李喜男洪禹功發程到三嘉縣則主倅新到出待韓致謙亦来
十九日戊申雨雨上丹城東山山城觀其形勢則極險賊不能窺也因宿于丹城

二十日己酉終日雨雨主倅来見午到晋州鼎盖山城下江亭晋牧来見宿于屈洞李希萬家

二十一日庚戌晴早發到昆陽郡則郡守李天樞在郡民多務本或收早穀或理牟田午後到露梁則巨濟倅安衛永登趙繼宗等十餘人来痛哭避出軍民莫不號哭慶尙水使走避不見虞候李義得来見因問取敗之狀人皆泣而言大將見賊先奔之致宿于巨濟船上與本倅話到四更少不睫目因得眼疾

二十二日辛亥晴朝裵楔来見多言元公敗亡事日晩到南海倅朴大男在處則病勢幾不能救矣午後到昆陽氣不平宿

二十三日壬子或雨或晴成公事付宋大立先送于元帥府随發到十五里院下馬暫歇到晋州屈洞前宿處宿裵伯起亦来

二十四日癸丑雨雨韓致謙李安仁歸于副使處食後移接于李弘勛家方應元自鼎盖城来傳黄從事到山城云裵助防將来見

二十五日甲寅晴黄從事送簡問安裵樹立及此地主人李弘勛来見朴南海送人言明日入来

二十六日乙卯或雨或晴往于鼎城下松亭與黄從事及晋牧話日晩還到宿處

二十七日丙辰雨雨終日移駐于鼎城越邊孫景禮家

二十八日丁巳雨雨李希良来見初更李同知薦及晋牧與白村察訪李蓍慶来論策應事

二十九日戊午或雨或晴出于川邊點軍馳馬則元帥所送皆無馬又無弓箭無用矣可歎

可歎朴南海来見

八月初一日己未大雨水漲李察訪蓍慶来見

初二日庚申乍晴

初三日辛酉晴早朝宣傳官梁護賫 教諭書入来乃兼三道統制使之 命肅拜後祗受書狀書封即日發程直由豆峙之路初更到行步驛歇馬三更登程到豆峙則日欲曙矣朴南海失路誤入江亭故下馬招来到雙溪洞則亂石稜稜新雨漲流艱難渡越到石柱關則李元春與柳海守伏見之多言討賊事

暮到求禮縣則一境寂然宿于城北門外前日主家則主人已避山谷云孫仁弼孫應男即來見獻早柿

初四日壬戌晴到鴨綠江院秣馬高山縣監以軍人交付事到來多言舟師事午到谷城則官舍閭里一空宿于同縣朴南海直往南原

初五日癸亥晴到玉果境則避亂之人彌滿道路下坐開諭入縣時逢李奇男父子到縣鄭思竣思立來迎縣倅托病不出欲為捉出罪之則來見

初六日甲子晴留玉果初更宋大立探賊而來

初七日乙丑晴早發直往順天路逢宣傳官元溵受有 旨兵使軍盡為潰還連絡道路故馬三匹弓箭若干奪來宿谷城江亭

初八日丙寅曉發朝飯于富有倉則兵使李福男已令衛火只餘灰燼所見慘然光陽倅具德齡羅州判官元宗義在倉底聞吾行到急走鳩峙余即傳令則一時來見余以轉避責之到順天則城內外人跡寂然而僧惠熙來謁故付以義將帖官舍倉穀軍器等物依然如舊兵使不為處置而退奔可歎銃筒等物移埋長片箭則軍官等分持而留宿

初九日丁卯晴早發到樂安則人多出謁五里問其奔散之由則皆言兵使以賊迫為惱衝火倉庫而退故以是而人民潰散云到郡則官舍倉穀盡為焚燒官吏村氓莫不揮涕而來見午後登程到十里許則父老列立路傍爭獻壺漿不受則哭而強之夕到寶城兆陽倉了無一人而倉穀則封鎖如故使軍官四員守直余則宿于金安道家其家主已為避

出

初十日戊辰晴以氣甚不平因留安道家裵同知亦同留

十一日己巳晴朝移于梁山沅家宋希立崔大晟來見

十二日庚午晴 啓本出草因留○巨濟鉢浦入來聽令因聞裵楔恇㥘之狀不勝增歎

十三日辛未晴巨濟鉢浦還歸虞候李夢龜承傳令入來而以本營軍器無一移載事決杖八十而送○河東縣監申蓁來傳初三日吾

行後晋州鼎盖城及碧堅山城罷散自潰云
可痛
十四日壬申朝各項書狀七度監封使尹先覺
陪送午後以御史相會事到實城宿于列仙
樓
十五日癸酉雨雨晩晴出坐列仙樓上宣傳官
朴天鳳持有 旨来即成祗受實城軍器點
閱四䭾分載
十六日甲戌晴朝令實城倅軍官等送于屈巖
搜得避去官吏等送人于朴士明家則士明

家已空云金希邦金鵬萬来
十七日乙亥晴朝食到長興地白沙汀秣馬到
軍營龜尾則一境已作無人之地
十八日丙子晴往于會寧浦則水使裵楔托水
疾不見宿于官舍
十九日丁丑晴諸將等 教書肅拜而裵楔則
不為祗迎其侮慢之態不可言其營吏决杖
二十日戊寅晴前浦窄狹移陣于梨津
二十一日己卯晴曉得霍亂重痛不省人事達
夜坐曉

二十二日庚辰晴霍亂漸重不能起動
二十三日辛巳晴病勢極重泊船不便棄船出
海而宿
二十四日壬午晴早到刀掛地朝飯到於蘭前
洋則到處已為空虛宿于洋中
二十五日癸未晴唐浦鮑作偷牛牽去而虛警
賊来余已知其誣拿虛警者二名即令斬之
軍中大定
二十六日甲申晴任俊英騎馬而来奔告賊兵
到梨津云○右水使来

二十七日乙酉晴裵楔来見多有恐動之色余
曰水使乃欲移避耶
二十八日丙戌晴賊船八隻不意入来諸船恐
㤼慶尚水使欲為避退余不為擾動令角指
旗追逐賊船退去追至葛頭而還夕移陣獐
島
二十九日丁亥晴到碧波津
三十日戊子晴仍陣碧波津
九月初一日己丑晴
初二日庚寅晴是曉裵楔逃去

初三日辛卯雨
初四日壬辰北風大吹各船僅得保完
初五日癸巳北風大吹
初六日甲午風乍息而波浪不定
初七日乙未風始定探望軍官林仲亨來告賊船五十五隻內十三隻已到於蘭前洋其意在舟師云故嚴飭各船申時賊船十三隻直向我船我船亦爲舉碇出海迎擊則賊回船奔避追至遠海風水俱逆不能行船還到碧波津是夜疑有夜警令各整待二更賊船放

砲夜警諸船似有恇㤼之狀更爲嚴令余所騎船直當賊船放砲則賊知不能犯三更退去
初八日丙申晴賊船不來招諸將論策右水使金億秋粗合一萬户不可授以閫任左台金應南以其厚情冒除以送可歎
初九日丁酉晴是日乃九日饋餉將士之際賊船二隻直入甘甫島探我船多寡永登萬户趙繼宗窮追不及
初十日戊戌晴賊徒遠遁

十一日己亥陰而雨獨坐船上懷戀淚下豚薈知吾情甚不平
十二日庚子雨雨
十三日辛丑晴北風大吹
十四日壬寅晴任俊英偵探陸地馳來言賊船二百餘隻內五十五隻已入於蘭前洋又言被擄逃還人仲乞傳言今月初六日避亂于達磨山爲倭所擄縛載倭船金海名不知人乞于倭將處解縛夜金海人附耳潛言曰朝鮮舟師十餘隻追逐我船或射殺焚船不可

不報復招聚諸船盡殺舟師然後直上京江云云此言雖不可盡信亦不無是理故送傳令船于右水營告諭避亂人即令上去
十五日癸卯晴數小舟師不可背鳴梁爲陣故移陣于右水營前洋招集諸將約束曰兵法云必死則生必生則死又曰一夫當逕足懼千夫今我之謂矣爾各諸將勿以生爲心小有違令卽當軍律再三嚴約是夜神人夢告曰如此則大捷如此則取敗云
十六日甲辰晴早朝別望進告賊船不知其數

直向我船云即令諸船擧碇出海賊船三百
三十餘隻回擁我諸船諸將自度衆寡不敵
便生回避之計右水使金億秋退在渺然之
地余促櫓突前亂放地玄各樣銃筒發如風
雷軍官等簇立船上如雨亂射賊徒不能抵
當乍近乍退然圍之數重勢將不測一船之
人相顧失色余從容諭之曰賊雖千隻莫敢
我船切勿動心盡力射賊顧見諸將船則退
在遠海觀望不進欲回船直泊中軍金應諴
船先斬梟示而我船回頭則恐諸船次次遠

退賊船漸迫事勢狼狽即令角立中軍令下
旗又立招搖旗則中軍將彌助項僉使金應
諴船漸近我船巨濟縣令安衛船先至余立
于船上親呼安衛曰安衛欲死軍法乎汝欲
死軍法乎逃生何所耶安衛慌忙突入賊船
中又呼金應諴曰汝為中軍而遠避不救大
將罪安可逃欲為行刑則賊勢又急姑令立
功兩船直入交鋒之際賊將指揮其麾下船
三隻一時蟻附安衛船攀緣爭登安衛及船
上之人殊死亂擊幾至力盡余回船直入如

雨亂射賊船三隻無遺盡勦鹿島萬戶宋汝
悰平山浦代將丁應斗船繼至合力射賊降
倭俊沙者乃安骨賊陣投降来者也在於我
船上俯視曰着畫文紅錦衣者乃安骨陣賊
將馬多時也吾使金石孫鉤上船頭則俊沙
踴躍曰是馬多時云故即令寸斬賊氣大挫
諸船一時鼓噪齊進各放地玄字射矢如雨
聲震河岳賊船三十隻撞破賊船退走更不
敢近我師此實天幸水勢極險勢亦孤危移
陣唐笥島

十七日乙巳晴到於外島則避亂船無慮三百
餘隻先到知舟師大捷爭相致賀又持斗斛
之粮以遺官軍羅州進士林瑄林懽林業等
来見

十八日丙午晴因留於外島吾船上順天監牧
官金卓及營奴戒生中丸致死朴永男奉鶴
及康津縣監李克新亦中丸不至重傷

十九日丁未早發行船風軟水順無事渡七山
海夕到法聖浦則兇賊由陸来到人家處處
焚蕩日沒時到弘農前洋泊船而宿

二十日戊申晴曉開船直到蝟島避亂船多泊
李光軸李至和父子来見
二十一日己酉晴早發到古羣山島湖南巡察
聞吾到来乘船急向沃溝云
二十二日庚戌晴北風大吹留○羅州牧使裵
應褧茂長倅李覽来見
二十三日辛亥晴修勝捷 啓草丁希悅来見
二十四日壬子晴氣不平呻吟金弘遠来見
二十五日癸丑晴氣甚不平虛汗沾身
二十六日甲寅晴氣不平終日不出

二十七日乙卯晴宋漢金國裵世春等持勝捷
狀 啓船路上去
二十八日丙辰晴宋漢爲風所阻還来
二十九日丁巳晴狀 啓及鄭霽還上去
十月初一日戊午晴兵曹驛子持公事下来傳
牙鄕爲賊焚蕩云
初二日己未晴豚薈乘船上去未知好往心思
可言
初三日庚申晴曉發船還到法聖浦
初四日辛酉晴留宿

初五日壬戌晴因留下村家而宿
初六日癸亥陰雨雪霏霏
初七日甲子風不順或雨或晴聞湖南內外俱
無賊船
初八日乙丑晴發船到於外島
初九日丙寅晴早發到右水營則城內外一無
人家又無人跡所見慘然聞兇賊海南留陣
云○初昏金宗麗鄭詔白振男等来見
初十日丁卯雨灑北風大吹二更中軍將金應
誠来傳海南賊多有奔退之狀○氣不平或

坐或臥而曉○右虞候李廷忠来船不見逃
在外島故也
十一日戊辰晴四更風氣似息故擧碇到洋中
偵探人李順朴淡同朴守煥太貴生迸于海
南海南煙氣漲天云必賊徒走歸而衝火也
午到發音島風利日和下陸上上峯審見船
藏處東有前島不能遠望北通羅州靈巖月
出山西通飛禽島眼界通豁有頃中軍將及
禹致績上来趙孝南安衛禹壽繼至日暮下
峯岸坐趙繼宗来言賊倭情形又言倭等深

厭舟師云
十二日己巳雨雨加里浦長興等諸將來話終日探船經四日不來為慮然想兇賊遠遁追踪而去不還也
十三日庚午晴裵助防及慶尙虞候來見有頃探船載任俊英來因聞賊奇則海南入據之賊初七日見舟師下來十一日無遺奔逃而海南鄕吏宋彦逢及愼容等入賊中導引倭奴多殺士人云不勝痛憤卽令順天倅禹致績金甲萬戶李廷彪薺浦萬戶朱義壽唐浦萬戶安以命助羅萬戶鄭公淸及軍官林季亨鄭翔溟逢佐大貴生朴壽煥等送海南○晩與裵助防長興倅田鳳等話○是日決右虞候李廷忠落後之罪○夕因中軍金應諴聞島內不知某人隱竄于山谷殺牛馬云故送黃得中吳水等探之
十四日辛未晴四更夢余騎馬行邱上馬失足落川中而不蹶末豚葂似有扶抱之形而覺不知是何兆耶夕有人自天安來傳家書未開封骨肉先動心氣慌亂粗展初封見葂書則外面書痛哭二字知葂戰死不覺墮膽失聲痛哭痛哭天何不仁之如是耶我死汝生理之常也汝死我生何理之乖也天地昏黑白日變色哀我小子棄我何歸英氣脫凡天不留世耶余之造罪禍及汝身耶今我在世竟將何依號慟而已度夜如年
十五日壬申風雨終日林仲亨朴信以探賊事乘小船往于興順等海
十六日癸酉晴右水使及彌助項僉使送于海南海南倅柳珩亦送○余以明日乃末子聞喪第四日不能任情痛哭到于營中姜莫只家○二更順天府使虞候李廷忠金甲薺浦等還自海南斬賊十三級及投入宋彦逢等而來
十七日甲戌晴曉哭子服悲痛何堪右水使來見
十八日乙亥晴林季亨林俊英入來
十九日丙子晴尹健等捉附賊人二名而來
二十日丁丑晴彌助項僉使海南康津縣監以海南軍粮輸載事告歸安骨萬戶禹壽亦告

歸晩金宗麗鄭遂白振男来見且言尹志訥悖戾之狀○以金宗麗所音島等十三島塩塲監煑都監撿差送

二十一日戊寅或雨或雪風色甚寒慮舟人寒凍不能定心也○務安縣監南彦祥入来彦祥元屬舟師之官欲為私保之計不到舟師竄身山谷已閱旬月及其賊退之後恐被重律始為来現其為情狀極可駭矣

二十二日己卯朝雪晩晴軍器直長宣起龍持有 旨及議政府榜文而至○海南倅柳珩

附賊人尹海金彦京結縛上送故堅囚之務安縣監南彦祥囚于加里浦戰船

二十三日庚辰晴尹海金彦京行刑白進士振男来見

二十四日辛巳晴海南倭軍粮三百二十二石載来○初更宣傳官河應瑞持有 旨入来則乃虞候李夢龜行刑事因聞唐舟師到江華云四更末又宣傳官及金吾郎到来云平明入来則宣傳官權吉金吾郎洪之壽以務安倅木浦多慶浦萬户拿去事

二十五日壬午晴氣甚不平初更宣傳官朴希茂持有 旨入来則乃 天朝水兵泊船可合處商量馳 啓事

二十六日癸未雨灑

二十七日甲申晴靈光郡守之子田得雨以軍官来現

二十八日乙酉晴朝各項 啓本監封授皮銀世而送

二十九日丙戌晴四更發船向木浦泊于寶花島則西北風似阻甚合藏船故下陸巡見島

内則多有形勢欲為留陣造家之計

三十日丁亥晴朝下坐造家處諸將来謁海南倅亦来傳附賊人所為○使黄得中往于島北峯造家材木斫来○晩海南附賊人鄭銀夫及金信雄倭奴指示殺戮我人者二名士族處女奪奸金愛男并斬之

十一月初一日戊子雨雨夕北風大吹達夜摇舟人不能自定

初二日己丑陰下坐船滄監造橋因上新家造處乘昏下船

初三日庚寅晴早上新家造處宣傳官李吉元
以裵楔處斷事入来裵楔已至星州本家而
不往于彼直来于此其循私之罪極矣
初四日辛卯晴早上新家造立處珍島郡守宣
義卿来
初五日壬辰晴暖如春日早上新家造處靈巖
郡守李宗誠来炊飯三十斗饋役軍且言軍
粮米二百石租七百石備之云○是日使實
城與陽看造軍粮庫
初六日癸巳晴早上新家造處終日徘徊不覺

日暮全羅右虞候以斫木事往黄原場
初七日甲午晴且暖海南義兵倭頭一級環刀
一柄来納前鴻山倅尹英賢生員崔潗来見
且納軍粮租四十石米八石本營朴注生斬
倭二級而来前縣監金應仁来見
初八日乙未晴温且無風李重和父子来見
初九日丙申晴温如春日
初十日丁酉雨雪交下西北風大作艱難護船
李廷忠来言長興之賊奔出云
十一日戊戌晴上新家造處平山新萬户呈到
任狀乃河東倅兄申萱也
十二日己亥晴
十三日庚子晴
十四日辛丑晴海南倅柳珩来多傳尹端中無
理之事故囚于中軍船
十五日壬寅晴暖如春日上新家林懽及尹英
賢来見夜宋漢自京入来
十六日癸卯晴見軍功磨鍊記則安衛為通政
其餘次次除職銀子二十兩賞　賜賊臣唐
將楊經理致紅緞一疋曰欲掛紅於船而遠

不能為云領台答簡来
十七日甲辰雨雨楊經理差官持招諭文免死
帖来
十八日乙巳晴暖如春日尹英賢来見鄭漢起
亦来
十九日丙午晴裵助防將長興来見
二十日丁未雨任俊英来傳莞島偵探則無賊
船云
二十一日戊申晴宋應璣率山役軍往海南有
松木處

二十二日己酉陰長興之賊二十日奔出之報
至
二十三日庚戌大風大雪
二十四日辛亥雨雪西北風連吹
二十五日壬子雪
二十六日癸丑雨雪
二十七日甲寅晴長興勝捷 啓本修正
二十八日乙卯晴務安居進士金德秀軍粮租
十五石来納
二十九日丙辰晴麻游擊差官王才以水路

天兵下来云田希元鄭鳳壽来務安縣監亦
来
十二月初一日丁巳晴温和慶尚水使李立夫
到陣與之論策
初二日戊午晴日氣極暖如春靈巖鄉兵將柳
長春不報討賊之由决杖五十尹鴻山金宗
麗白振男鄭遂等来見
初三日己未晴大風氣不平慶尚水使来見
初四日庚申晴極寒
初五日辛酉晴軍功諸將等賞職帖分給○都
元帥軍官持有 旨来則令因宣傳官聞統
制使李舜臣尚不從權諸將以為悶云私情
雖切國事方殷古人曰戰陣無勇非孝也戰
陣之勇非行素氣力困憊者之所能為禮有
經權未可固守常制卿其敎諭予意使之開
素從權幷 賜權物尤用感慟感慟
初六日壬戌羅德峻鄭應清来見
初七日癸亥晴
初八日甲子晴
初九日乙丑晴奴木年入来
初十日丙寅晴荄苾及珍原與尹侃李彦良入

来出坐造船處
十一日丁卯晴慶尚水使及右水使来見
十二日戊辰晴
十三日己巳或雪
十四日庚午晴
十五日辛未晴
十六日壬申晴晩雪
十七日癸酉雪風交酷别荄姪
十八日甲戌雪

十九日乙亥雪下終日
二十日丙子珍原大夫人及尹侃上去
二十一日丁丑雪朝尹鴻山自木浦来見
二十二日戊寅雨雪交下咸平縣監入来
二十三日己卯雪深三寸
二十四日庚辰或雪或晴
二十五日辛巳雪朝莞還歸巡察到陣與之相
議兵事沿海十九邑專屬舟師
二十六日壬午雪與方伯穩話兵策晚慶尚水
伯裵助防將来見

二十七日癸未雪巡使還歸
二十八日甲申晴慶尚水伯裵助防將来見
二十九日乙酉晴
三十日丙戌風雪寒凍極嚴諸將皆来見○是
夜卒歲悲慟尤劇
戊戌正月初一日丁亥晴晚暫雪諸將皆来會
初二日戊子晴　國忌不坐新船落堺海南倅
珍島倅来見而歸
初三日己丑晴
初四日庚寅晴（自初五日至九月十四日缺）

九月十五日丁酉晴與陳都督一時行師到羅
老島
十六日戊戌晴留羅老島
十七日己亥晴留羅老島
十八日庚子晴未時行師到防踏
十九日辛丑晴朝移泊左水營前洋則所見慘
然三更移泊于何介島未明行師
二十日壬寅晴辰時到柚島則　天將劉提督
已爲進兵水陸挾攻賊氣大挫多有惶懼之
狀舟師出入放砲

二十一日癸卯晴朝進兵終日相戰而水潮至
淺不能迫戰南海之賊乘輕船入来哨探之
際許思仁等追之賊下陸登山其船與雜物
奪来即納都督
二十二日甲辰晴朝進兵相戰而游擊中丸左
臂不至重傷唐人十一名中丸而死知世萬
戶玉浦萬戶中丸
二十三日乙巳晴
二十四日丙午晴南海人金德有等五人出来
傳其境賊情陳大綱歸

二十五日丁未晴陳大綱還來劉提督簡來傳
金鼎鉉來見
二十六日戊申晴鄭應龍來言北道事
二十七日己酉雨西風大起邢軍門送書嘉水
兵之速進食後見陳都督從容論話夕愼好
義來見而宿
二十八日庚戌晴西風大起大小船不得出入
二十九日辛亥晴
三十日壬子晴是夕王游擊福游擊李把摠率
百餘船到陣燈燭炫煌賊徒必破膽

十月初一日癸丑晴都督曉到劉提督處暫時
相話
初二日甲寅晴卯時進兵我舟師先登至午相
戰多致殺賊蛇渡僉使逢九戰亡李清一亦
爲致死薺浦萬戶朱義壽蛇梁萬戶金聲玉
海南縣監柳珩珍島郡守宣義卿康津縣監
宋尙甫中丸不死
初三日乙卯晴都督因劉提督之密書初昏進
戰至三更搏擊沙船十九隻唬船二十餘隻
被焚都督之顚倒不可言安骨萬戶禹壽中
丸
初四日丙辰晴朝進船攻賊終日相戰賊徒蒼
黃奔走
初五日丁巳晴西風大吹各船艱難浮泊度日
初六日戊午晴西風大吹都元帥送軍官致書
曰劉提督欲爲奔退云痛憤痛憤
初七日己未晴劉提督差官來告督府曰陸兵
暫退順天更理進戰云
初八日庚申晴
初九日辛酉陸兵已撤故與都督領舟行到海

岸亭
初十日壬戌到左水營
十一日癸亥晴
十二日甲子到羅老島(自十三日至十一月初七日缺)
十一月初八日(干支缺)詣都督府設慰宴乘昏乃
還俄頃都督請見即進則順天倭橋之賊初
十日間撤遁之奇自陸地馳通急急進師遮
截歸路云
初九日(干支缺)與都督一時行師到白嶼梁結陣
初十日(干支缺)到左水營前洋結陣

十一日干支缺 到柚島結陣

十二日干支缺

十三日干支缺 倭船十餘隻見形于獐島即與都督約束領舟師追逐倭船退縮終日不出與都督還陣于獐島

十四日干支缺 倭船二隻講和事出来中流都督使倭通事迎倭船戌時倭將乘小船入来督府猪二口酒二器獻于都督云

十五日干支缺 早朝往見都督暫話乃還倭船二隻講和事再三出入都督陣中

十六日干支缺 都督使陳文同入送倭營俄而倭船三隻持馬與槍劒等物進獻都督

十七日干支缺 昨日伏兵將鉢浦萬户蘇季男唐津浦萬户趙孝悅等倭中船一隻滿載軍粮自南海渡海之際追逐於閑山前洋則倭賊依岸登陸而走所捕倭船及軍粮被奪於唐人空手来告

李忠武公全書卷之八

李忠武公全書卷之九目錄

附錄一

行錄二

李忠武公全書卷之九目錄

李忠武公全書卷之九

附錄一

行錄

從子正郎芬

嘉靖乙巳三月初八日子時公生于漢城乾川洞家卜者云此命行年五十杖鉞北方公之始生也母夫人夢參判公告曰此兒必貴宜名舜臣母夫人以告德淵君遂名之

爲兒戲嬉每與羣兒作戰陣之狀而羣兒必推公爲帥初從伯仲二兄受儒業有才氣可成功然每有投筆之志

丙寅冬始學武膂力騎射一時從遊者莫有及焉公性高亢同遊武夫終日慢言相戲而獨於公不敢爾汝常加尊敬

壬申秋赴訓鍊院別科馳馬跌左脚折骨見者謂公已死公一足起立折柳枝剝皮裹之擧場壯之

丙子春中式年丙科講武經皆通至黃石公考官問張良從赤松子遊則良果不死耶答曰有生必有死綱目書壬子六年留侯張良卒則安有從仙不死之理特托言之而已考官相顧歎異曰此豈武人所能知哉

公以新　恩榮拜先塋見石人傾仆於地命下輩數十人扶起石重不能勝之公喝退下輩不脫靑袍而背負之石忽起立觀者謂非力所能致也

性不好奔走以此雖生長於洛中而罕有知者獨西厓柳相公以同里少友每許其有將帥才也

栗谷李先生爲銓相時聞公名且知其爲同姓因西厓請一見西厓勸往公曰我與栗谷同姓

可以相見而見於銓相時則不可竟不往

是年冬爲咸鏡道童仇非權管時李靑蓮後白爲監司巡行列鎭試射邊將邊將免杖者少至本堡素聞公名甚款接公仍從容言曰使道刑杖頗嚴邊將無所措手足矣監司笑曰君言好矣然我豈無是非而爲哉

己卯春爪滿歸仕訓鍊院時有兵部郎者爲其所私者欲越遷參軍公爲色官不許曰在下者越遷則應遷者不遷是非公也且法不可改也兵郎以威強之公堅執不從兵郞雖盛怒而亦

不敢擅還一院相謂曰某以兵部郎見屈於訓鍊一奉事其人深銜之

公在訓鍊院時兵曹判書金貴榮有庶產欲與公為妾公曰吾初出仕路豈宜托跡權門立謝媒人

是年冬公為忠清兵使軍官於所居房裏不置一物唯衣衾而已以覲省歸時必籍所餘粮饌召主粮者還之兵使聞而愛敬之

一日暮兵使因醉酒携公之手欲往軍官某人之房其人盖兵使平日之所親而来為軍官者

也公意大將之於軍官不可私自往訪佯醉而奉執兵使之手曰使道欲何之兵使悟之即頹坐曰吾醉矣吾醉矣庚辰秋為鉢浦萬户時監司孫軾聽讒言必欲罪公巡到綾城召公迎命因講陣書畢使圖陣形公握筆圖寫甚整監司俯案熟視曰是何筆法之精也因問其先世曰恨我初不能知也自此重待之

左水使成鏄遣人本浦欲斫客舍庭中桐木為琴公不許曰此官家物也栽之有年一朝伐之何也水使大怒然亦不敢取去也

李戩為水使惡公不事軟熟欲因事罪之即於所屬五浦不意點軍四浦則所闕甚多本浦則只三人而水使惟舉公名馳　啓請罪公知之先得四浦所闕草本營褊裨以下列白於水使曰鉢浦所闕最寡而李某又得四浦闕本今若馳　啓恐有後悔水使然之急走趕足追還

水使與監司相會論殿最必欲置公下考時趙重峯憲為都事握筆不肯書曰詳聞李某之御衆治軍冠於一道雖使列鎮皆置下下而李某則不可貶遂止壬午春軍器敬差官到本浦

啓以軍器不修而罷之人以為公之修備器械如彼其精嚴而竟以遭罰謂公被前日訓鍊院不屈之銜也

是年夏有敘　命公復仕訓鍊院柳相琠聞公有好箭筒因公試射招公索之公俯伏曰箭筒則不難進納而人謂大監之受何如也小人之納又何如也以一箭筒而大監與小人俱受汚辱之名則深有未安柳相曰君言是也

癸未秋李戩為南兵使奏公為軍官盖深悔前日不知公而欲因與相交也見公歡甚親密倍

於他人大小軍務必議之一日兵使行軍將赴
北公以兵房軍官行軍自西門出兵使大怒曰
我不欲西門出而乃由西門出何也公對曰西
金方也於時屬秋秋主肅殺故出自西耳兵使
大悅
是年冬爲乾原權管時賊胡鬱只乃大爲邊患
朝廷憂之而不能擒討公到任設策誘之鬱只
乃與藩胡来到公伏兵擒之兵使金禹瑞忌公
之獨成大功以公不稟主將擅擧大事爲 啓
則 朝廷方欲加大賞而姑以主將之 啓停

之不行
公在乾原以訓鍊院仕滿陞叅軍公雖名聲藉
甚而不好奔競不得横出論者惜之
是冬十一月十五日德淵君捐館于牙山地明
年正月公始聞喪時鄭相公彦信巡察于咸鏡
聞公奔喪慮公致傷屢遣人於道請公成服而
行公以不可一刻遲滯遂行至家成服是時
朝廷方議公大用甫過小祥而問公服闋之日
者再三矣
丙戌正月終喪即除司僕寺主簿行公僅十六

日造山萬户有闕 朝廷以胡亂方殷造山迫
近胡地當極擇遣之薦公爲萬户
丁亥秋兼康屯島屯田之任以本島孤遠且防
守軍少爲慮屢報於兵使李鎰請添兵鎰不從
八月賊果擧兵圍公木柵有衣紅氈者數人在
前麾進公彎弓連中其紅氈者皆仆于地賊退
走公與李雲龍等追擊之奪還被擄軍六十餘
名是日公亦中胡矢傷左股恐驚衆潛自拔矢
而已
兵使欲殺公滅口以免已罪收公欲刑之公將

入兵使軍官宣居怡素厚於公執手流涕曰飮
酒而入可也公正色曰死生有命飮酒何也居
怡曰酒雖不飮水則可飮公曰不渴何必飮水
遂入鎰使供敗軍狀公拒之曰我以兵單屢請
添軍而兵使不許書目在此 朝廷若知此意
則罪不在我且我力戰退賊追還我人欲以敗
軍論之可乎略不動聲色鎰不答良久但囚之
事聞 上曰李某非敗軍之類白衣從軍使之
立功是冬有功蒙 宥
戊子閏六月還家時 朝廷薦武弁可不次擢

用者公居第二而以叙 命未下不得除官
已丑春全羅巡察使李洸以公為軍官仍歎曰
以君之才抱屈至此可惜仍奏公為本道兼助
防將公行到順天府使權俊因飮謂公曰此府
甚好君可代吾乎頗有矜傲之色公但笑之而
已
十一月以武兼宣傳官上京十二月除井邑縣
監嘗以兼官到泰仁縣時泰仁久無主倅簿書
堆積公剖決如流頃刻而盡其民環聽傍觀無
不歎服至有呈文御史請以公為泰仁者

時曹大中為都事曾以書問安於公公以本道
都事之故不容不答修書而送之其後大中繫
逆獄其家書籍盡見搜括公適以差貟上京道
遇金吾郎與公相知者也謂公曰公札亦在搜
中吾欲為公拔去之何如公曰昔者都事送簡
於我我亦答之只相問安而已且已在搜中私
相拔去未安未幾除公滿浦僉使議者謂 上
見公之文筆而寵之也
公以差使貟入京鄭右相彦信時在獄中公問
安於獄門之外見金吾郎相會於堂上飮酒作
樂公謂金吾郎曰勿論有罪無罪一國大臣在
於獄中而作樂於堂上無乃未安乎金吾郎改
容謝之
公之二兄早世其子女皆稚幼仰育於大夫人
公之為井邑也二兄子女並隨大夫人而往焉
或以濫率非之公泫然曰吾寧得罪於濫率不
忍棄此無依閒者義之
庚寅七月除高沙里僉使臺諫以守令遷動為
言仍任本縣八月陞堂上除滿浦僉使臺諫又
以驟陞改正仍任

辛卯二月移差珍島郡守未及赴任除加里浦
僉使又未及赴任同月十三日除全羅左道水
使自井邑赴任
公之初除水使也公之友人夢見大樹高可參
天枝條滿於兩間人民之托身於其上者不知
其千萬焉而其樹本拔將傾有人以身扶之視
之則乃公也後人以比文天祥擎天之夢
公在水營知倭寇必來本營及屬鎭戰具無不
修備造鐵鎻橫截於前洋又創作戰船大如板
屋上覆以板板上有十字形細路以容人之上

行餘皆揷以刀錐四無着足之處前作龍頭口為銃穴後為龜尾尾下有銃穴左右各有六穴大槩狀如龜形故名曰龜船及後遇戰以編茅覆於錐刀之上而為之先鋒賊欲登船陷之則斃於刀錐欲来掩圍則左右前後一時銃發賊船雖蔽海雲集而此船之出入横行所向披靡故前後大小戰以此常勝焉

朝廷因申砬 啓辭請罷舟師專意陸戰公馳啓以為遮遏海寇莫如舟師水陸之戰不可偏廢 朝廷可其奏

壬辰四月十六日聞倭賊陷釜山公急召諸將咸集本營議以進討之事皆以為本道舟師當守本道往討嶺南之賊恐非其任獨軍官宋希立曰大賊壓境其勢長驅坐守孤城未有獨保之理不如進戰幸而得勝則賊氣可挫不幸戰死亦無愧於人臣之義鹿島萬户鄭運曰人臣平日受恩食禄於此時不效死而敢欲坐視乎公大悅厲聲曰賊勢鴟張 國家岌岌豈可諉以他道之將而退守其境乎我之試問者姑見諸將之意耳今日之事惟在進戰而死敢言不可進者當斬之一軍股慄自後多奮願效死

五月初一日遠近諸將畢聚於營前洋戰船二十有四隻呂島水軍黄玉千欲逃避斬之以徇

初四日領諸將進至唐浦使人求慶尚右水使元均所在時元均戰船七十三隻盡敗於賊而獨餘玉浦萬户李雲龍永登萬户禹致績所乘船各一隻均則只以一小船在於傑望浦公以均習嶺南水路邀之因給戰船一隻約與同事

初七日到玉浦見倭船三十餘隻列於海口公麾旗進軍諸將踴躍先登盡捕滅之後以此陞

嘉善

初八日至固城月明浦結陣休兵因全羅都事崔鐵堅報聞 大駕西狩公西向痛哭姑還師本營

二十九日公夢白頭翁蹴公曰起起賊来矣公起即領諸將進至露梁則賊果来矣見公退走追至泗川燒破十三隻賊被箭溺水者百數是日公亦中丸貫左肩至于背流血至踵公猶不釋弓矢終日督戰戰罷使以刀尖割肉出丸深入數寸軍中始知之莫不驚駭而公談笑自若

公每戰約諸將曰一馘斬時可射累賊勿憂首級之不多惟以射中為先力戰與否吾所目見以此前後戰時惟射殺無數而不尚首功

六月初一日進陣於蛇梁之後初二日朝至唐浦前值賊二十餘艘其中一大船上有層樓高可二丈四面施紅羅帳閣上有倭將着金冠衣錦衣兀坐督戰我師以片箭亂射中之倭將墮於閣下諸賊中矢顛仆者不知其數遂盡殲之得灑金圍扇一柄右邊書曰羽柴筑前守左邊書曰龜井劉矩守陞中曰六月八日秀吉書戰

罷日已向午諸軍饞欲息肩忽報賊至公佯為不聞又急報曰賊至無數公怒曰賊至便戰而已時將士困鬬氣竭頗有遑遽之色公令皃朝来所捕賊將所乘樓船出於前洋去賊一里餘而焚之火延船中積藥齊發暴雷響空絳焰影天賊環視氣奪不進而退是夜軍中夜驚擾亂不止公堅卧不動良久使人搖鈴乃定

六月初四日進屯唐浦前洋全羅右水使李億祺率戰船二十五隻舉帆鳴角而來諸船將士連戰方困之際得見援師一軍增氣公謂億祺曰倭賊鴟張 國家危急在於朝暮令公来何遲也

初五日公與李億祺早朝同發至固城之唐項浦與賊相遇有一大船三層樓閣外垂黑緇帳前立青蓋賊將坐於其中射斬之中船十二小船二十一時撞破斬七級射殺無數餘賊棄舟走陸軍聲大振以此陞資憲

初七日朝至永登浦賊在栗浦望見我師遁走南洋公令諸船追捕之蛇渡僉使金浣虞候李夢龜鹿島萬户鄭運各全捕一船合倭頭三十

六級

初九日公及李億祺元均率諸將船徑詣天城加德等地搜檢賊遁逃不見形影遂班師

十四日在本營作 啓草二本曰臣今率戰船數萬艘以飛將軍某為先鋒直擣日本國某月某日發行云云遣軍官持其一本投之京城路上要使賊見之

七月初八日公與李億祺元均等聞賊自梁山將向湖南各領諸船進至固城之見乃梁賊先鋒三十餘船果至矣而其後羣船無數蔽海公

謂此地海隘港淺不足以用武欲誘致大海而破之令諸將佯爲退北賊乘勝追之至閑山島前海面甚濶賊船畢集公揮旗鳴鼓促令還戰諸船揚帆直前砲箭雷發煙焰漲天頃刻之間腥血赤海賊七十三船無隻櫓得返人謂之閑山之捷是役也被擄人還言曰龍仁潰散之後賊將之在京中者皆謂朝鮮無人而獨以舟師爲難焉有平秀家者攘臂大言欲自當之故諸賊以秀家爲舟師將閑山之賊是也其後熊川人諸末會被擄往日本國爲書記時見對馬島

所移日本國書則曰日本與朝鮮舟師相戰敗死者九千餘人云云以此陞正憲

初九日聞一枝倭船駐屯安骨浦公與李億祺元均等領兵齊到則賊裹船以鐵蔽以濕綿見我師出死戰之計或持丸登岸或在舟力鬪我軍乘銳摧之賊不能支岸者走舟者死燒破四十二船

九月初一日公與李億祺元均助防將丁傑等相議曰釜山爲賊根本蕩覆其穴則賊膽可破遂與進至釜山則賊於屢敗之餘畏我威不敢出唯登高放丸而已撞破空船百有餘隻鹿島萬戶鄭運中丸死公痛之不已親作文以祭之

公別貯精米五百石於一處封之或問何用公曰　主上越在龍灣箕城之賊若又西突則車駕將渡海矣在吾之職當以龍舟浮海迎駕天未亡唐則仍圖恢復雖至不幸君臣同死於我國之地可也且吾不死則賊必不敢來犯矣

癸巳二月初八日公與李億祺相議進討之計發船進至釜山則熊川之賊扼釜山之路據險

藏船多作巢穴公或遣伏誘引或出入挑戰賊畏怯兵威不出洋中只以輕疾船闖然浦口旋入巢穴但以旗幟多設於東西山麓登高放丸陽示驕橫之狀我師不勝慷慨左右齊進砲箭交發勢若風雷如是者終日顚仆死者不知其幾許矣左別都將李渫左突擊將李彦良窮逐倭三船所騎數百餘賊其中賊將着金胄紅甲大呼促櫓我師以皮翎箭射賊首即仆于洋中餘賊亦皆射殺之

二十二日公與李億祺及諸將相議曰賊畏我

兵威不出累日相戰未必盡殲若水陸攻之則
賊氣可挫即令三道舟師各出輕完船五隻突
戰于賊船列泊之處又令義僧兵及三道驍勇
射夫等所騎船十餘隻東泊於安骨浦西泊於
薺浦下陸結陣賊畏其水陸之交攻東西奔走
與之應戰水陸將士左右突戰遇輒撞破羣倭
頓足痛哭而已時李應漑李慶集等乘勝爭突
撞破賊船回船之際兩船相搏遂致傾覆公即
啓曰臣以無狀叨守重寄日夜憂懼思報涓埃
之效上年夏秋兇賊肆毒水陸移犯之際幸賴

天佑屢致勝捷領下之軍莫不乘勝驕氣日增
爭首突戰唯恐居後臣以輕敵必敗之理再三
申飭猶且不戒至使一隻統船終致傾覆多有
死亡此臣用兵不良指揮乖方之故也極為惶
恐伏藁待罪
七月十五日公以本營僻在湖南難於控制遂
請移陣於閑山島　朝廷從之島在巨濟南三
十里一山包海曲内可以藏船外不得以窺中
而倭船之欲犯湖南者必由是路公每以為形
勝之地也至是來陣其後　天將張鴻儒登眺
久之曰眞陣處也
八月　朝廷以三道水使不相統攝必有主將
可也以公兼三道水軍統制使仍本職
元均自以先進恥受制於公公每優容之
公在陣每以兵食為憂募民屯作差人捕魚至
於煑鹽陶瓮無不為之舟載販貿不踰時月積
穀巨萬
公在陣未嘗近女色每夜寢不解帶纔宿一二
更輒召人咨議以至于明又所啖食朝夕五六
合而已見者深有食少事煩之憂

公精神倍於他人時與客爛飲至于夜分而雞
既鳴則必明燭起坐或看文書或講籌策
甲午正月十一日乘舟從風往謁母夫人于寓
所翌日告辭母夫人教以好赴陣中大雪國辱
再三諄諭少無惜別之意
三月有譚都司者以講和事自　天朝至熊川
賊陣移牌文於公曰日本諸將俱欲卷甲息兵
爾當速回本處地方毋得近日本營寨以起釁
端公答書曰嶺南沿海莫非我土而謂我近日
本營寨者何也欲我速回本處地方所謂本處

地方指何方也倭賊無信欲和者詐也吾為朝
鮮臣子義不與此賊共戴一天時公得染病症
頗重猶一日不臥視事如舊子弟請休攝公曰
與賊相對勝敗决於呼吸為將者不之死則不
可臥強病十二日

癸巳甲午年間癘氣大熾陣中軍民死者相繼
公定差使員收骨瘞之裁文祭之

一日又作文行癘祭臨祭之曉公夢有一隊人
訴寃於前公問何為對曰今日之祭戰亡者病
死者無不得食而我等獨不與焉公曰汝等何

鬼曰溺死之鬼也公起取祭文覩之則果不載
焉遂命並祭之

公以軍中戰具莫大於銃筒必用銅鐵而無見
在遂廣募民間一時所得多至八萬餘斤鑄分
諸船不可勝用

公嘗月夜有吟曰水國秋光暮驚寒鴈陣高憂
心輾轉夜殘月照弓刀又作歌一闋詞甚激烈
歌曰閑山島月明夜上戍樓撫大刀深愁時何
處一聲羗笛更添愁

元均怨公之位在己右以為為公所擠而然每
逢人必垂泣而道之或至臨戰號令亦不遵公
謂與賊對壘必誤大事乙未二月啓　聞請遞
已職　朝廷以大將不可變易遂移拜元均忠
清兵使

裴楔代元均為水使楔性矜己傲物未嘗向人
低心及來陣中見公處事出語人曰不圖得見
豪傑於此島之中矣

八月完平李相公以都體察下兩南副察及從
事官等隨之相公之到湖南也水軍之呈狀者
無數而相公故不决之皆卷令作軸載往於晋

州招公議事仍令吏人持水軍呈狀積於公前
不知其數百張也公右秉筆左曳紙剖决如流
斯須而盡相公與副察取見之則咸當其理相
公驚曰吾輩之所未能令公何能若是公曰此
皆舟師事故習於耳目而然也

相公與副察及從事等同乘公舟入閑山陣中
周視陣形從容留宿將還公請曰軍情必謂相
公有犒賞今無其事則恐缺望相公曰此甚是
但吾初不備来奈何公曰吾為相公已辦了相
公若許之則當以相公之命饋之相公大喜遂

大搞之一軍踴躍公之旣沒相公言及此事仍
歎曰李統制大有才局 按梧里集仁廟朝李相公入侍啓曰臣為體察使在嶺南時巡到閑山按行李某營壘觀其區畫極有規模臣欲還發之際李某密語於臣曰大臣来此不可不宣諭上意且施賞激臣聞其言而大悟即為下令軍中一邊試藝一邊施賞至殺三十餘牛以犒士卒矣上曰李某眞將軍也其心智亦可嘉矣
元均在忠清道一以詆公為事故毀言日至於
朝廷而公略無所辨亦絶口不言元短時論多
右元而欲傾公
丙申冬倭將平行長陣巨濟憚公威名百計圖
之使其下要時羅者行反間要時羅因慶尚左

兵使金應瑞通於都元帥權慄曰平行長與清
正有隙必欲殺之而清正今在日本不久再来
我當的知来期物色清正之船而指之朝鮮使
統制使領舟師徃邀於海中則以舟師百勝之
威蔑不擒斬朝鮮之讎可報而行長之心快矣
因佯示忠信勸懇不已 朝廷聞之以為清正
之頭可得勅令公一依要時羅之策而不知其
實墮於計中也
丁酉正月二十一日權元帥至閑山陣謂公曰
清賊近將再来舟師當從要時羅之約愼毋失
機是時 朝廷方信元均謗公不已故公雖心
知見欺於要時羅而不敢擅有前却元帥回陸
纔一日熊川報今正月十五日清正来泊于長
門浦 朝廷聞清正渡来咎公之不能擒討臺
論大發請以縱賊罪之 命拿鞫時公領舟師
徃加德海聞有拿 命還本陣計陣中所有付
于元均軍粮米九千九百一十四石在外之穀
不與焉火藥四千斤銃筒除各船分載之數又
有三百柄他物稱是
完平李相公以都體察在嶺南聞公拿 命馳

啓曰倭賊所憚者舟師也李某不可遞元均不
可遣 朝廷不聽相公歎曰國事無復可為
二月二十六日就途一路民庶男女老幼簇擁
號慟曰使道何之我輩自此死矣
三月初四日夕入圓門或曰 上怒方極朝論
且重事將不測奈何公徐曰死生有命死當死
矣
時 上遣御史下閑山廉問御史欲陷公還
啓曰聞清賊渡来掛嶼七日不能運動而李某
未克討捕是日慶林君金命元入侍 經筵曰

倭賊慣於舟楫掛嶼七日之言似虛　上曰予
意亦然其後元均之敗也公再為統制立大功
向之為御史者入直玉堂同僚問曰掛嶼七日
之言何從得聞乎我時巡省於湖南而全未聞
知也其人有慚色
十二日供狀初公之被拿也舟師諸將之親屬
在京中者慮公之歸罪於諸將無不惴惴及公
對獄但陳事之首末次序整整少無傍引之語
大小歎服有頗識其面者
公在獄時右水使李億祺遣人奉書問候於公

泣而送之曰舟師不久必敗我輩不知死所矣
時北道士兵若干人適以赴舉來京聞公縲絏
慷慨欲上疏解公請為北兵使
四月初一日赦令白衣立功於元帥幕下十一
日丁丑夫人喪緦押去郎成服發程公慟哭曰
竭忠於國而罪已至欲孝於親而親亦亡
七月十六日元均果敗李億祺死之三道舟師
全沒於賊公時在草溪元帥遣公馳往晉州收
集散兵
八月初三日閑山敗報至朝野震駭　上引見

備局諸臣問之羣臣惶惑不知所對慶林君金
命元兵曹判書李恒福從容　啓曰此元均之
罪也惟當起李某為統制　上從之又以公為
統制使將士聞之稍稍来集公即帥軍官九人
牙兵六人自晉州馳至玉果避亂士民載盈道
路望見之壯者皆告其妻孥曰我公至汝不死
徐徐訪来我則先往從公如此者比比至順天
得精兵六十餘人入順天空城各帶兵甲而行
及到寶城則一百二十人矣
十八日到會寧浦戰船只十艘公召全羅右水

使金億秋使收拾兵船分付諸將粧作龜艦以
助軍勢約曰吾等共受　王命義當同死而事
已至此何惜一死以報國家乎惟死而後已諸
將無不感動二十四日進至於蘭浦前二十八
日賊八船欲来襲我船公鳴角揮旗賊走二十
九日進陣於珍島之碧波津裵楔棄軍逃走
九月初七日賊船十三来向我陣公迎擊之賊
退走是夜二更賊復来放砲欲驚我軍公亦令
放砲賊知不可動又退去盖以夜驚得利於閑
山者云

時　朝廷以舟師甚單不可禦賊　命公陸戰
公　啓曰自壬辰至于五六年間賊不敢直突
於兩湖者以舟師之扼其路也今臣戰船尚有
十二出死力拒戰則猶可為也今若全廢舟師
則是賊之所以為幸而由湖右達於漢水此臣
之所恐也戰船雖寡微臣不死則賊不敢侮我
矣

十六日早朝賊塞海由鳴梁向我陣公領諸將
出禦之賊十匝圍之而分軍迭戰公下碇住船
賊知大將船遂以三百三十三隻進擁之其勢

甚急諸將謂公不可更免各退一里許公斬梟
一人以麾督進之僉使金應諴回船入來巨濟
縣令安衛亦至公起立船頭大呼安衛曰汝欲
死軍法乎再呼曰安衛誠欲死於軍法乎汝以
退去為可生乎衛慌忙對曰敢不盡死突入交
鋒賊三船蟻附衛船幾陷公回船救之衛亦殊
死戰賊二船被勦賊氣少挫頃刻之間賊船三
十連見撞破死者不知其數賊不能支解圍走
公在閑山時有倭人俊沙者自安骨浦賊陣得
罪來降留在陣中是日俊沙在公所乘船上俯
見浮海賊尸中有着紅錦畫文衣者俊沙指之
曰是乃安骨浦倭將馬多時也公使鉤致船頭
則尚不死也俊沙喜躍曰是真馬多時也公命
斬之

是日避亂人士登高峯見之則賊船來者只計
其三百而餘不可盡記彌滿大海海不見水我
舟只十餘不啻若壓卵而諸將於新喪之餘忽
遇大賊心死魄奪皆欲退遁獨公有必死之志
中流下碇為賊所圍如雲埋霧合但見白刃飜
空砲雷震海避亂人等相與痛哭曰我等之來

只恃統制而今若此我將何歸俄見賊船稍退
公所乘船兀立無恙賊分軍迭戰如是者終日
賊大敗而走自是南民之倚公尤篤

時公受　命於蕩敗之後收拾疲散粮械草草
時又季秋海天頗寒公憂之公見避亂船來泊
者不知其幾百遂下令曰巨賊捲海汝等在此
何為對曰我等惟仰使道在此耳公又令曰能
從我命則我可指示生路不然則無可奈何皆
曰敢不從命公令曰將士飢且無衣勢將皆死
況望禦賊乎汝等若以所餘衣粮分救我軍則

此賊可討而汝死可免矣衆皆從之遂得粮米
分載諸船而軍士無不衣者用以致捷
先是公令避亂人等移船避寇其人皆不肯舍
公而去鳴梁之戰公使其諸船列於遥海以作
疑援而公當前力鬪故賊大敗謂我猶盛不敢
再犯
是日暮移陣於唐笥島避亂人士畢来致賀捷
書至　上大喜即　命諸臣諭曰此啓可示於
楊經理經理在南別宮移咨　國王曰近来無
此捷吾欲掛紅而遠未能焉今送紅段銀子若

干須以此意褒賞之　上下書嘉之陞崇政言
者以公爵位已高事畢更無可酬乃止只官諸
將
十月十四日公在右水營聞子葂喪葂公之季
子也有膽略善騎射公愛其類己是年九月將
毋往在牙山第聞賊倭焚蕩閭家馳擊之中伏
刃於途死之公聞計慟絶自是精神日瘁其後
公陣古今島因晝假寐見葂悲號於前曰殺我
之賊父可誅之公曰汝生為壯士死獨不能殺
賊乎曰我死於賊手畏之而不敢殺公起而告

人曰我夢如此何也悲不自抑仍曲肱而閉目
髣髴之中葂又泣告曰父報子讎幽明無間而
容讎一陣邀我言而不之誅痛哭而去公大驚
問之有新捕賊一人囚在船中公令問作賊首
末果殺葂者甚驗無疑命剉斫之
十二月初五日在羅州之寶花島自　上有旨
曰聞卿尚不從權私情雖切國事方殷古人曰
戰陣無勇非孝也戰陣之勇非行素氣力困憊
者之所能為禮有經權未可固守常制其遵予
意速為從權並以權物賫遺之公悲痛不已

戊戌二月十七日移陣古今島島在康津南三
十餘里峯巒稠疊形勢尤奇傍有農場最便公
募民耕作軍餉賴給焉時軍勢已盛而南民之
倚公為命者亦至數萬家兵威之壯十倍於閑
山陣
七月十六日　天朝水兵都督陳璘領水兵五
千来到公聞璘軍將至盛辦酒肉又備軍儀遠
延大享諸將以下無不沾醉士卒傳相告語曰
果良將也璘為人桀驁　上憂之有旨於公令
厚待毋怒都督都督軍始至頗事掠奪軍民苦

之一日公令軍中大小廬舍同時毁撤公亦使搬運衣衾下船都督見處處毁家而怪之遣家丁問於公公答曰小國軍民聞　天將之來如仰父母今　天兵專務暴掠人將不堪各欲避適我爲大將不可獨留故亦欲浮海而之他家丁歸白之都督大驚卽顚倒走來執公手而止之且令家丁等輸返公衣衾懇乞不已公曰大人若從吾言則可矣都督曰豈有不從之理公曰　天兵謂我陪臣少無忌憚倘許以便宜詞禁則庶得相保都督曰諾是後都督軍有犯公

治之如法　天兵畏之過於都督軍中賴安

十八日聞賊船百餘隻來犯鹿島公及都督各領戰船至于金堂島則只有二賊船見我遁走公及都督經夜乃還公留鹿島萬戶宋汝悰以八船伏于折爾島都督亦留其船三十隻待變

二十四日公爲都督設酒於運籌堂方酣都督麾下千摠者自折爾島來告曉來遇賊朝鮮舟師盡捕之　天兵則因風不順不與相戰都督大怒喝令曳出因擲盃推盤有市于色焉公知其意解之曰老爺爲　天朝大將來討海寇陣中之捷卽老爺之捷也我當以首級全付於老爺老爺到陣未久奏膚於　皇朝豈非善乎都督大喜就執公手曰自在中朝飽聞公名今果不虛矣遂醉飽終日是日宋汝悰獻所獲船六隻賊首六十九級送之都督具　啓達之　上以公有光于　天將嘉諭之

都督在陣日久熟見公之號令節制且料其船雖多而不可以禦賊每臨戰乘我板屋船受制於公凡軍號指揮皆讓之必稱公爲李爺曰公非小邦人也勸令入仕中朝者數矣

九月十五日聞諸賊將欲撤歸公及都督領舟師發行十九日至于左水營前二十日進陣於順天之曳橋乃賊將平行長陣前也賊峙粮獐島遣兵取來盡焚其餘

二十一日公遣海南縣監柳珩等進擣賊陣殺賊八人以潮退水淺還是日　天朝陸軍提督劉綎帥苗兵一萬五千來陣於曳橋之北

二十四日聞賊將平義智率精兵百餘人自南海至曳橋盖與行長議撤歸事云

十一月初二日約陸軍挾擊公與都督舟師進

戰未決蛇渡僉使黃世得中丸而死世得公之
妻從兄也諸將入弔公曰世得死於王事其死
也榮劉提督不肯進鬪都督憤忿不已
初三日公及都督遣兵酣戰公見潮退姑令都
督回舟都督不聽沙船十九果掛於淺灣為賊
所圍公謂不可坐視發七船多載戰具及武士
擇將送之戒曰賊見掛舟必欲乘機並取汝等
但力戰自保潮至即還七船一如公命遂以全
歸沙船盡被勦滅
初六日被擄人邊敬男者自賊中逃還言去八

月自日本出來則賊酋平秀吉已死諸酋方爭
立未定故諸賊急於撤歸矣
十四日平行長欲速還而患舟師遮路多賂都
督請令退陣都督欲許和是日初昏倭小將率
七賊乘船潛入于都督府獻猪及酒而歸
十五日倭使又至督府十六日都督使其將陳
文同往賊營俄而賊五島主者以三船載馬匹
及槍劍等物獻於都督而還自是倭使之往來
督府者不絕都督欲令公許和公曰大將不可
言和讎賊不可縱遣都督赧然倭使又來都督

曰我為爾倭已言于統制而見拒今不可再言
行長遣人於公齎銃劍等物甚懇焉公却之曰
壬辰以來捕賊無數所得銃劍丘山可齊寇讎
之使何為於此賊無辭而退
行長遣人言曰朝鮮舟師當與上國舟師異陣
而今同一處何也公曰陣於我地只任我意非
賊所知也都督多受賊賂欲開其去路謂公曰
我欲姑舍行長而先討南海之賊公曰南海皆
是被擄之人非倭賊也都督曰既已附賊則是
亦賊也今往討之則不勞而多斬公曰 皇上

之所以命討賊欲救小邦人命也今不刷還而
反加誅戮恐非 皇上本意都督怒曰 皇上
賜我長劍公曰一死不足惜我為大將決不可
舍賊而殺我人也爭之良久
十七日初昏行長舉火與南海賊相應蓋行長
請援故昆陽泗川之賊來於露梁而應之云公
勅令諸將嚴兵待之
十八日酉時賊船自南海無數出來依泊於嚴
木浦又來泊於露梁者不知其數公約于都督
是夜二更同發四更到露梁遇賊五百餘艘大

戰至朝
是夜三更公於船上盥手跪祝于天曰此讎若
除死即無憾忽有大星隕於海中見者異之
十九日黎明公方督戰忽中飛丸公曰戰方急
愼勿言我死言訖而逝時公之長子薈兄子莞
執弓在側掩聲相謂曰事至於此罔極罔極然
若發喪則一軍驚動而彼賊乘之尸柩亦不得
全歸莫若忍之以待畢戰乃抱尸入於房中惟
公之侍奴金伊及薈莞三人知之雖親信宋希
立輩亦未之知也仍麾旗督戰如前不已賊圍

都督船幾陷諸將見公船麾促爭赴救解戰罷
都督急移船相近曰統制速来速来莞立於船
頭哭曰叔父命休都督仆於船上者三大慟曰
既死之後乃能救我又拊膺哭之良久都督軍
亦皆投肉而不食
柩發自古今島返于牙山一路民庶老幼男女
號痛隨之士子備酒奠操文哭之如悲親戚
都督諸將皆作挽以哀之及撤還都督入新昌
縣先通来祭之意適邢軍門差官催上　王京
故都督只以白金數百兩齎送之至牙山縣邀

見公之諸孤薈往遇於道下馬謁之都督亦下
馬摻手痛哭問曰爾今何官薈曰父喪未葬非
得官之時都督曰中國則雖在初喪不廢賞功
之典爾國緩矣吾當言於　國王云云
上遣禮官　賜祭贈議政府右議政
明年己亥二月十一日葬于牙山錦城山下酉
坐之原在德淵君塋西一里許後十六年甲寅
遷窆于於羅山壬坐之原德淵君塋北一里
公之部曲請爲公立祠　朝廷從之刱建于左
水營之北　賜額忠愍春秋二祭李億祺配之

湖南軍民追慕不已爭以其財私作石碑請刻
於方伯遣鎭安縣監沈仁祚書曰李將軍墮淚
碑立於東嶺峴左營往来之路也
湖南寺僧爲公設齋無山不舉有慈雲者隨公
陣中常將僧軍頗立功公歿之後以米六百石
大設水陸於露梁又以盛奠祭於忠愍祠有玉
泂者亦以僧人爲公繼餉頗見信任及是自念
無所報效来守忠愍祠日日灑掃擬死不去
咸悅人朴起瑞其二親皆死於賊而自以躄者
恨其不能從軍復讎聞公之屢捷心常戴之及

閑公訃制服行三年喪練祥皆来祭
嶺南海濵之民私作草廟於鼇梁出入必祭之
盖鼇梁近於閑山島
李雲龍為統制使因民心大作祠宇於巨濟凡
戰船發行無不告
甲辰十月論功以公為第一 贈効忠仗義迪
毅協力宣武功臣大匡輔國崇祿大夫議政府
左議政兼領 經筵事德豐府院君考妣以上
推 恩旌表門閭 仁廟朝癸未 贈諡忠武
配尚州方氏封貞敬夫人實城郡守震之女永

同縣監中規之孫平昌郡守弘之曾孫將仕郎
洪佖弼之外孫也生三男一女男長曰薈縣監
次曰莈正郎季曰葂已死女嫁洪棐儒業妾子
二人曰薰曰藎女二人孫男二人曰之白曰之
晳女一人嫁尹獻徵外孫四人曰洪宇泰曰洪
宇紀曰洪宇逈曰洪振夏女一人

又　判官洪翼賢

公生於嘉靖乙巳卒於萬曆戊戌享年五十四
公賦性清忠德備剛柔居内處外不以怒溢不
以喜溢刑賞得中故士卒畏而愛之能濟大事
也公為統制日人有罪當刑子弟侍側者曰此
人罪重不可輕也公徐曰刑罰自有其律不可
以人言輕重也且為子弟之道當以生道救之
不可以重刑請也在乾原日湖南武弁戍北道
聞親喪欲奔而無力不得發公聞之曰吾於彼
雖無素分然匍匐之救豈間於知不知乎即以
良馬一匹護送公在舟師十年一不顧念家事
子女嫁娶頗有過時者公之二兄先公亡公撫
育諸孤凡有得物必先諸孤而後已子

李忠武公全書卷之九

李忠武公全書卷之十目録

附録二

李忠武公全書卷之十目録

李忠武公全書卷之十

附錄二

行狀　　承旨崔有海

本貫豐德府德水縣

贈効忠仗義迪毅恊力宣武功臣大匡輔國崇祿大夫議政府左議政兼領　經筵事德豐府院君行正憲大夫全羅左道水軍節度使兼忠清全羅慶尚三道水軍統制使謚忠武李公

曾祖兵曹參議諱琚

妣臨陂陳氏父縣令世蕃

祖平市署奉事　贈户曹參判諱百祿

妣草溪卞氏父生員誠

考秉節校尉　贈純忠積德秉義補祚功臣議政府左議政德淵府院君諱貞

妣草溪卞氏父守琳

公諱舜臣字汝諧德水人也肇以望族聞者有敦守官至中郎將曾祖琚兵曹參議祖百祿平市奉事　贈户曹參判考貞　贈左議政封德淵君以公貴也毋卞守琳之女以嘉靖乙巳三月初八日子時生公卞夫人夢覲參判公以必貴期以舜臣名因異而名之卜者曰行年五十當仗鉞北方自齠齔豪宕不羈挺挺有大氣岸與羣兒遊作戰陣狀推公為帥指顧造次井井可觀從諸兄業詩書不肯竟事投筆挽強御駿儕流莫及丙子春標虎榜講武經黃石公考官問張良從赤松子遊則良果不死耶公曰有生必有死理也綱目書壬子留侯張良卒則安有從仙不死者耶考官驚服以新　恩榮先罷見石人顛命下斮起之衆不能動公獨扛而建之

處靜不競名世無知者柳西厓從幼與之遊每以大將才許之栗谷掌銓聞名因西厓要一見公曰吾與栗谷宗姓也義當相厚而見於掌銓時則不可竟不往冬除咸鏡道童仇非權管時李公後白為方伯巡到列鎮杖邊帥才荒者及到本堡遇公甚款公因規刑威頗重方伯笑納之己卯歸仕訓鍊院時有兵部郎中以所親欲越轉參軍公守規不許曰卑者遷高者滯於公蔑矣法不可改郎中雖刼以威公終不屈庚辰九月為鉢浦萬户方伯孫軾信讒將抵罪巡到

名公講陣書使圖陣形見公落筆有法度與語
益奇之遇以禮左水使成鎛欲斫取官庭梧桐
公不從曰此乃公家物也栽之有年一朝伐之
不以公而以私可乎水使怒亦不敢遂後水使
與方伯會議殿最欲下公都事趙憲閣之曰詳
聞李某績冠一道寧盡貶列鎮李某則不可貶
壬午因事罷歸癸未秋為南兵使李戩軍官行
軍首北公麾軍出自西門兵使怒詰之公對曰
西金方也於時屬秋於義主肅殺故出於西門
古也兵使悅冬轉乾原權管時孽胡亐乙只乃

擾邊　朝廷憂之公設奇計要而擒之兵使金
禹瑞忌其功　啓以不禀主將　朝廷將褒旋
止十一月丁外憂丙戌正月服闋以司僕主簿
出為造山萬戶時虜猾方殷故舉公責重仍管
鹿島屯田公以兵孤屢請添防而兵使李鎰不
許八月賊來木柵圍數匝有衣赭者前焉公射
中之賊却公與李雲龍追蹴之奪還被擄人六
十餘口公亦中矢潛拔其鏃李鎰欲罪公自解
庭詰之公將入公友宣居怡泣謂公曰飲酒鎮
心公曰死生有命飲酒何為公就供曰我以兵

單屢請加守而兵使不許公牒猶存況我力戰
退賊追還我人欲斷以敗軍何據鎰不答良久
因繫而馳聞　上令白衣效功冬從時錢之役
放歸時　朝廷簡不次擢用者公居二已丑全
羅監司李洸　啓為本道助防將十一月除武
兼宣傳官十二月出為井邑縣監以兼官到泰
仁時泰仁久曠文案堆積公剗決如流民呈御
史請管泰仁庚寅七月擢為高沙里僉使又陞
為滿浦僉使臺諫以驟陞　啓止辛卯二月移
為珍島郡守即陞為加里浦僉使又未行薦為

全羅左水使時有友夢見大樹參天盤地萬民
依其樹根將拔人以身扶諦視則公也以比文
天祥擎天之夢公莅任知倭將猘鍛戈鎔鎖以
待不虞創智作大船船上覆以大板板上置十
字細路以容人行悉以錐刀布之四無着足處
前龍頭後龜尾皆有銃穴前後左右各六以放
大丸遇賊則編茅覆上以掩錐刀而為先鋒賊
欲登船則離錐刀欲來掩則一時銃發所向莫
不披靡大小戰以此收績者甚夥狀如伏龜名
曰龜船時　朝廷因申砬啓辭罷舟師而專陸

戰公馳 啓以爲遮遏海賊莫舟師若也水陸
之戰不可偏廢 朝廷允從時倭拉萊釜將踰
湖嶺公會諸將咨戰守之宜皆以爲當守本道
獨鹿島萬户鄭運軍官宋希立憤曰大寇衷境
勢將席卷堤守孤城詎期獨全不如進遏其鋭
雖不幸而死亦無愧臣子之義也公悦厲聲曰
我之發問者欲探諸將之誠今日之義只在戰
敢言非是者斬一軍慄然五月初一日諸將咸
集船艦廿有四艘兵利卒精號令明肅初四日
抵唐浦則慶尚右水使元均新喪大兵只以小

舸自保公邀給一艑約與同事初七日進至玉
浦賊船三十餘艘張旗住碇放兵四掠望覩我
師争促急棹公麾兵躍入焚陷賊船二十餘艘
時 國社西狩捷聞於屢敗之餘朝野色喜遂
階嘉善二十九日夜公夢見白叟蹴公告以賊
逼公驚起整兵與元均領戰艦伺敵于露梁則
賊果至交鋒未既燒破一船追到泗川則遥見
一陣蛇盤于山又十有二船緣渚而泊公曰早
潮已退鉅艦難進於淺港佯北誘之擊於大洋
則可以勦之遂鳴螺返船賊果踵至乃以龜船

先之以諸艦壓之船之覆者賊之漂者滿海餘
賊臨岸叫欻而已方戰公亦中丸貫臂徹背公
猶手弓矢督之事既用刃挑出一軍驚歎六月
初一日至唐浦賊船二十餘艘泊於岸樓船介
於中酋據其上公令諸將當之順天府使權俊
以片箭顛其酋遂全船獲之得金扇右書曰羽
柴筑前守左書曰龜井劉矩守陛中曰六月初
八日秀吉書戰罷少憩又報賊急公令諸軍曳
所捕賊將樓船出洋中近賊見而火之賊咋而
遁是夜軍有虛驚公牢卧不動良久乃定初四

日全羅右水使李億祺帶二十五艦引諸將来
會軍勢遂振初五日至固城唐項浦公遣哨船
偵之纔出海報變卽連艫而進則賊船布陣於
台所江有一樓艦垂黑帳樹青蓋公知賊酋峙
岸佯敗左次樓船兀出諸軍挾攻陷之酋亦落
於一箭遂焚船一百餘艘斬賊二百十餘級溺
者傷者中箭而仆者無筭事聞階資憲初七日
朝至永登浦賊在栗浦望見我兵遁向南洋公
令諸將攻其尾金浣李夢龜鄭運等各獲一船
得三十餘級十四日構啓書一封曰臣以萬艦

百將之兵其日發行直擣日本云不封投賊路
以疑賊心七月初七日公與元均李億祺等會
兵露梁聞賊將犯湖南遂進兵見乃梁則賊船
七十餘艘下營淺港公曰此非耀武之地出殘
兵以餌之賊果追之至閑山海濶處乃回兵向
敵奮棹而趨鼓譟崩之砲箭雷馳兵焰蒸空射
而殲之縱而斬之萬戟交輝腥血滿海七十三
艘頃刻淪沒餘賊陸走者僅四百餘時賊難舟
師而有平秀家者大言自當仍敗於此後有被
擄人自賊中來言倭陣相唁曰此敗死者九千

餘人云矣初九日聞餘賊依安骨浦公與元均
等領兵齊到則乃來援閑山之賊也裹船以鐵
掩以濕綿頑固不敢出公督諸將迭戰日暮霧
暗賊乃潛遁只追破四十餘船是役馘者二百
餘級軍聲大振進階正憲九月初一日公與元
均李億祺丁傑等計曰釜山賊之喉也進而扼
之賊必失其據遂進逼釜山則賊驚於屢敗守
壁飛丸鄭運死之遂破空船百艘而還時倭賊
猖窺湖南公遂移陣閑山以當其衝海交山脚
內可藏船外不窺中而倭必道是而南侵故公

乃軍爲後　天將張鴻儒登眺曰眞制敵之勝
地也八月　朝廷以公爲三道水軍統制使元
均以先進恥受制於公公雖優容猜疑自此始
公以屢勝生驕戒諸將以軍餉不繼爲己憂收
魚塩勤屯農轉貨治餉若救飢渴不逾數月大
饟有裕募鑰民間廣鑄火器器械亦精癸巳癘
氣大熾死者相繼公定官收瘞設壇致祭或感
異夢一日公亦遘癘痛幾浹旬危坐裁事或請
休養公曰與賊對壘勝敗決於斯須爲將不之
死則不可少懈也乙未八月李相元翼以體察

南下水軍各有投狀李相卷而次晉州與公商
兵事因令公裁斷公敏於剸決咸得其宜李相
才其爲李相入察閑山陣將還公曰軍情必謂
相公有犒賞今無所惠則恐缺衆望相公曰奈
吾無備何公曰俺已辦之請以相公命餉之相
公大喜許之一軍盡歡時有言清正自日本再
逞當逆攻之　朝廷命公因機制之公知其詐
守便宜持難元均從中媒孽　朝廷諭以縱賊
拿公來以元均代公即籍軍餉九千九百餘石
火藥四千斤銃筒四百柄付均李相馳　啓以

爲李其諸賊所憚臨危不可易將 朝廷不之
許一路民庶莫不號哭曰萬民自此魚肉矣旣
對獄 上釋之以白衣責功旣出丁内憂成服
卽行七月十六日元均敗李億祺死之元帥遣
公入晉州收散兵 朝廷復以公爲統制使公
自晉州至寶城將士稍集得精兵百餘到會寧
浦則慶尙水使裵楔只有戰船八艘又得鹿島
船一艘公問楔以計楔以爲宜捨舟登陸助戰
自効而 朝廷亦令合兵於陸戰公 啓曰壬
辰後賊不敢南刼者實以舟師沮其勢也今若

撤舟師則賊必由湖達漢只憑一颿風此臣所
懼也今臣戰船亦有十二臣若不死則賊亦不
敢侮我矣二十四日至於蘭浦有賊八船欲襲
之公揮旗而進賊乃退迺九月初七日賊船十
三乘夜將侵公應聲整船以砲出兵賊知不可
動因退十六日賊船三百餘艘由鳴梁直趨我
陣颿檣蔽海而我國舟師只十艘衆寡不敵諸
將莫不惜皆欲退全公獨有必死心下碇洋中
而揮諸將禦之賊覘大將所在以百三十餘艘
圍之數重分兵交戰有泰山壓卵之勢而公援

枹獨立大呼厲氣人莫不致死諸將少退者先
磔以徇僉使金應諴突於前巨濟縣令安衛援
於後公厲聲曰安衛安衛汝以退爲生地耶抑
將伏軍律耶安衛遂直撞其鋒三船之賊蟻附
幾陷衛亦殊死戰故賊船因沒賊氣少挫公督
戰益嚴諸將迭進賊船三十餘艘糜碎賊不敢
支解圍而遁有衣錦之賊漂海降倭俊沙指之
曰此乃安骨浦倭將馬多時也公令鉤致斬之
先是公受命蕩殘之餘軍無見糧秋服無備公
見避亂船雲合令曰今大賊扼海萬無偷生地

汝等從吾言則生否則死矣皆曰惟將軍命公
曰將士飢寒已極難以戡敵汝等指餘衣出餘
餱分救我軍則此賊可討汝命可活矣衆皆從
之遂得衣饟以賙將士及將戰也遂使避亂船
列碇遥海以爲後援疑兵賊謂兵勢更張不敢
再犯捷聞也 上大喜示楊經理經理咨曰近
無如斯之捷吾欲掛紅遠未果焉送紅段銀子
若干以褒之 上教揚其績議陞崇政言者以
爲公爵位已崇事旣無可酬遂止官諸將戊戌
三月十七日移鎭康津古今島南民倚公來集

者萬有餘家軍勢甚壯時　天兵大至劉綎將苗兵萬五千陣順天之東都督陳璘提水兵五千来合公陣而倭酋平行長據順天之倭橋距百里而軍　天兵頗剽民公命撤廬舍示以移陣意都督怪詢之公對以民不得聊生都督大驚令公便宜行令公見侵掠者遂繩以軍法　天兵不敢縱十八日聞賊犯鹿島公與都督進船于金堂島則只有三賊船見我師先遁公令鹿島萬户宋汝悰八船伺于折爾島都督亦留三十餘船公與都督乃還觴于運籌堂俄而宋

汝悰来獻大船及馘六十九級　天兵千総以未戰告都督大怒將斬之公解之曰老爺以　天朝大將来討小邦之讎陣中之捷即老爺之績我當以首功歸之老爺出師未久奏膚　天庭不亦善乎都督大喜益重公公具由啓聞　上以為光于　天將嘉諭之都督慣見公號令節制有古名將風言必以李爺而不名臨敵則来會公船指揮讓於公九月與都督進兵左水營聞獐島峙賊糧遣兵多取焚其未盡輸者二十一日公遣海南縣監柳珩進嘗賊陣只斬八

賊以潮退還十月初二日約與劉提督水陸齊舉舟師進戰劉提督後不進僉使黃世得死之初三日方酣戰公見潮退姑令都督回船都督不覺沙船十九果滯淺灣賊圍之重公出七船揀繼兵以援戒曰賊見掛舟必欲乘機並取汝等力戰自保而已七船依令全歸沙船皆沒時倭酋秀吉已殪日本爭立未定故賊將急於撤歸平行長患舟師牢海心請與和信使幣交道都督欲許之公曰此賊於小邦既有不可同天之讎于　天朝亦有必誅之罪都督反欲以賄

圖和都督慙諭遣倭使後賊又遣亞將于公欲賂銃劒公曰自壬辰鋤賊獲銃劒與山齊安用受敵人贈遺為賊將無辭後賊以劒乘要都督都督謂公曰我欲姑舍行長先討南海之賊公曰南海賊皆被擄而脅從者非真賊也　皇上所以命討賊者欲救小邦人命不刷還圖反欲夷之何都督雖怒不果十七日昏行長舉火與南海賊應十八日南海賊艤嚴木浦昆陽泗川賊艤露梁舳艫蔽海其鋒銳甚公與都督密謀夜攻二更自猫島發四更到露梁衛枚卧鼓潛

師進賊未及有備矣公焚香祝之曰此讎若除
死且無憾俄有大星隕海見者異之兩軍合勢
揚櫓直衝觸兵者碎應弦者倒達夜交戰賊救
死不暇奮死心圍都督益急公麾諸將解之躬
冒矢石督戰徹朝黎明公中丸逝臨絕戒勿言
喪仍令兄子莞等麾督不少弛諸將益用命賊
遂大敗南走戰罷都督聞公喪顚蹶大慟曰國
事無可與有爲以數百金賻之　上遣官致吊
贈右議政錄功爲宣武功臣一等公娶郡守方
震女生三男一女薈縣監䓲司果葂不幸死女

嫁洪棐庶男薰藎孫男一人之白葂有武勇才
丁酉在牙山猝遇亂賊死之後公在古今島夢
見葂來號曰殺我賊擒矣其報之公覺問軍中
則果有新捕賊令問作賊顚末果是殺葂者遂
命斫之公嚴重有威風愛人下士恩信著明識
量淵懿不色喜怒嘗曰丈夫生世用則効死以
忠不用則耕野足矣若媚要人竊浮榮吾恥也
嘗因試射有冢卿見公矢房而欲之公曰是何
靳但取之獻之人謂斯何緣一微物以來汚名
則於義奚若冢卿器之守井邑也都事曹大中

有書公亦有答後大中罹逆禍公札在文書搜
檢中金吾郎與公相識欲爲公去之公曰昔與
都事只相問寒暄而已已在搜中私相拔去恐
有不安於心者其不動禍福如此在乾原時戍
北武弁聞喪欲行患無乘公曰吾雖素昧匍匐
之救何間相知爲遂與所乘騎爲守令撫育亡
兄遺孤或以濫率非之公泫然曰吾寧得罪國
法不忍舍此無依聞者知仁及爲大將刑賞必
信不以親疎上下之羣下畏服每約於諸將曰
斬一馘可射累賊不上首功惟督射捷累收功

者以故也及聞　大駕西狩公別貯玉粒五百
餘斛曰　主上若渡遼則吾當引龍驤浮于海
以迎　大輿天若助命則可期恢復雖或不幸
同死國境可也其在重鎭色無所近寢不解帶
雞戒即興或與人運策或稽古事而自奉甚薄
淡如也戰勝之賞必散諸部曲十一年掌重兵
不以秋毫屑家事子女嫁娶雖過時不恤也其
恩暨亡兄孤寡則優已出遠甚嘗與元均有間
流言放紛公戒子弟曰若有問者只對曰罪可
僨也子弟嘗見公刑人曰此人之罪不可弛公

徐曰刑罰自有律不可以人言低仰況于子弟之道當以生道救人不可以重刑贊言也在海鎮有詩曰水國秋光暮驚寒鴈陣高憂心輾轉夜殘月照弓刀觀者賞其忠云

余奉使南徼駕戰艦由見乃梁入巨濟望閑山公之英風豪魄若覩彷彿者吁天之產此毒蠻也若不限大海而僻其土則想必累血子東方而壬辰之猾若非李公率大艑而鏖之東民將混為斑衣創智龜船摧堅夷衆若拉朽然此天地愛民必生此人而濟其難者

耶若使賊肆大銃而觸之火而攻之則將何以制之惜乎公之所以運籌者必有在矣九原不可作嗚呼悲矣

謚狀　大提學李植

公諱舜臣字汝諧李氏本德水縣人自高麗典法判書劭始顯歷三世至本朝有領府事弘文館大提學邊以文學進　贈謚貞靖生通禮院奉禮諱孝祖奉禮生兵曹參議諱琚仕　成廟燕山兩朝為臺官彈劾嚴正有虎掌令之號生諱百祿平市署奉事　贈戶曹參判參判生諱貞秉節校尉　贈純忠積德秉義補祚功臣議政府左議政德淵府院君配　贈貞敬夫人草溪卞氏嘉靖乙巳三月初八日生公于漢城乾川洞里第方娩夫人夢參判公告曰生男必貴宜名舜臣遂以名之兒時英爽不羈與羣兒戲常作戰陣狀羣兒推為元帥閭里有不快意輒陵挫之里人畏之及長折節恭謹讀書通大義然不屑佔俾業遂從武舉騎射絶倫雖遊於武人高簡靜默口無褻言儕流咸憚出其下萬曆丙子中第當試武經講說張良辟穀導引事與

先儒所論合考官大異之既出身絶意進取不事干謁權知訓鍊院奉事兵曹判書金貴榮有孼女欲與公為妾公曰吾初出仕路豈宜託跡權門立謝媒人李文成公珥為吏判聞公之為人且欲叙同宗因人求見公不肯曰同宗則可相見在銓地則不可見調童仇非權管秩滿還仕訓鍊院為忠清兵使軍官棲屑卑厄未嘗屈意徇人主將有非違輒盡言規正清約律已一芥無所私轉鉢浦萬戶水使成鏄欲伐館舍桐木為琴材公拒之不許水使大怒而不敢取俄

而見忤敬差官被劾罷歸叙爲乾原堡權管有賊胡亐乙只乃久爲邊患公到任卽設奇誘致生縛以獻兵使嫉其事不由己反以擅兵請罪朝廷内嘉其功而賞不行例陞叅軍丁德淵公憂服闋陞司僕寺主簿選授造山萬户時方伯建議設鹿屯島屯田付公兼管公以地遠兵少爲憂屢請添戍兵使李鎰不許及秋熟虜果擧兵擣寨公挺身拒戰射仆其酋虜卽捲退公追擊奪還被擄屯卒六十餘人兵使欲殺公自解陳刑具將斬之軍官等環視泣訣勸飮酒壓怖

公正色曰死生命也飮酔何爲卽就庭抗辨不肯署狀兵使意沮止囚而聞 宣廟察其無罪命從軍自效俄以擊反胡獻級蒙 宥全羅巡察使李洸辟爲軍官曰以君之才何抱屈至此奏爲本道助防將還爲武臣兼宣傳官己丑春拜井邑縣監甚有治聲都事曹大中辭連鄭汝立逆獄被逮詣理金吾郎搜取文書見公有答問書密語公欲去之公曰吾書無他語且已在搜中不可不上竟無所坐大中之柩過邑前公具奠哭送人有詰者公曰曹公不服而死其罪

不可知纔經本道使客未可恝視也鄭相彦信亦繫獄公適隨牒至京以其爲舊師也詣獄門候問聞者義之備局選武臣可合不次擢用者公預焉盖柳文忠公成龍與公同閈雅知公之賢力薦于 朝也庚寅陞高沙里僉使臺諫論其亟遷尋進階堂上除滿浦僉使又論其驟陞改正仍任辛卯還珍島郡守旋除加里浦僉使皆未赴任擢拜全羅左道水軍節度使是時倭釁已啓而朝野晏然公獨深憂之日修備禦鑄鐵鎖橫截鎭口海港創作龜船其制如伏龜上

覆以板釘以錐刀使敵人不得登蹋藏兵其底八面放銃以此爲先鋒燒撞賊船常以取勝壬辰四月倭寇大至先陷釜山東萊由嶺南向京師公欲移兵擊之麾下皆以移鎭赴他道爲難惟軍官宋希立萬户鄭運議與公合公曰今日之事惟當擊賊而死敢言不可者斬遂會諸鎭堡兵于前洋戒期將發會慶尚右水使元均盡喪舟師遣人請援公卽引兵往赴玉浦萬户李雲龍永登萬户禹致績爲之導至玉浦先破倭船三十艘至固城聞賊入京 大駕西行公西

向痛哭引兵還營均等復請兵進至露梁破倭
船十三艘退至泗川公左肩中丸猶不釋弓終
日督戰戰罷軍中始知之莫不聳動六月初遇
賊于唐浦有賊大酋駕層樓畫船金冠錦袍器
仗甚鮮公一鼓薄戰以筒箭射殪其酋餘賊盡
殲日午賊船又大至公以所獲樓船置前去賊
一里餘焚之船中火藥暴發響熖騰震賊又敗
退已而全羅右水使李億祺悉舟師來會合戰
於固城前浦賊酋駕三層樓船擁青蓋對戰即
射殺之破三十餘船餘賊登岸而走自是屢戰

皆捷賊歛兵遠遁遂與億祺還營賊復自梁山
向湖南公復進兵固城見乃梁遇賊船蔽海而
至佯退誘賊至閑山島前洋還兵大戰砲煙漲
天盡破七十餘艘賊大酋平秀家脫身以走將
卒死者幾萬人倭中震動賊又自安骨浦來援
秀家軍船械加嚴備公逆擊之燒破四十餘艘
進擊釜山屯賊欲覆其根本賊登高結寨以自
固遂燒空船百餘艘而還時倭兵彌滿諸路官
兵義兵連敗莫敢枝梧獨公連奏大捷 上嘉
之三加階至正憲下 教書褒美公以本營地

勢偏左請移鎮閑山島控制兩道島在巨濟縣
南乃兩湖水路咽喉也 朝廷遂置水軍統制
使公以本職兼領之統營之設始此初元均以
單舸控于公聯名奏捷而 朝廷察公功大陞
至統制均恥出其下始貳於公公每優容之而
均粗暴肆忿不遵節制公恐誤大事引咎乞遞
朝廷不得已而移均忠清兵使均積憾不釋締
交朝貴搆誣公百端倭將平行長曾以馬島事
我國至是先驅入寇憖見我人詐請通款 朝
廷欲脫出被俘 王子使慶尚兵使金應瑞往

復議事平秀吉因此行間使行長麾下要時羅
密郵曰和事不成全由清正主戰今方再來若
令舟師還擊洋中止殺此人則兵自罷矣仍指
言清正船旗牌彩色 朝廷大惑之促公進擊
如行長言公以其言詐譎不可測守便宜持難
者數日要時羅又來言清正已過海泊岸舟師
何為失此機會於是臺諫交章劾公以逗遛之
罪體察使李元翼明其不然柳相嫌不敢救蓋
是時朝論已歧矣 上遣侍臣廉問侍臣亦黨
於均反實以聞丁酉二月公被逮就拷將置重

典鄭相琢白于　上言舜臣名將宜赦罪責效
上亦念其功勞特原之　命從軍自效時毋夫
人卒于牙山公便道奔哭成服即行歎曰吾一
心忠孝到此俱喪矣軍民遮擁號泣遠近嗟惜
元均代為統制盡反公軍政公在鎮作運籌堂
與將士會議其中卒徒皆得自通均以貯其妓
妾圍以籬障酣飲不省事捶楚殘虐一軍離心
皆曰賊至惟有走耳要時羅又來言大軍方渡
海可遮擊也　朝廷又諭均促戰均既反公所
為不敢言其難是年七月悉衆前進倭船左右

誘引使之自困乘夜掩襲軍潰均走死百餘艘
士卒皆沒而閑山遂陷公所儲置資糧兵械為
數年之資者俱燼公之得罪均之敗亡皆倭謀
使之也蓋賊先據釜萊地方與對馬島形勢相
應一帆直渡我兵雖進避而不戰迄泊於左海
與西海水路控扼之勢差異我軍之不得遮絕
以此而　朝廷但見舟師屢捷責以必戰均亦
知其必敗而卒取敗皆遙制之失也閑山既敗
賊由西海下陸進陷南原兩湖已不可守矣都
元帥在晉州遣公收拾餘兵俄復為統制使公

以十數騎馳入順天府境得兵船十餘艘稍收
亡卒數百敗賊兵于於蘭島　朝廷以公兵弱
使登陸進退公奏曰臣一登陸則賊船由西海
直上京師危矣　上從之時湖南避亂士民百
餘艘散泊諸島恃公為蔽公與之約束圍聚列
于軍後與為聲勢獨以十餘艘前迎賊于珍島
碧波亭下賊船數百來襲勢若山壓公不為動
一字整陣砲矢四發賊兵披靡巨濟縣令安衛
引船欲退公立船頭促遣小艓命取安衛頭來
衛遂進船殊死戰賊大敗擒斬其名將馬多時

軍聲復震捷聞　上欲陞階崇品言者以公爵
秩已高止賞諸將以下楊經理在京亦送銀段
慰賞時陸路被兵糧運不繼軍中患之公一夜
檄告避亂諸船諸船既倚公為重爭自助輸並
致衣服士卒賴以飽暖公雖起復從戎猶素食
日數溢米籌畫調度夜不就寢形容顦瘁　上
特遣使諭旨從權仍給滋味公涕泣勉受戊戌
春移鎮康津古今島募民屯耕南民繦屬歸之
遂為大鎮是秋都督陳璘領水兵五千東來陳
悍驁　上憂公失歡密諭以善待公盛具威儀

迎于遠島至則大設宴犒漢人皆喜然猶搶奪
閭店我人騷然公忽令軍士毀撤屋盖撇衣囊
下船陳驚怪使人問之公曰 天兵之来如仰
父母今見暴掠士卒不堪各自逌避我為大將
不能獨留將移他島故也陳大懟懼即詣公摧
謝挽留甚誠公曰大人若聽某言某即留耳陳
曰當一從公言不敢違公曰 天兵以陪隷視
我人即無忌憚大人幸許其便宜禁斷則兩軍
相保無事矣陳許諾其後漢人犯禁公輒繩治
之島中妥帖鹿島萬户宋汝悰與漢船俱進擊

賊獲船六隻首級七十漢人無所得陳方與公
接宴聞之懟怒公曰大人来統我軍我軍之捷
即 天兵之捷何敢私焉請盡納所獲願大人
悉以奏聞陳大喜曰素聞公東國名將今果然
矣宋汝悰失望自訴公笑曰賊首乃腐嵩也與
漢人何惜汝功自有吾狀奏汝悰亦服自是陳
察公治軍制勝節節欽服借我板屋大船自駕
軍務大小動必咨訪每言公非小國人物若入
仕中朝當為天下上將何自困於此上書 宣
廟言李某有經天緯地之才補天浴日之功語

雖不中盖心服也陸軍提督劉綎以苗兵来與
陳相約夾攻行長舟師進戰港口勝負未決劉
師違約不應盖行長已聞關伯秀吉死亟謀撤
退而畏我舟師阻前啖劉以利故緩其攻又潜
款于陳求假道甚切陳亦中其賄欲許之公用
木片密書投示諷刺其非陳赧然而止行長知
之又遣使于公遺以銃劍公峻辭却之倭壘方
絶粮賴與漢人往来頗買漢粮遂閉營不出陳
懟失利欲舍行長往擊南海賊促公先發公力
爭不從行長又困請援于泗川屯賊舉火相應

泗川賊即薩摩州軍也強勇無敵持重不戰必
於兵勢最重處用之見行長急悉衆而至是夕
大星隕海中軍中怪之公與漢船迎戰于露梁
自夜至朝數十合賊兵敗却公忽中飛丸而卒
公之姪莞有膽勇即抱尸入房匿不發哭舉旗
督戰如故舟中皆不知都督為倭船所圍我軍
救之日午賊大敗走歸行長以其間出舟外洋
遒去陳遣人勞公舟中已發喪矣都督聞之自
仆于椅下擊地大痛兩陣皆哭聲殷海中 上
遣官吊祭特 贈議政府右議政柩返牙山一

路士民號泣設祭千里不絶明年葬于先壠之次部曲請于朝立祠水營　命賜額忠愍巨濟兵民亦建祠以時禱祀湖南人立碑于東嶺以寓悲慕甲辰冬始修壬辰以来戰功以公為第一加　贈左議政賜効忠仗義迪毅協力宣武功臣録券封德豊府院君遣官告祭錫土田奴婢哀榮之典備矣公娶尚州方氏封貞敬夫人有三子長薈縣監次莪正郎次葂有才勇好兵公每稱其類己丁酉秋隨母在牙山遇賊鬪死一女適士人洪棐庶出男二人曰薰曰藎皆中

武科不得官公居家有篤行二兄先歿公傷悼甚撫育孤姪婚嫁贈遺先於己子其操守貞介屹然壁立雖文學之士繩墨自律者有不能及訓院之仕武職最下而公處之怡然惟直己而行柳相㙉見公有好㨾箭筒求之公謝曰此一筒甚微而小人之納大監之受害義大矣柳相愧屈兵曹正郎徐益氣豪好勝儕輩皆憚之嘗欲越遷訓鍊院叅下官公據法爭之益不能難當下獄議律有胥吏告云有行賄蹊逕可以緩死公怒叱曰死則死耳何可苟免由其自守不

阿如是故半世落拓世莫能知及遭亂著庸誠格　上下而猶不容於世議中陷刑獄亦以此也然公之發謀制事舉無遺策奮勇決機前無堅敵者豈非平日所養者為之本乎其治軍簡而有法不妄殺一人而三軍壹志莫敢違令雖負氣倔強者望風自屈其臨戰意思從容常有餘地見可而進持難而退必三吹打耀兵而旋故身死之日紀律節度猶自若卒以取勝其在陣遠斥候嚴警衛賊来必先知之士卒服其神明每夜休士必自理箭羽常以空拳與射士必

待賊船逼前然後散箭與之又自操弓齊射將士慮公復創於丸扶掖諫止曰何不為國自愛公指天曰我命在彼豈可令汝輩獨當賊乎其以死勤事素定者如此嗚呼　國朝將臣在平世遇小敵樹勲立名者多矣若公則當積衰諱兵之後遇天下莫強之寇大小數十戰皆以全取勝蔽遮西海使賊不得水陸並進以為中興根本則一時勲臣宜莫尚焉至其立身之節死亂之忠行師用兵之妙綜務辨事之智已試而可見者雖古之名將賢帥代不出一二者無以

過也公之事蹟朝野多記載其在軍民追慕思詠者不可殫擧今姑掇其大略爲此狀敬告于太常以備易名之考焉

全羅左水營大捷碑　領議政李恒福

在昔壬辰南寇匪茹連艫泛海由嶺而湖者其蔽曰閑山其界曰露梁其阨曰鳴梁若失閑山露梁不守直蹙鳴梁畿輔搖心矣疇克有庸式遏三險越乃元侯統制李公曰　君之使命余視師臨發有　教曰故統制使臣李舜臣其勤王家捍衛我南藩無祿大命隕墜予惟寵嘉之

廟宇不立無以勸忠汝往欽哉臣受　命而退稽諸祀典以死勤事則祀之能捍大患則祀之玆惟貞哉載在故府追惟亂初公職在湖南官守有限以國害爲深着隣灾爲己憂踰南海蹈寇地玉浦之戰露梁之戰唐浦之戰栗浦之戰閑山之戰安骨之戰焚燒賊船二百二十餘艘斬首五百九十餘級溺水死者又不記其數賊死咋不敢近公寨下因陣閑山以遏賊衝至于丁酉代斷血指閑山敗沒於是舟師敗將奔卒及南土之民擧咨嗟一口齊聲曰李統制若在豈使此賊窺湖南一步地　朝廷急而求公再莅前職公單騎召收進陣鳴梁猝遇夜襲用少致死以十三新集之艦當大萬蔽海之寇破船三十賈勇以前賊遂退遁戊戌　天朝大發兵來援水軍都督陳璘與公合陣奇公之爲必稱李爺而不名其年冬賊合勢大來進至露梁公自領銳師先當其鋒　天兵夾進與公掎角是日雞鳴馮夷啓道蜚廉戢威四維褰擧軫乃曉中兩軍齊作千帆飛舞公先躍入乘銳崩之賊乃蟻潰救死不暇鼓音未衰將星沈彩公於黎

明中丸而顚猶戒衆諱言死曰恐我師熸也提督聞之以身投於船者三曰無可與有爲矣天兵亦却肉不食南民奔走巷哭操文以祭之老幼遮道而哭者所在如一嗚呼若公者可謂以死勤事能捍大患者非耶宜其勳爲元臣爵爲上相錫之茅土形圖麟閣食報無窮又使英雄永抆危涕丈夫生世良足千古況今受命職當南事敢不良圖時李統制時言聞言感激實主張是凡軍中將校卒伍飮公之德者蹈舞　上恩慷慨公死千羣雀躍萬斧雷翻不十日而工

告訖功後十五年甲寅海西柳節度珩走書来額以露梁之事載烈垂永余曰公之德在南民者口碑不朽公之功在 社稷者太史有錄何事於碑唯其憂家愛恤孤姪恩若己出內行之淳也在軍數年大開魚塩廣設屯田軍無乏絶所得戰賞施下無餘外行之備也至於和易之德果辦之才刑賞必當之勇作人如斯足為百世開人而在公則為踈節也可略也已銘曰在壬辰歲狂寇不臣虐始於隣列郡瓦裂迎敵津津若蹈無人時維李公其氣益振扼拊海滑

皇者其武出師牲牲命虎臣璘列鈇掉幟玄冥司辰賊害而嚚師于陁港大戰其垠矢集脩鱗虁蛇掉尾毒于公身不佑于神露梁殷殷維水淵淪樹此貞珉後天不墜公名嶙峋維永宗禋

鳴梁大捷碑　大提學李敏叙

萬曆二十五年丁酉九月統制使李公統舟師進駐於珍島之碧波亭下大破日本賊於鳴梁之口賊由是大衄不敢窺海右逼湖圻其明年賊遂罷兵歸世謂中興戰功公為第一而鳴梁之戰最奇云盖公初以全羅左水使聞賊至慷慨誓衆進兵於嶺南界中邀擊沿海賊初戰於玉浦再戰於唐浦復戰於固城之唐項浦皆以少擊衆殺賊無筭卒乃大捷於閑山威震海隅乃進拜統制使悉総三道舟師仍屯閑山數歲賊亦不敢復搶海路至是賊再舉大至懲前之敗蓄憾專力欲衝海道直上時公方被誣逮命以白衣從元帥俄復授舊職於是元均已代公大出兵迎賊軍遂陷盡喪其舟師器械蓄積而閑山已陷矣顧公乘喪敗之後無兵可戰間關走海上稍收亡卒得戰艦十餘艘遂進扼鳴

梁賊至者樓櫓蔽海公督諸將進船當海之隘口連艫下碇截中流待賊鳴梁地迫陿潮方盛水益急賊從上流乘潮揜之勢若山壓士卒無生意公意氣益勵乘機奮擊將士皆殊死戰船出入如飛砲火四起海水盡沸賊船焚燒撞碎沈溺死者不可勝數賊遂大敗遁去始戰方酣巨濟縣令安衛少却公立船頭大喝命左右取衛頭衛懼還入疾戰是日破賊船五百艘斬其將馬多時時南民避賊從公者百餘船未戰公令分船泛海為疑兵及戰船上觀者皆失色謂

公兵少當沒及賊退戰氛息見我船屹然無恙
皆大驚爭來賀自是軍聲復大振夫自李鎰申
砬敗後官軍及義軍遇賊輒奔潰無敢略齟齬
其鋒者及　天子遣大兵來救大震殲次第復
三都然後我軍稍稍掎角之如延安幸州之捷
雖一時稱雋然皆藉　天兵威重僅能嬰城拒
守得全未有獨當一面鏖戰全勝如公之為者
也故賊屯湖嶺六七年不敢蹈西海一步地南
原既陷賊勢尤張而猶狼顧不得逞者繄公是
賴至若露梁之戰大戰而又大勝臨陣殞命卒

以身殉國公死而賊亦退其後　朝廷論平賊
功以公為元勳追　賜宣武功臣號　贈官至
左議政立忠烈祠於露梁以祀之公諱舜臣字
汝諧德水人公平居循循雅飭如儒士及其臨
難討賊決策出奇雖古名將不能過而忠義奮
發有可以貫日月而感鬼神者是以所在克捷
威懾隣賊義動中國若公者乃古所謂真將軍
可屬大事者非專以一時取勝為可貴也其行
己之大方用兵之大略國史及他銘述備矣不
佞少過鳴梁觀公戰地慨然太息彷徨久之想

見其為人今南人立石於其地使來謁銘義不
敢辭遂略敘其舊聞繫之以詞詞曰鳴梁口兮
隘而束海潮蹙兮汩兩峽兵因地兮利出奇藐
羣醜兮勢莫支士卒奮兮皷方震俄殲賊兮蕩
餘燼帷將軍兮勇義俱扼海道兮海無虞怒濤
擊兮蛟鯨趨觀戰地兮想英謨靈皇皇兮赫海
隈呵星辰兮走風雷海不竭兮石不泐昭壯烈
兮耀無極

露梁廟碑　　文正公宋時烈

南海之露梁有廟三間中設位牌以祀故忠武

李公者也　神宗皇帝萬曆紀元倭酋秀吉弑
其君舉國來寇公先在北邊屢立奇功而人不
甚知辛卯二月擢授全羅左水使公至則日修
戰具撫循士卒遂與賊戰敗之於玉浦敗之於
露梁又唐浦敗之於蛇梁斬其貴將又敗之於
唐項浦撞破其四十餘船皆以少擊衆　上下
書褒之陞其資級至永登浦敗之至見乃梁誘
賊敗之腥血漲海又戰於安骨浦燒其船四十
餘遂進戰於釜山又破其船百餘艘遂置陣閑
山島積粟整師以為迎　駕龍灣之計　朝廷

為置三道統制使以處之賊畏甚行間以愚我諸將元均又嫉搆之　朝廷兩信之公遂被逮拷有大臣言　上亦念公功只削職從軍以責効時母夫人卒公便道奔哭即行曰吾一心忠孝到此俱喪矣軍民擁馬號泣遠近嗟怨元均代為統制使為賊所誘軍敗走死而閑山遂陷賊遂由西海進陷南原　朝廷遂以公復為統制公以十騎馳入順天府稍收亡卒遂戰於於蘭島碧波亭皆大敗之捷至　上欲陞公崇品有言公爵秩已高遂止止賞將士　天將楊公

鎬亦送銀段以慰賞而奏聞　天朝公之名遂得聞天下時公猶食素寢苫　上特使諭旨且送草木之滋公涕泣勉從　上念公舟師單弱欲令前却以觀勢公馳啓曰臣一去港則賊必登岸長驅矣時　天將陳璘劉綎水陸來會公接應有方俱得歡心公進據古今島募民耕作以便公私南民繈屬歸之賊將行長亟謀撤歸求道甚恭兩　天將中其賄皆欲許之公諷刺甚至行長又遣使于公遺以銃劍公以讎賊不可通使嚴辭却之將士勇氣自倍行長計窮遂

引泗川屯賊以自援一夕大星隕海中軍中畏之戊戌十一月十九日公與陳公迎戰于露梁賊大挫衂公忽中丸而絶陳公被圍急公從子莞有膽略不發哭督戰自如遂解陳公圍而行長僅得逾去既發喪我師與　天將兩陣皆號哭聲撼海中自南海至牙山迎柩哭奠千里不絶亦有喪之三年者僧徒處處設齋皆曰活我命復我讎者公也公內有篤行貞介自守意有不可雖達官要人必據義婉屈之發謀制事舉無遺策奮勇决機前無堅敵軍政簡而有法不

妄殺一人而三軍一志莫敢違令至其舉大義斥倭使使中賂者顔騂主和者顙泚則張忠獻岳武穆蔑以加矣以故當積衰諱兵之餘遇天下莫強之賊大小數十戰俱以全取勝蔽遮東南以基中興之偉烈至蒙　皇上寵命錫以印符則一國之人雖家尸而戶侑不為過矣況此露梁者旌纛之所臨喑啞之所被其精爽之可畏者固將億萬年不泯蹴山蕢海風怒雲屯常有跳馬島擣江廬之氣則嚴奉之舉尤在所先也舊有廟狹隘下窄不足以妥公之靈故統制

使鄭搤圃隱先生之耳孫感公忠義既改而新
之又伐大石以為牲繫而因閔學士鼎重俾余
書其事文既粗成判書洪公命夏以事聞　孝
宗大王亟徵草本特賜乙覽亦豈拊髀頗牧之
意歟只今　仙馭上賓　陵栢蕭森公之毅魄
重亦飲泣於九原矣因并記此以備始末俯仰
疇昔為之抆血也公諱舜臣字汝諧德水人時
崇禎辛丑十月日也今　上癸卯賜祠額曰忠
烈至是而崇報無憾矣碑役前後相之者統制
使朴公敬祉金公是聲也是年七月日追刻

神道碑　領議政金堉

國家得太平二百年民不知兵飛丸荷劒之寇
猝犯東南三京失守七路塗炭時則有若元帥
權公虎視甸服而大得儁統制李公龍驤海上
而奏膚功微二公則　皇朝水陸之兵何恃而
得力　宗社無疆之曆何賴而再造乎然而元
帥之墓既有豐碑之樹而統制之隧尚無紀績
之文玆豈非薦紳諸先生之有餘憾者乎今者
公之宅相洪君持李判書植狀公之行者示余
而請銘余今老矣年垂八十筆硯已踈公之氣

槩勳業固不敢形容其萬一而精忠大節景仰
心服則自髫年矣又何敢游辭飾讓不盡其所
欲樂道者乎玆敢不辭而叙次之公德水李姓
諱舜臣字汝諧　世宗朝大提學貞靖公邊之
五代孫也以嘉靖乙巳生兒時已英偉異凡與
羣兒戲為布陣狀見推為元帥人甚異之既長
射藝絕倫中萬曆丙子科講武經黃石公書考
官問張良從赤松子遊則果不死乎公曰漢惠
帝六年留侯張良卒此綱目之筆也安有從仙
不死之理考官相顧歎曰此豈武人所能及哉

西厓柳相公與公少相善每稱才可將栗谷李
先生長銓時因西厓求見公不肯曰同宗可相
見在銓地則不可為訓鍊奉事時兵判金貴榮
有庶産箕帚兒欲招公為壻公曰吾初出仕路
豈可托迹權門立謝媒嫗公為邊將或為軍官
一介無所私主將有非輒盡言規正雖見忤不
恤也嘗權管乾原堡賊胡鬱只乃久為邊患公
縛以來兵使金禹瑞忌其功　啓以擅兵賞不
行公在堡奔父喪而服闋即主司僕簿才半月
拜造山萬户巡察使鄭彦信設屯田于鹿屯島

使公兼管公以屯軍少屢請添戍兵使李鎰不許秋虜果大入公力戰拒之射殪其酋追擊之奪所擄屯軍六十餘人還兵使欲殺公自解將斬之營下軍官宣居怡執手流涕勸酒壓驚公正色曰死生命也何以酒為入庭抗辨不少屈兵使意沮囚而啓聞 上察其無罪命戴罪自效俄以獻級蒙 宥已丑以宣傳官除井邑縣監庚寅西厓力薦于朝陞高沙里僉使尋進階為滿浦僉使臺官以驟陞改正辛卯除珍島郡守加里浦僉使皆未赴擢全羅左水使是時倭

釁已啓公深憂之日修備禦之具刱作龜船覆板加釘藏兵列砲終得其力壬辰倭陷釜山東萊長驅而進公欲移兵擊之麾下皆以離鎮為難公曰今日之事唯當擊賊而死合諸堡兵將發會慶尚右水使元均遣人請援公引兵赴玉浦以萬戶李雲龍禹致績等為先鋒先破倭船三十至固城聞京都已陷 大駕去邠西向痛哭引兵還營均復請兵公還赴露梁破十三艘追至泗川丸中于肩猶不釋弓終日督戰人莫知之六月又戰于唐浦賊駕層樓畫船而來以片箭殪金冠錦袍之酋盡殲餘賊日午賊船又大至公以所獲倭船置前行去賊里許而焚之火藥暴發熖騰響震賊大敗而走全羅右水使李億祺亦來會合戰於固城又射層樓大酋殺之破三十餘艘賊登岸而走遂與億祺還營賊又向湖南公又進兵固城賊船蔽海而至佯退誘賊至閑山島破七十餘艘賊酋平秀家脫身走死者幾萬人倭兵震恐公在陣晝夜戒嚴未嘗解甲而卧一夜月色甚明公忽起飲一盃悉召諸將曰賊多詐謀無月時固當襲我月明亦

應來不可不警備遂吹角令諸船皆舉碇俄而候船告賊來落月掛西賊船從陰黑中來者不可勝數中軍放大砲吶喊諸船皆應賊知有備遂不敢犯而退諸將以為神公進擊釜山欲覆其根賊結寨登高遂燒空船百餘而還公連奏捷音 上嘉之加階至正憲下書褒美公請移鎮閑山控制兩道 朝廷許之遂置水軍統制使使公兼領統營之設始此公別儲精米五百石而封之或問何用公曰 主上越在龍灣若至渡遼則以龍舟浮海迎 駕仍圖恢復吾之

職也此可以備王食之供其識慮之遠大皆此
類也元均性本猜暴又自以先輩恥居公下不
遵節制公絶口不言長短自咎乞遞　朝廷以
均爲忠清兵使均締結朝貴搆誣百端時賊將
行長清正詐爲相圖之狀使要時羅爲間令先
擊清正　朝廷信之促公進兵公知其詐守便
宜持難言者劾以逗遛丁酉二月下公吏體相
李公元翼馳　啓賊之所憚者舟師也李不可
遞元不可遣　朝廷不從李相歎曰國事無復
可爲　上命議于大臣判府事鄭琢曰軍機不

可度其不進未必無意請責後效　命白衣從
軍時母夫人卒于牙山公號哭曰竭忠於國而
罪已至欲孝於親而親則亡人聞而悲之公在
鎭置運籌堂與諸將論事其中均代公一反公
所爲貯妾其堂而籬隔之諸將罕見其面專事
凶虐大失軍情要時羅來言清正後軍方來可
邀擊也　朝廷又促戰七月均悉衆而出賊乘
夜掩襲均軍潰走死艅艎百艘盡沒於閑山賊
由湖海下陸進陷南原　朝廷遂起復公爲統
制公以十數騎馳入順天得餘船十餘稍收亡

卒數百敗賊于於蘭島時　朝廷以舟師單弱
命公陸戰公曰賊不敢直突兩湖者以舟師之
扼其路也戰船雖寡微臣不死則賊必不敢侮
我矣湖南避亂船散泊諸島者百餘公與之約
東列于軍後以爲聲援以公十艘最著前迎敵
于碧波亭賊船數百來襲公不爲動整陣以待
賊至近砲射齊發軍皆殊死戰賊大敗而走斬
其名將馬多時軍聲復振捷聞　上欲賞階崇
品言者沮之以祿位之高時經理楊公鎬在京
移咨致賀曰近來無此捷吾欲掛紅而遠未能

焉爲送白金紅段使褒之掛紅者華人相賀以
幣之禮也戊戌春移鎭古今島公雖起復從戎
日食數溢米形容頓瘁　上特遣使諭旨從權
是秋都督陳璘領水兵五千來頗侵擾居民公
令軍中撤其廬舍都督顚倒來問公曰軍民聞
天將之來如仰父母今專事暴掠人思逃避我
何得獨在陳執公手而止之公曰　天兵謂我
爲陪臣少無忌也倘令便宜呵禁庶可以保陳
許之自是島中帖然褊將宋汝悰與漢船同擊
賊斬七十級漢人無所得陳慙怒公解之曰大

人來統我軍我軍之捷即 天兵之捷何敢私
焉謹盡納所獲陳大喜曰素聞公名今果然矣
汝悰失望自訴公笑曰腐尚何惜汝功吾當狀
奏汝悰亦服陳見公治兵設策歎服曰公非小
國人若入中朝當爲天下大將進書於 上曰
李統制有經天緯地之才補天浴日之功蓋心
服也遂奏聞于 帝帝甚嘉之賜公都督印至
今藏于營九月劉提督綎率苗兵萬五千陣曳
橋之北十月約與水軍夾擊公與都督進戰僉
使黃世得中丸而死世得公之妻從兄也諸將

入弔公曰世得死於王事其死也榮行長賂都
督請退陣都督欲使公退公曰大將不可言和
讎賊不可縱遣都督赧然行長遣人言曰朝鮮
當與上國兵異陣而今同一處何也公曰陣於
我地只任我意非賊之所知也行長與昆陽泗
川之賊擧火相應公嚴兵以待南海之賊來泊
於露梁者無數公與都督二更同發祝曰此讎
若除死亦無憾忽有大星隕於海中見者驚異
四更遇賊大戰至朝大破之焚二百餘艘追至
南海界親犯矢石而督戰有飛丸中公左右扶

入帳中公曰戰方急愼勿言我死言訖而終年
五十四公之兄子莞依公言立船上麾旗督戰
如公賊圍都督船甚急諸將望見將船麾旗爭
赴以救日午賊大敗遁出外洋都督移船相近
曰統制速來莞哭對曰叔父休矣都督躍起而
仆於船者三曰旣死之後乃能救我拊膺大慟
兩陣皆哭聲震海中返柩牙山一路士民號泣
設祭千里不絶 上卽遣官弔祭 贈右議政
甲辰策勳第一 賜效忠仗義迪毅協力宣武
功臣之號進左議政封德豊府院君謚忠武立

祠營邊 賜額忠愍湖南人立碑于東嶺以寓
悲慕己亥二月葬于牙山之冰項先兆也公膽
量過人志操堅確持身如學者之繩墨自律孝
友出於天性居家行誼甚篤其二兄皆先亡撫
養遺孤若己出日用之物婚嫁之禮必先姪而
後子雖或非罪而在縲絏之中不以死生動其
心其所養有本故出謀發慮擧無遺策料敵如
神卒以取勝全湖西南數千里封疆爲 國家
中興之根基蔽遮江淮沮遏其勢與巡遠同鞠
躬盡瘁死而後已與武侯同同死國事而大捷

功收惟公一人倘所謂異乎三子者是耶非耶
功盖一國名聞四海嗚呼偉矣哉公嘗有詩曰
誓海魚龍動盟山草木知誦之者莫不垂淚而
激烈也考諱貞　贈純忠積德秉義補祚功臣
大匡輔國崇祿大夫議政府左議政兼領　經
筵事德淵府院君祖諱百祿宣教郎平市署奉
事　贈嘉善大夫戶曹參判兼同知義禁府事
曾祖諱琚通政大夫兵曹參議母　贈貞敬夫
人草溪卞氏公娶寶城郡守方震之女生三男
一女長縣監薈次正郎莚季葂公最愛其類已

壬辰將母避賊于海曲迎擊獨戰而死年十七
女適士人洪棐薈有二男一女長參奉之白次
之晳女適尹獻徵莚無子以之晳為後洪有四
男一女長宇泰次縣監宇紀請銘此其人也次
宇逈次振夏女適尹守慶之白纔得一命而又
無子以之晳之長子光俒為後之晳再娶生六
男一女而皆幼公之後嗣又何其不蕃耶其必
有大於後者歟銘曰昔歲龍蛇海動鯨波射天
之昇謂北可超舟浥如橋氣凌遼薊三道既躙
七省皆燼孰有投袂公乃奮起嚼而碎齒以死

自誓温嶠灑泣士雅擊楫職是統制敵間謀猜
他將已來何罪而逮　聖主垂恩賢相進言敗
而後繼旌旗變色紀律嚴肅軍心益銳碧波一
捷威聲震疊堅敵忽脆逋寇劻勦却望東洋已
生歸計敵不可縱戰士倍勇恢復之勢凱歌將
獻芒星赤隕公朝上帝楊儀整軍仲達已奔萬
人一涕悲動蓬瀛淚溢滄溟名流百世丹旌低
仰士民如喪千里設祭功高位極像留麟閣我
公非逝隱卒崇終祁連象封終始其惠忠愍有
祠　恩額淋漓春秋牲幣平生景慕已隔泉路

眼淚何霽荒詞雖耄無愧有道羊豕可繫
縣監正郎俱　贈承政院左承旨蓋以錄原
從勳也之晳後官　社稷令有六男一女長
光俒既繼宗孫參奉公後官參奉次光憲光
震水使光輔虞候光宇光冑女生員洪叙夏
庶子光世參奉有六男一女長弘毅都事弘
著營將弘緖弘健弘猷繼光憲後弘茂女金
震襦水使二庶子弘樹弘梓虞候二男弘規
弘矩一女朴聖瑞光宇一女金漢鼎光冑二
男弘澤弘協都事二男萬祥彥祥營將一男

鳳祥一女洪元益弘緖二男雲祥斗祥弘健三男弘猷二男弘茂三男併幼此碑刻役訖工在庚子歲而力綿未果立迄今三十有四載光震得節度本道水軍始克樹諸墓道諸姓孫之未及與錄於前刻者謹追叙如右外裔稍遠者繁不復載崇禎紀元後癸酉四月日立

高和島遺墟碑　領府事南九萬

昔在　宣廟丁酉歲故統制使忠武李公以為兵興事殷粮餉最重審察形便得羅州高和島

凡戰陣餘穀山野運来悉令停侍于此募軍入屯置別將以主之盖此島處海路自南迤西之地右引嶺南左達京口近可以給食軍前為鏖戰之資遠可以獻饟　行在為救匱之用其為國家深謀長慮非偶然也而時移事往蹟堕規壞別將雖存舊隷軍民已多逃散近年又移鎮於唐串既失控扼之勢又少財穀之蓄本鎮遺民為之慨然咨嗟者久矣吳統制使重周以軍民之意欲載于石樹之于高和島初設之處以復忠武公舊制纔訖治石解職歸焉軍民喁望之情終不可遏工役餘財亦可充鐫鑱之費所未得者惟記事之文耳為此来謁于余余作而歎曰有是哉忠武公經遠之計也自古危難之際戰伐之所以必勝國家之所以復振未嘗不賴於積粟趙營平金城之碎羌在於湟中之屯田唐德宗奉天之濟饑在於韓滉之輸米公之設鎮其意固在於斯二者矣或曰公方與賊交鋒軍食日急其為聚穀饋兵固人之所共見至於貢獻　朝廷人所未喻今何以知其必然也余曰唯唯否否盖嘗見公遺事其所區畫不但

為目前事公之初受節於全羅左水營也聞大駕西狩別貯精米五百石封之曰　主上越在龍灣箕城之賊若又西突則　駕將渡鴨綠矣為吾之職當以龍舟浮海迎　駕仍圖恢復雖或不幸君臣同死我國之地可也觀公此言公之精忠壯略豈但為不乏軍食而已豈止於苟守一職而已不然閑山古今之間旌纛之所臨顧眄之所及設屯儲糧亦是為急時取用何必於離營之遠轉海而西指京都而設此鎮哉吳統制重周在遆任之後乃能興起公遺風發

明公初意必欲使後之統制將重有所修舉令之鎮民永有所瞻慕其亦可尚也已

制勝堂遺墟碑 都事鄭基安

於虖此故李將軍舜臣制勝堂之墟也方其坐斯堂而指顧號令也天地鬼神鑑其誠風雲雷雨助其變蠻兵之蔽海跳踉者逡巡軒檻之外而不敢近也何其壯也今更數百餘載砌礎已移井竈已湮烟濤浩渺之際松栢蓊蔚之間漁叟樵竪猶能相指爲制勝堂故墟民之久而不忘也如斯夫噫甘棠所茇也而勿剪之歌詠于

萬古奠安 社稷全保我黎庶伊誰之力也而忍使斯堂之墟翳然爲茂草耶時移而事遷浸浸焉綿邈則又安知漁叟樵竪之亦失其處而無所徵也今統制公築土而封之伐石而竪之蓋所以識之也嗚呼天下萬世其當知爲李將軍堂乎於是君子曰統制公於是乎能事君矣匪慕其人曷能碑之苟慕矣必效之苟效矣必忠而義能忠而義於事君乎何有碑而書之者統制使趙儆也文而記之者都事鄭基安也

戰勝臺碑 弘文提學趙明鼎

嗚呼此故忠武李公舜臣破藩胡之所也萬曆丁亥公以造山萬戶兼鹿屯堡屯田官藩胡望見秋熟率其衆來圍木柵縱兵大掠公登鎮北三里許高峯而禦之伏奇兵於賊路日暮邀其歸放砲鳴鼓擊之殺傷甚多賊大懾更不敢近後人名其峯曰戰勝臺 宣廟壬辰倭寇大舉蕩我境 乘輿播越 宗社陷沒公首起討賊一破於唐津再破於閑山三破於鳴梁公雖卒以身殉而賊勢挫衄不復振我東之得有今日實公之力也公忠誠貫日月功烈銘彛鼎蕞爾

一片之臺不足爲公之重輕而公之出奇殲賊已自小官始且朝廷之知公用公終樹不世之勳者權輿於此有不可泯沒公之五代孫觀祥今爲關北節度使亟治石千里走書丐余記其陰嗚呼殆古所謂水不忍廢地不忍荒者歟

鹿屯島一名沙次麻在府南五十六里豆滿江入海處丁亥令造山萬戶李舜臣兼掌屯田秋九月府使李景祿率煙軍收穫之際藩酋卬尼應介沙送阿等嘯聚羣胡於楸島先使騎兵圍柵縱兵大掠守護將吳亨監官林

景藩等力不能拒皆戰死李景祿李舜臣殊死拒戰得免陷破叩尼應介蹈壕而入出身李夢瑞一箭射倒餘賊皆散李景祿與李舜臣尾擊還奪所掠農民斬胡三級 關北誌

李忠武公全書卷之十

李忠武公全書卷之十一目錄

附錄三

李忠武公全書卷之十一目錄

李忠武公全書卷之十一

附錄三

忠愍祠記　　　　領議政李恒福

上之三十四年正月　命臣恒福視師南服
召至　便殿　教曰故統制使臣李舜臣乃心
王室卒死王事予惟寵愍之迄未有廟是以命
汝以昭厥績維時臣恒福承　命感懼乘傳至
海上與諸將謀所以表忠紀德永示無已者則
咸曰諾於是統制使臣李時言實掌其事忠清
水軍節度使臣吳應台全羅右道水軍節度使

臣金應秋相與贊成之木浦萬戶臣田希光金
甲島萬戶臣宋希立鉢浦萬戶臣蘇季男加里
浦僉使臣卞弘達奔走會事後數月全羅道兵
馬節度使臣安衛使以幣若干來助工凡公之
平日麾校將吏士咸盡情力懽呼趨事羣能盡
巧萬斧齊作迺以是年某月工告斷手臣恒福
遂以訖事告成于　朝仍請廟額以榮其事仍
以公之世系履歷事始終而叙之曰謹按故
贈大匡輔國崇祿大夫議政府右議政行正憲
大夫全羅左道水軍節度使兼三道統制使李

公諱舜臣其先德水人也事高麗歷職閤門祗
候文林郎賜紫金魚袋知三司事諱劭五世而
至貞靖公諱邊官至領中樞府事孫諱琚兵曹
參議生諱百祿平市奉事生諱貞是實生公九
世簪纓聯代有人至公始大著母曰草溪卞氏
將仕郎守琳之女也公以乙巳三月初八日生
卜云行年五十杖鉞北方及長業儒尤長於書
字弱冠盡棄其學專學武事丙子中武科為鉢
浦萬戶罷官家居甲申丁外憂丙戌服闋以司
僕寺主簿為造山萬戶丁亥　朝廷設屯田于

鹿屯島以公掌其事公以地絕兵少累請添兵
其年八月賊襲園田寨有賊數人衣紅氈最著
在前公連射殺退開寨追擊奪還被擄男婦六
十餘口方戰公中流矢潛自拔之顏色不動一
軍無有知者時主將拿公至營門將入就勘友
人宣居怡懼不免執手流涕勸酒壓驚公正色
曰死生有命飲酒何為及對勘公不服曰我以
兵少累報請益事聞　上曰某非敗軍之類可
白衣從軍其年冬從時錢之役立功放還己丑
為井邑縣監辛卯以珍島郡守旋陞加里浦僉

使擢為全羅左道水軍節度使越明年壬辰夏日本關伯平秀吉傾國入寇連陷釜山東萊等城分道西上聲言直犯中原公會諸將計事鹿島萬户鄭運及公軍官宋希立奮願以死自效辭語慷慨公大悅以五月初四日領水軍下海慶尚右水使元均馳書與公約會于閑山島時公有戰船八十餘艘與均至玉浦前洋有賊船三十餘艘四面圍帳竪紅白旗碇住洋中分餘兵登岸燒閭舍烟焰遍山賊見我師猝至一時登船促櫓出陣公遇於洋中督諸軍焚賊船二

十六艘約以明日決戰有人從西來者傳言主上西巡京城不守諸將各還本鎮時 上在義州南路阻遏聲聞不通捷上 行在百官引領相賀遂進秩為嘉善大夫居無何公夢見白頭老翁蹴公起曰賊來矣公蹶然驚起促領戰艦二十三艘會元均于露梁則賊果來矣初一交戰焚破一船追至泗川洋中遥見海上一山有賊百餘長蛇而陣其下有賊船十二艘緣岸列泊時早潮已退港口水淺海舟不得進公曰我若佯退賊必乘船追我今以計引出洋中我

以巨艦合擊蔑不勝矣遂鳴螺回船行未一里賊果乘船逐之公嘗在本營日以倭寇為憂創智造船另出新制上設板盖形如伏龜至是公令龜船突進先嘗賊陣焚其船十二艘餘賊遠望頓足呌呼方戰賊丸中公左肩貫徹至背公猶執弓注矢督戰不已及戰罷公令人用刀尖挑出一軍始知公中丸莫不愕然進至唐浦又有賊船十二艘分泊江岸中有一大船上設層樓外垂紅羅帳有賊酋一人金冠錦衣指揮諸賊公令諸將促櫓直衝順天府使權俊自下仰

射正中其酋賊應弦而倒一軍稱慶日暮回陣於蛇梁前洋軍中夜驚擾亂不止公堅卧不起良久使人摇鈴一軍乃定後六月四日進至唐項前洋全羅右水使李億祺領戰船二十五艘來會先是諸將常以孤軍深入為憂至是見億祺來無不增氣翌日諸軍出外洋諸賊陣於唐項前浦公先遣哨船往探形勢哨船纔出海口即放砲報變諸軍一時促櫓首尾連亘魚貫而進至召所江賊船二十六艘擺列港中中有一大船上設三層板閣外垂黒綃帳前立青盖遥

見帳內隱隱有侍立之狀知其為頭酋戰未數合公佯敗而退層閣大船見公敗退舉帆直出諸軍挾擊乘銳崩之賊酋中箭而死焚船一百餘艘斬賊二百一十餘級溺水死者甚衆事聞進階資憲大夫後七月六日公與元均李億祺等會于露梁聞賊船七十餘艘移泊於見乃梁我師至中洋賊見兵盛回船入港港中元有老營七十餘艘作綜列陣港口淺狹且多隱嶼難以行船公少出兵以誘之賊果悉衆追之公且戰且退引至閑山洋中回船却逐揮旗皷譟

箭砲俱發賊氣挫少却諸將軍吏懽呼踴躍焚賊船六十三艘餘賊四百餘人棄船登陸而走諸軍進至安骨浦前洋又有賊船四十餘艘中有三船上建層樓諸船以次列泊賊既屢敗懼我直衝前據淺港負固不敢出公督諸軍休番迭進日暮海霧四塞餘賊二十餘艘乘夜絕碇而遁是役也斬二百五十餘級溺水死者又不記其數軍聲大振進階正憲大夫公每戰勝輒戒諸將曰毋勝必驕諸將慎之時賊屢窺湖南猖然未已公以為 國家軍儲皆靠湖南若無湖南是無國家也癸巳七月十五日進陣于閑山島遮遏海路是年八月 朝廷以公兼三道水軍統制使領本職如初使得總制舟師公在軍六年見本道粮儲凋耗無以供給遂大開魚塩廣設屯田凡所以利國補軍者勇往不顧若嗜欲然無絲毫遺故軍餉有裕未嘗乏絕丁酉正月賊酋清正再渡海 朝廷以公不能逆擊下詔獄用元均代為上將公在道男女老幼皆遮道號哭及對獄 上原之以白衣送元帥陣中使之戴罪自效其年七月均果敗都元帥權

慄使公往晉州收殘卒未幾 朝廷復用公為統制使時新敗之餘舟船器械蕩然無存公聞命單騎馳到會寧浦道遇慶尚右水使裵楔時楔所帶戰船只有八艘又得鹿島戰艦一艘公咨楔以進取之計楔曰事急矣不如捨船登陸自托於湖南陣下助戰自效公不聽楔果棄船而去公召全羅右水使金億秋使之召集管下諸將五員收拾兵船分付諸將粧作戰艦以助軍勢約曰吾等共受 王命義當與同死生國事至此何惜一死惟死於忠義歿亦有榮諸將

無不感畏時公起板蕩之餘再膺藩命兩南諸郡盡爲賊藪行長在陸路義智在水路飛謀蓄銳以伺我隙公獨以瘡殘餘卒領十三戰船棲依無所逡巡於碧波亭洋中見者危之一日忽下令軍中曰今夜賊必襲我諸將各宜整軍戒嚴是夜賊果潛師以來公自起大喝令諸軍無動各下碇以待責戰益力賊解圍公回軍在右水營鳴梁洋中天明望見賊船五六百艘蔽海以上先是湖南士庶乘船避亂者皆聚陣下依公爲命至是公以衆寡不敵先令避亂船次第

而退排列布陣爲疑兵自領戰艦當前賊見公整船而出各促櫓直進旌旗樓櫓彌滿海中時早潮方退港口湍悍巨濟縣令安衛順潮而下風便迅駛船行如箭直衝陣前賊四面圍抱衛冒死突戰公督諸軍繼之先破賊船三十一艘賊少却公擊楫誓衆乘勝而進賊死咋不敢抵敵擧軍而遁公亦移陣於寶花島時閑山諸將各自投竄與本道避亂民人等奔入諸島公日遣褊裨通諭諸島召收散兵治戰艦備器械莫益販貿二朔之內得穀數萬餘石將士雲集軍

聲復振以戊戌二月十七日進陣于古今島時行長歛衆據險陣於順天之倭橋公距倭橋百里而陣其年七月 天將陳都督璘以水兵五千與公合陣劉都督綎以苗兵萬五千陣於順天之東將水陸齊擧 天兵侵擾我軍公令軍中撤其閭舍都督怪問之公對曰 天兵時加侵擾故小邦新集之民將盡遠徙都督大驚使公便宜行事日後再有侵擾者許令罪之自後天兵秋毫不犯一陣賴以相安行長憚公威名遣其亞將賫鳥銃長劒遺公公却之曰我自壬

辰殺賊無筭所得銃劒自足爲用賊又因都督欲遺以銀兩酒肉公曰此賊於 天朝亦有難赦之罪老爺反欲受賂耶其後賊使再來都督辭之曰我於統制公既已見愧何可再爲是年十一月十八日南海釜山諸賊來援先鋒已到露梁公言於都督曰我師前後受敵不如退陣猫島更約諸將刻意決戰都督從之是日三更公於船上跪祝于天曰今日固決死願天必殲此賊祝罷自領銳師先進露梁十九日四更賊圍都督甚急公直前救之親冒矢石手自擊鼓

忽中丸而仆臨絶顧謂麾下曰諱言我死勿令驚軍都督聞公死顛倒於船者三曰無可與有為者南民聞公之喪奔走巷哭市者為之罷酒及家人以喪歸南中士子操文以祭老幼遮道而哭至界上不絶公娶郡守方震女生二男一女長曰薈累功為訓鍊院僉正次曰莅女嫁士人洪棐公嘗應擧就講至張良傳考官曰良從赤松子遊真不死耶對曰綱目書留侯張良卒則良之志豈真欲仙也一座大奇之及為鉢浦輮輮不阿主將遣人欲取堡庭桐木為琴公不

許曰此官家木也植者既有意斫者又何意耶主將噎喟思有以中公者終公之在官拾掇不得毫毛罪其在北邊有人遭喪貧不得奔公聞而憐之即解所騎與之嘗言丈夫生世用則效死不用則耕於野足矣若取媚權貴以竊一時之榮吾甚恥之及為大將持是道無所變接人和易諄諄無畦畛遇事果辦不少回撓刑人賞人不以貴勢親踈輕重其意故羣下畏而愛之所在稱治倭橋之役公妻從兄黄世得戰死諸將吊之公曰世得死於王事匪哀伊榮在軍七

年苦身困心未嘗近女色戰勝得賞必散施諸將無所遺儲嘗與元均因軍事兩有違言積不相能公嘗戒其子弟曰若有人問之者爾等當言彼有功勿言所短有一卒當刑子弟在傍曰罪重不可貸也公徐曰子弟之道當以生道救人二兄先公亡公撫其遺孤恩若己出凡家中物必先姪而後子君子於是乎知公之行又篤於家也

二　　朴承宗

嗚呼天降多難于邦家也必生忠臣烈士或提

兵敵愾或死事顯節立人紀於當時樹風聲於後世流涕緗素斑斑可指壬辰之亂海酋秀吉乃以滔天之勢敢懐射日之計傾國而來兵勢甚鋭時昇平日久民不知兵自嶺南至於畿甸士崩瓦解竟至三京失守　大駕西幸時事艱危尚忍言哉　國家恩養武士垂二百年無一人横身血鬪争以賊遺君父獨統制使李公舜臣糾合舟師敢抗大難奮烏合之衆當鴟張之賊戰于唐浦戰于閑山又戰于釜山皆能以義鼓衆身倡諸軍賊不敢由海而西逮丁酉也公

方罷廢閑山之敗再膺閫命師徒喪敗部曲離散雖智者無如之何公乃匹馬徑進尋舟聚兵激發衰氣鳴梁之捷曳橋之勝以少擊衆再樹奇功雖岳飛南薰之戰劉琦順昌之捷其何以加此 天兵都督陳公璘與賊戰于南海前洋勢將不測公抽船獨進鏖戰摧鋒而中天星隕大樹風摧三軍墜膽擧國同傷陳公璘奏凱還朝也 上出迎于漢之濱語及忠烈之狀流涕滿面棄城喪師之輩頭領無恙老死牖下而公之忠烈竟至殞身何天之報施不同也嗚呼使

公不死當日則不過一功臣焉耳今乃顯忠表節輝煌宇宙雖死猶生顧視苟全之徒無異糞上棲塵以此較彼天之報施亦可謂豐矣李相國鰲城公體察南方也始倡建廟于左水營配之以李公億祺左營乃公發軔之地億祺與公同事之人故也馳聞于朝 賜額忠愍歲月侵尋事多廢墜己酉孟秋余叨按節巡于左營仍拜祀于玆行路傷嗟父老掩泣非公忠烈入人之深能如是乎公之忠烈在天爲星斗在地爲河岳炳炳烺烺不待祠宇而始明也然而崇尚節義綱常所賴完護祠宇治道所先余說與順天府給奴婢復田結俾不廢香火至于永永年無窮後來繼今者亦以此爲心也嗟呼海風颯颯海日茫茫展拜而出髣髴英靈

統制營忠烈祠記

文正公宋時烈

忠武李公露梁之廟既新而 孝宗大王徵其牲繫之文嘉賜乙覽今 上癸卯 命賜其額曰忠烈先是統制營西邊亦有廟以侑其神盖是營也 宣祖大王爲公剏置者也及聞禮官賷額下來今統制使金是聲與其幕佐柳遐及

李馨白等言曰均是忠武之廟則意者朝廷令其并賜榮號乎遂增飾門楣以俟之矣既而不果所望則相與齎咨不已其十月閔司諫維重以聞於 筵席領議政鄭公太和禮曹判書洪公命夏相與協贊 上曰其以賜露梁者並賜于其廟於是參贊宋公浚吉以健筆大書如赫曦以授李馨白俾歸以揭焉盖閔司諫卽參贊公東床也冰蘗同徽以稱明 聖上繼述之義亦盛矣哉余既以忠武事實略具于露梁之文矣玆不復著而只著其揭額顛末如此云是月

上澣恩津宋時烈記

統制營忠烈祠碑陰記　同上

宣祖大王上賓　皇威下伏公義其中興偉績振耀今古晉元宋高不足稱也公歿　上命文忠李公建立廟宇李公仍作牲繫文文成在萬曆甲寅今統制使閔侯暹始刻文於石螭首龜趺具矣夫自甲寅至今甲子一周而又七年矣其間更幾統制使而乃今卒其事雖其遲速有數而倘非侯慕義無窮烏能及此殊可尚也竊惟晉元宋高不能用祖豫州岳武穆遂為千古

恨我　聖祖能用公卒使卓然有成公於是抑不可謂不遇矣然亦不有文忠公其孰能對揚發揮如此哉閔侯亦可謂張其羣矣時崇禎重光作噩立秋日宋時烈識

東嶺小碣記　縣監沈仁祚

退計二十年前李鰲城為體察使拜辭之日先王首命為忠愍祠闕　命下來遂撰大捷碑文授之統制使柳公珩慷慨自任為衆人先收合財料招聚工匠事未易就役乃中止未幾公亦移拜他職累轉而除海西節度其身雖在他道迺心罔不在是役竭力殫慮得石于江陰浮于海入京江　朝廷啓請轉輸于兹拋棄海濱亦多年矣今節度使安公玏新到之日齋沐致祭慨然有慰答忠魂永圖不朽之志者久之會李爺之胤前縣監蕃氏来見之相與執手揮淚即令幕屬前縣監林英前判官鄭元溟等名集遠近石工復收龕石之粮分户曹參議李公昌庭順天府伯康公復誠出力優扶於是近邑守令邊將亦或送物助役晨夜展力越半年而畢使烈烈冠古之忠刻載貞珉萬世不泯豈非當

初柳公諸君子之力何以得此柳公臨終謂其子弟曰李爺之碑不立則吾墓前不須立石其景慕李爺之誠死且不忘矣庚申元月日碑立而墮淚碑亦移于碑側先是沿海士卒為爺立石望必墮淚者也噫李爺之事人口皆碑雖不待乎石石之立人也略書顛末而別立一小石云

東嶺小碣陰記　領府事南九萬

李忠武公當壬辰倭寇以全羅道左水使截海擊賊仍兼三道統制使終成露梁大捷之功而

以身殉之時柳公珩以海南縣監寔佐其軍賛畫督戰忠武公一中丸死柳公六中丸生兩公于斯役也雖有官位之次死生之異其於再造中興實並有力焉賊退事定後　朝廷以為全羅左營實忠武公首事之地軍民之追慕尤深命建廟宇樹穹碑凡以奬偉烈慰民望不可舍此地故也時柳公亦自全羅右水使陞拜統制使為之經紀建碑之工未訖遞移黃海兵使得石于江陰出江浮海而運致之後人繼事碑既成又竪小碣于其側具建碑始末柳公之曾孫

星彩今又按節此營遠慕忠武公暨其先祖之遺跡且念其先祖盡心碑役至於移職而運石以迄于成者為之重新碑閣刷洗刻文如始建時焉又以碑側小碣字畫漫漶缺落將欲琢磨改鐫以示久遠云嗚呼忠武公之身死而功成柳公之幸不僨命克相後事水使君之繩其祖武繼志述事皆可書也是為記

墓表陰記　判府事李頤命

原任統禦使李君鳳祥謂余曰吾先祖忠武公墓在牙山縣羅山負壬之原墓前舊碣短且粗今將改以它石願得公一言以識之余曰公忠貫日月名滿華夷若其龍驤海上興復王室則竹帛書之旂常記之戰地處處立祠與碑社有俎豆隧有顯刻所以昭功焯德者已照人耳目又何以文為況東土之人雖婦孺皆能知壬辰李統制之為忠臣設使舊石終傾且沕樵童牧豎必不忍傷墓前一草然則石存亡不足憂也何必改之李君曰昔杜元凱自為其功名尚沈碑于江中今我後孫知此石之不可久而可無永遠之圖乎余乃記其言于新石且告李君曰

襄江猶未為陵矣使杜氏更襲江漢之勳名當益久何待乎石出永遠之圖不其在是抑余嘗論公之大功實在於天下不專在於東國當倭船之蔽海而西也不有閑山鳴梁之捷颿風一踔直擣遼廣　皇城必當戒嚴　神宗皇帝雖欲動天下之兵以濟我屬國亦未遑矣不知當日中州將相有見于此著之信史以傳于後否皇朝文獻已無徵矣復為太息而書之以竢天下後世之議云

古今島遺祠記　同上

古今島 關王廟者 皇明水軍都督陳公璘之所建也 神宗皇帝萬曆戊戌再發兵征倭陳公將廣兵五千與我統制使李公共禦海道來屯此島廟建在其時也及李公戰死於露梁倭酋秀吉斃陳公振旅西歸留餘財托廟祀於島人其後歲久廟傾像昧香火不至時有舟子漉酒禱風我 顯廟丙午節度使柳斐然傷其荒廢資募緣僧天輝葺理瓦棟傍置菴守之復其俎豆又從享陳李二公於左廡事未聞于朝今 上甲子觀察使李師命增修廟廡始請

錫號降香 朝命下而有司慢不行庚寅原任議政李頤命請申前命以秩祀典禮官大臣乃議曰陳李之祠在 關王廟庭 關王當與國家抗禮不可宣以額但宜具牲幣歲以驚蟄霜降之節遣官并祭 上可之遺廟百年享禮始定於 大報壇成之後若有待而然斯甚奇矣或曰 關王之廟于是而腏食陳李其義如何噫 關公生炳大義沒為明神千秋正氣拂鬱於宇宙 明與蓋多靈異中國至今家尸而戶侑公靈如水無不之矣何獨不可祀于東土

也陳公奉天討揚 皇靈宜得神理之助順況精誠之發曠世可感乎李公功聞天下身殉國難振華夏之威殆庶幾焉陳李之交肝膽亦相照矣易曰方以類聚苟其類也雖百世之久萬里之遠皆可聚焉若三公之義烈其可謂之非類乎同閟宮肸蠁何疑之有昔夫子修春秋而欲居九夷蓋悲王迹之熄也 關公嘗好讀春秋其雄魂可安於今日中土之腥膻乎將樂我東思漢之風乎意其風馬雲車左都督右統制共臨睨于此邦 聖朝之因遺跡致禋祀豈無

其義也嗚呼傾天下之力以濟屬國自有天子諸侯以來所未聞凡東征之日營陣之地雖處處立祠俾我人不忘舊恩未或過也而在陳公尤有不可忘者 天兵首尾十年和議間之諸將莫不為其所誤曳橋之役水陸恊攻賊將行長幾可擒之劉提督綎暗通和而還解圍公獨揚帆向岸曰我寧為順天鬼義不可捨賊且不鄙夷我將士其敬李公如畏友言無不從至謂之經天緯地之才臨陣見其死哭之甚哀歸路祭其柩此雖李公推功讓能以結其誠心其奮

勇敢慷輕身樂賢真所謂師中之丈人若同時諸軍府盡如公豈使倭賊片帆東歸也公還朝論功第一云公廣東人字朝爵號龍崖李公德水人字汝諧其功烈俱載公墓版及戰地之碑故今不詳書公之曾孫光輔為水軍虞候捐俸伐石節度使申瑍助其費以書碣文將樹於廟庭今見享禮之成始記廟事始末申節度已沒矣乃付掌事僧慶還俾刻之

制勝堂記

左議政趙顯命

趙令公儆按統制營時余在籌堂每見其奏狀

不喜為變通新奇之策必以修舉李忠武故事之廢墜者為先盖持重守法度蔚然有故將風焉閑山島在統制營之前舟師之由見乃梁出露梁口者皆過之實海路之衝也忠武公嘗擊破倭船七十艘於島之前洋因即島中而陣焉峙粮繕械隱然為海上長城及元均擠公而代間嘗陷賊而卒亦走死云公之在島立制勝堂以居焉公既歿營始移建於今所處而堂遂廢於是公舊址湮沒且百年矣乃者趙公登覽而歎曰是不可一任其荒廢也遂重建斯堂其規制一皆按公之故又別為廨數十架以為大操時饗士之所專書告余請為記余曰諾忠義之於人性所固有然必待勸而後興焉然則斯堂之作乃所以勸忠義於南民也南民之於忠武公蓋嘗有父母之愛神明之畏然歲月既久耳目浸遠昔之家侑而戶祝之者今至於漸怠當斯時也不有以興起之則民惡能有所勸也且斯堂也即公所嘗盟山誓海皷魚龍而振草木者也其喑啞叱咤赫然精爽之可畏者若可以彷彿其一二而東臨馬島卉服之鄉北瞻露梁

星隕之墟風怒雲屯鯨鰐吞噬山哀浦思猿鶴悲吟雖尋常行旅過之莫不竪頭髮裂目眥而況以南民父母之愛神明之畏其所以憑依想慕激昂慷慨於中者尤如何而其於敵愾之忠死綏之義亦將競勸而不可遏矣此在固邊圉捍 王室之道豈小補也哉余嘗忝按嶺節浮海過其地想像英風彷佛者久之今於斯役也以托名楣間為幸而不宜以不文辭為之記如此云

忠烈祠重修記

後孫統制使鳳祥

凡人臣之於國家有大勳勞大忠節則必建之祠薦之牲以之償其勞而奬其節昔在萬曆壬辰之歲先祖忠武公當倭寇之陸梁荷捍禦之丕責撫士卒修戰具以遏兇鋒賊不敢逼使孑遺生民出塗炭而免魚肉臨陣舍命卒以身殉國豐功偉烈大忠奇節俱載國史及碑文中今不必覼縷而顧此露梁寔先祖立殣之地也旌纛之所臨喑啞之所被其儼然精靈固將億萬年不泯嚴奉之擧尤在所先也舊有廟楄隘下窄不足以妥公之靈故崇禎戊戌統制使鄭公

榏感公之忠改棟宇而新之又伐石而勒之事聞于 朝惟我 孝宗大王亟徵草本 特賜乙覽及至 顯廟宣以恩額曰忠烈春秋之祀諱日之享於斯而托焉 聖朝償功褒節之典至此而益無憾矣第其祠屋之建日月屢換將就傾圮不肖之叨是任又值重修久遠之會則可不思所以葺而新之耶乃命幕佐趙以雄徐漢弼等召匠鳩材因陸演之輿情侈輪奐之新制俎豆薦苾萬歲是期則不肖無窮之感其將寓諸斯乎茲敢略叙其刱修顚末使後之覩者知人臣盡節之義國家顯忠之典兩備而不墜也

忠愍祠齋室記　後孫節度使命祥

忠愍祠即我先祖忠武公揭虔之所也每歲春秋之享 朝家頒香祝以守令邊將差獻官一方章甫咸造而將事焉其崇奉報賽之典蔑以加矣唯是廟門外東西齋室有未遑只有借舍數間而已每當齋宿之際輒患苟艱 肅廟三十六年己丑五代孫忠愍公出制是閫載新廟貌而又刱齋舍百餘年久缺之制至是而備矣

上之八年壬子不肖又叨重寄于茲數十年之間同堂兄弟建節于先祖奮庸之地可謂一鎭之盛事而先祖遺澤餘徽赫赫在耳目若前日事俯仰今昔不覺感涕之盈襟也歲月滋久祠宇凡百多荒廢齋舍幾盡傾圮仍舊修葺豈不有待于今歟遂於翌冬略鳩材力拓其基址易其棟楄庫廨垣墻暨左右齋舍一新而改觀既完既堅無侈無廢而監董者軍官朴致章也致章曾祖大福昔佐吾先祖終始同國亂而齒軍庸今其孫又相予完是役此豈偶爾哉嗚呼先

祖精忠偉績厥有白沙相公記至今照楣間可以千億不朽則無容後人之贅陳而若其齋舍之始建于從兄重修于不肖不可無一言記實玆書其顚末以貽後之嗣而葺之者云爾

制勝堂重修記

後孫統制使泰祥

堂即我先祖壬辰駐兵時所建也中間興廢之跡趙相國鄭承宣之記詳矣一自虞候留防之移設於見乃梁日月侵尋軒檻無主又遺墟碑閣卜地湫湾風雲儲胥之區瓦歎木朽龜螭莓苔人之過之者未嘗不徘徊俯仰愴雲水之俱

白惜執躅之日陳藐余孱孫用是為懼乃敢鳩工相地久遠是圖堂則仍趙公之舊而脩之閣則就堂後而移之易其腐缺而新其漫漶夫堂之興廢固不足為我先祖輕重而若所謂水不忍廢地不忍荒者亦人情之所不已而為今日準備語也後之君子其亦毋以我一家之私而隨壞繕治俾免湮圮則登斯堂而撫遺迹者庶其油然而感喟然而興競有勸於忘身殉國之義也歟此固趙公當日重建之意而亦不肖區區之所竊望於人人云爾

家乘序

領議政李畬

古者文武無二道三代既降文武之道始分德行勇略鮮能兼之由是用兵之家難得全名之士矣噫世不見真武久矣若忠武李公之為將其庶幾乎昔在　宣廟龍蛇之歲島夷猖獗蹂躪三都蓋殆乎無國矣獨賴公領舟師捍海路以遏水陸並進之勢隱然為海上長城而賊不敢逞焉蓋公大小凡數十戰皆以少擊衆而應機決策前無堅敵未嘗折敗是雖古名將無以過之世之談韜鈐者固莫不以公稱首然公實

篤行君子也觀其事母孝與兄弟友直己不阿自守甚嚴而其所素養可知也故能當　國家積衰之餘禦天下莫強之寇為　國忘身以死勤事威慴蠻夷名聞中華精忠可以貫日月大節可以撑宇宙本其所樹立非可以兵略槩之嗚呼偉哉公少讀書通大義不屑屑於佔俾而今其札翰咳唾之遺尚有一二存者悲惋激烈無非忠孝至誠之所發不亦愈少而愈可貴乎公之存歿　絲綸之褒琬琰之刻前後炳烺幾於盈溢國內公之玄孫前新寧宰弘毅氏遵其

先君子之志裒集成編幷取公遺稿詩文若干首及他纂錄思詠之可徵者合爲一冊名之曰忠武公家乘而公之始終備矣適公之五代孫鳳祥節度湖南左水營寔公奮庸之地也將屬之以刋版要余爲弁卷之文公實我德水同宗也我先王考澤堂公旣狀公之行先季父畏齋公又跋公之詩俱在卷中則余於斯役安得以不文辭又其事會若有不偶然者謹書此而歸之以成新寧公追慕之誠且勉夫節度君庶無忝於前烈云爾

家乘跋　判府事李頤命

余嘗擯斥南荒涉露梁觀公戰處會日暮風雷驅海濤想見公夜戰壯烈余以累人不敢謁公廟奠椒漿爲文以吊之獨私語于心曰是役也秀吉新死諸賊思歸以公百戰之威掃餘寇如拉朽何不周防自惜終以身殉也世言公自度功成而身危當矢石而不避嗟呼或其然乎今見公從子芬所撰行錄記公之言與事頗詳而但云公臨戰祝天誓死少無幾微之見于色辭者是亦未可知也盖公七年舟楫奇功獨多迨夫和議行而　天將沮之元均讒而朝議擠之戰功多不得自由一身幾死於桁楊雖愚人亦能知不免矣與其掩昧罹禍無寧明白立慬況此賊一退又無可死之所矣以公之明早自審定雖子姪亦莫之覺歟公之一死報國固所蓄積死生禍福已付之天是將國亡與亡國存與存公何忍自隕永負其重恢之志也　大駕西狩公聞　聖意已有內附之計常別儲精米五百石人或問其何用則曰若　龍馭渡灣我當載此米浮海迎　駕以圖恢復不能則君臣可

以同死於我地當時將相諸公間關執覊靮但自誓盡節於荒丘之歲月鮮有以興復爲已任者獨公之所自期若是其重其可自輕其死乎哉夫禍亂之會天必生已亂之人或功成而享其榮身殲而顯其義秀吉死而公亦死天意也非公之志也公之玄孫弘毅諸人示以家乘請余一言乃書露梁舟中所感于心者于卷末以償未吊公之恨

二　節度使李汝玉

汝玉於素日亦知敬慕公之精忠壯烈每語及

公事未嘗不扼雙腕瞋兩目而繼之以滂涔滾
迺今忝莅公奮庸樹績之地親睹公鏖戰遺跡
則萬頃鯨波百尺龜艦卽公之用武與運智可
槩也噫彼山之草木海之魚龍尚能識公之忠
感公之義否乎而水國之秋光月色尤可想見
公不昧之精爽則余之誦遺什挹餘芬激慨而
興感者較曩昔又三四之盖目之寓思之從者
然也於此有公之家乘登梓者卽公之五代孫
兵使鳳祥甫曾任茲閫時所刊也日昨兵使公
在咸鏡南營走書於余曰吾先祖家乘所載多

闕略故近復完備之改鋟于此初本可去之余
因竊念此地寔公之所始終也妥靈之堂暨大
捷若墮淚之碑皆在於此永為後人瞻仰起敬
之所而獨此編之刊不于此而于他非欠事哉
遂請得南營所印一通于兵使公重刻之仍藏
之忠愍祠庶幾少申余區區敬慕之忱兢病陋
語敢疣之諸君子序跋之文則亦僭已
後孫統制使泰祥

狀啓草本跋

歲在龍蛇島夷猖獗我先祖戰捷之功報效之
忠亘乎宇宙炳乎日月而時移事往殆百有七
十餘年矣今乃以余不肖猥叨 洪恩忝莅先
職誓海盟山之地鏖兵橫槊之所宛復如昨一
倍愴感況當日報捷 啓本抛棄于流来陳簿
者久矣慮其永為泯沒拾出改謄藏之巾衍以
為拱璧之玩焉

祠院録 參議尹行恁

歲壬子內閣奉 聖諭若曰忠武公李
舜臣勳烈範金石聲名耀華夷而平日
咳唾之餘諸家紀述之衆尚未有會統
文字大為欠典爾其裒輯成帙名之曰

李忠武公全書臣行恁承 命悖恐謹
就其家乘附以公私文獻編為十五卷
竊惟忠武公既樹膚功因殉于節凡於
戰伐之地生長之鄉罔不俎豆之其旌
纛所莅草木猶愛況妥靈之祠院乎用
朱子大全附載例迺作祠院録

忠愍祠

在湖南順天府水軍節度營之東五里馬来
山下初本營舊校朴大福從公七年亂平後
感公忠節剏數間祠屋 宣廟朝辛丑鰲城

府院君李恒福視師南下與諸將謀建祠統制使李時言掌其事旣告功右副承旨金尙容請賜額 允之又考平安道之乙支文德慶尙道之金庾信咸鏡道之尹瓘諸祠例賜田

附配食諸公

全羅右道水軍節度使李公億祺壬辰之役與忠武公擊倭于唐項浦燒三十餘船又戰閑山島大破之乙未忠武公被讒去職元均代之盡變其約束狠愎自用爲賊所敗走死

公乃力戰死之李公恒福狀請從享 允之

寶城郡守安公弘國丁酉率舟師赴元均陣將中軍及均敗公死于安骨浦 肅廟朝丁巳湖南儒生朴聲古疏請追配 允之

忠武祠

在湖南海南縣南五里龍井里 孝廟朝壬辰湖南章甫建議立祠

附配食諸公

統制使柳公珩隨倡義使金千鎰起兵討賊乙未拜海南縣監助忠武大捷鳴梁及建祠並享

永柔縣令李公有吉壬辰樹功於鳴梁戊午除永柔縣令是年 天朝徵兵以攻建州姜弘立爲元帥宣川郡守金應河爲右營將公爲左營將與金公誓將同死奮不顧身隨劉綎喬一奇深入絶域到富車嶺 天兵敗績弘立投降公獨與金公倚樹射賊矢盡而死至是配享

李公桂年壬辰墨衰而起募義勵忠得壯士數百人號曰熊義兵赴晉州見倡義使金千

鎰以圖共守及城陷與諸將登矗石樓俯江而嘆曰天乎地乎力竭矣我其死矣與金公諸人相持慟哭北向四拜投江而死至是配享

忠烈祠二

一在嶺南南海縣北三十里露梁 孝廟朝戊戌統制使鄭榏建祠 顯廟朝癸卯 賜額尤菴宋文正公記其碑 孝廟嘗取而覽之亟加褒美

一在統制營洗兵館之西 宣廟朝丙午統

制使李雲龍承 命建祠 顯廟朝癸卯
命賜額與露梁祠同號

顯忠祠

在湖西牙山縣東二十里白巖即忠武公所
居之地也 肅廟朝甲申本道儒生疏請建
祠 允之丁亥 賜額

附配食諸公

剛愍李公莞忠武公之從子也年十九隨忠
武公戰于南海忠武公中丸而卒公秘不發
喪督戰益急大捷天啓丁卯當虜亂以義州

府尹力戰不屈而死 英廟朝丙午本縣儒
生疏請追享 允之

忠愍李公鳳祥忠武公之五代孫也以刑曹
參判 英廟朝戊申出爲忠清兵馬節度使
逆賊麟佐陷城公被執罵不絶口而死辛亥
本縣儒生疏請追享 允之

遺祠

在湖南康津縣南七十里古今島萬曆丁酉
忠武公與陳都督璘駐師島中建 關王廟
顯廟朝丙午節度使柳斐然重修以陳李二
公從享於東西廡 肅廟朝甲子觀察使李
師命增修廟廡請錫號朝議以陳李之祠在
關王廟庭 關王與國家抗禮不可宣額只
許降香 關王廟 當宁辛丑御筆揭額誕
報廟是也

附並享諸公

都督陳公璘統廣東兵五千來援與忠武公
立功于露梁

副摠兵鄧公子龍領水軍從陳公東征與忠
武公駕三巨艦爲前鋒邀之釜山南海公素

慷慨年踰七十意氣彌厲欲得首功急携壯
士二百人躍上忠武舟直前奮擊賊死傷無
計他舟誤擲火器入公舟舟中火賊乘之公
戰死忠武公赴救亦死 當宁壬子特命並
享仍又致祭

遺廟

在嶺南巨濟府統制使李雲龍建祠凡戰船
發行無不告

月山祠

在湖南咸平邑東五里 肅廟朝壬辰邑人

始建漆室李公祠　英廟朝辛亥本道章甫議以爲忠武及漆室舊績在於唐浦就唐浦不遠之地月山下移建以忠武公主享

附配食

虞侯李公德一號漆室咸平人壬辰之亂投筆慷慨晝則馳馬試劍夜讀兵家丁酉倭再寇公募鄕兵據孤山竪白旗大書精忠二字以抗賊人稱咸平李將軍忠武公在務安聞其英聲招延諮策待以國士後官至統制營虞侯至是配享

遺愛祠

在湖南井邑縣南十里辰山里　肅廟朝辛酉邑人以公所莅之地刱祠于余兒洞後九年移建于辰山里

忠孝堂

靜退書院在湖西溫陽郡南雪峩山下祀靜菴退溪兩先生左旁有忠孝堂祀忠武公及姜摠巖鳳壽尹養心堂俔忠武公則以忠摠巖養心堂則以孝也後因堂額合祀於書院

草廟

在巨濟府之鼇梁倭寇敗退後海上軍民感公忠節立草屋安公像祭之商船去來必祀

李忠武公全書卷之十一

李忠武公全書卷之十二目録

附録四

李忠武公全書卷之十二目録

附録四

伸救劄　右議政鄭琢

伏以李某身犯大罪律名甚嚴而　聖明不即加誅原招之後又許嚴推非但按獄體段為然抑豈非　聖上體仁一念期於究得其實冀有以或示可生之道也我　聖上好生之德亦及於有罪必死之地臣不勝感激之至臣嘗承之命官推鞫按囚固非一再凡罪人一次經訊或多傷斃其間雖或有可論之情徑自隕命已無

所及臣嘗竊憫焉今某既經一次刑訊若又加刑則嚴鞫之下難保其必生恐或傷　聖上好生之本意也當壬辰倭艘蔽海賊勢滔天之日守土之臣棄城者多專閫之將全師者少　朝廷命令幾乎不及於四方某倡率舟師乃與元均頓挫兇鋒國內人心稍有生意倡義者增氣附賊者回心厥功鉅萬　朝廷嘉甚至加崇秩賜以統制使之號非不宜也當進兵討賊之初突戰先登之勇不及元均人或致疑是固然矣元均所領船隻適於其時謬承　朝廷指揮多數燒沉不有某之全師則無以做出形勢克辦奇功矣某為大將見可以進不失時機能舉舟師大振聲勢則臨亂不避之勇元均固有之而畢竟摧陷之功某亦不多讓於元均矣但於其時元均不無如許大功而　朝廷恩典全及於某於元均則還以大損中外至今稱寃此則最可惜也元均於舟師之事才有偏長天性忠實當事不避善於衝突兩將協心努力則賊不難退臣每於　榻前啓達此事　朝廷以兩將不相能故不復用元均而獨留某以專舟師之事

某諳鍊備禦手下才勇咸樂為用未嘗喪師威聲如舊倭奴之最怕舟師者未或不在於此其有功於鎮壓邊陲大段如此或者以為某一度建功之後更無可記之功以此少之臣則竊以為不然四五年來天將主和　皇朝東封之事又起我國大小將士不許措手於其間某不復宣力者非其罪也近日倭奴之再舉入寇也某之不及周旋者其間情勢亦或有可論蓋凡當今邊將之一番動作必待　朝廷之成命無復有將軍專閫之事倭奴未過海之前　朝廷秘

窓下教登時傳致與否未可知也海上風勢之
順逆舵進之便否亦未可知也而舟師分番不
得已之事昭載於都體察使自劾狀　啓中則
舟師之臨急不得致力者事勢亦然似不可以
此全歸於某也往日馳　啓之中其所陳之事
涉於虛妄極可怪駭而此說如或得於下輩之
誇張則恐亦容有中間不察之理不然某亦非
病風之人敢為如是臣竊未解若夫亂初軍功
馳　啓之中不為一一從實貪人之功以為己
功委涉誣罔以此而問罪則某亦何辭焉然而

除非全德之人則於物我相形之際能無欲上
人之心者蓋寡因循苟且之間鮮不做錯特上
之人察其所犯之大小而有所輕重之耳夫將
臣者軍民之司命國家安危之所係其重如此
故古之帝王委任閫寄别示恳信非有大何則
曲護而全安之以盡其用厥意有在大抵人才
國家之利器雖至於譯官筮士之類苟有才藝
則皆當愛惜況如將臣之有才者最關於敵愾
禦侮之用其可一任用法而不為之饒貸耶某
實有將才才兼水陸無或不可如此之人未易

可得邊民之所屬望敵人之所嚴憚若以律名
之甚嚴而不暇容貸不問功罪之相準不念功
能之有無不為徐究其情勢而終致大譴之地
則有功者無以自勸有能者無以自勵雖至挾
憾如元均者恐亦未能自安中外人心一摋解
體此實憂危之象而徒為敵人之幸一某之死
固不足惜於國家所關非輕豈不重可為之慮
乎古者不遞將臣終收大功秦穆之於孟明者
固非一二臣不暇遠引只以　聖上近日之事
啓之朴名賢亦一時之猛將也嘗觸邦憲　朝

廷特原其罪未幾有湖右之變變過已丑而名
賢一舉戡定功在　宗祊其棄瑕責效之意至
矣今某罪陷大辟幾犯十惡律名甚嚴誠如
聖教某亦知公論之至嚴常刑之可畏無望自
全乞以　恳命特減訊次使之立功自效其感
戴　聖恩如天地父母隕首圖報之志必不居
名賢之下而我　聖主中興圖閣之勳臣安知
不起於今日胥靡乎然則　聖主禦將用才之
道議功議能之典許人改過自新之路一舉而
俱得其有補於　聖主撥亂之政豈淺淺哉

是時元均煽謗於內狡倭設詐於外以疑惑
朝廷衆口交騰必欲置公於死地今以此劉
觀之公之罪狀蓋無所不有而皆均之故也
向非　宣廟明聖其得免於杜郵之死不亦
難乎均始以敗將倚公却敵是均之功皆公
之功也及公去而均代之立見敗衄身死賊
鋒而公之功益著然則公之是非固不待辨
而明矣世稱公幾死得脫自知功大難容遂
臨陣以殞其身公之一死固所素定而其所
遭之境所處之勢殆亦有近於是言者嗚呼

可悲也公卒後百十四年辛卯李畬書

與李統制書　　叅判鄭士信

詮聞　朝命嚴重縲絏在道驚恐惶惑無以形
喻豈意幺麽一小酋巧言詐欵能為蔽天之雲
耶　天日孔昭必照幽盆雪冤伸枉非所慮也
而恐自此邊機一誤兇鋒益肆天地誰仗而立
心蒼生何賴而係命夫然則顛沛禍福豈獨令
公一身而已言念國事良可於悒見溺而援人
情之常而況廟堂公議猶或不泯則豈使巍勳
卓節終歸於暗昧之地乎恭竢　處分伸理之
外更何望哉第念嚴程指日易致傷損願千萬
勉扶以答　聖恩而慰慈念也小官於變初失
職狼狽非獨家累之故而飄淪關東假守襄陽
偶有激勵獎率之小勞斬獲首級之微功而是
則迫死求生之一事故曾不自留於己不意姜
公登聞蒙恩別叙自顧甚慚無足向人言者是
後始達　行朝謝恩以散秩僶勉從事扈　駕
還都受命南下而詣判府公寓邸聞令公有是
命與判府公相對扼腕而職事難緩不能小遲
佪以觀供對戔落留書付邸吏而去只增哽塞

之至

祭李統制文　　都督陳璘

維萬曆二十七年歲次己亥正月壬午朔越十
日　欽差總領水兵禦倭總兵管前軍都督府
都督僉事陳璘謹以剛鬣柔毛清酌之儀致祭
于朝鮮水軍統制使李某之靈曰嗚呼統制遠
藩（缺四字）邦家（缺五字）安危之智提一旅之殘疲（缺二字）
（缺）縣之黑子絕敵西窺修我內備枕戈浴鐵終
日或不暇給繕艘製器卒歲無少已招徠流離
者萬家畔賊逃歸者千計露梁之戰統制前鋒

舳艫幾陷我且汝衛而既脫於虎口賊由是失銳徐且戰以且却遂禽獼而草薙余謂統制可免夫斯禍孰知中流矢而捐逝憶而平居對人嘗曰辱國之夫只欠一死顧今境土既歸大讎已復緣何猶踐夫素厲嗚呼統制該國凋殘誰為與理兵戎狼狽誰為振起豈惟失祈父之爪牙且喪令鮮之百雉緬懷及此詎不流涕靈魂不昧鑑是泥沚

二　　　　領議政吳允謙

維年月日兼四道體察使行領中樞府事李德

馨副使同知中樞府事韓浚謙從事官弘文館修撰吳允謙等謹以清酌脯醢之奠来祭于故兼三道水軍統制使　贈右議政李公之位嘻國家自壬辰之後將臣之死於事者非一而公之死為最哀焉或激仰慷慨赴敵捐生者有之或臨陣力戰至死不避者有之或嬰城苦守城陷而沒者有之或事去力竭知其無可奈何而自決者有之其為國亡身而得死所則皆可尚矣抑公之死又有大焉公之在閑山也隱然有虎豹之勢敵人不敢動公之去閑山也將士墮心保障一毀而覆敗隨之其去而復来也承陷沒之後板蕩之餘雖使古之良將當之實無用武之地而能收拾補綴不旬月而辦得數十戰艦大挫方張之寇及露梁之戰躬冒兇鋒決死先登解天將之圍破賊虜之膽九中於身義形於色餘威所及諸將戮力卒成以死走生之績盖其去就存亡之間關國事成敗繫軍情向背者唯公一人而已此所以公之死為最哀也公卒之二年　主上嘉公之忠愍公之亡因公視師之地立廟而賜號念公生平敵愾之志不能

早清疆場齎恨而歿雖在冥冥之中想亦眷眷於玆矣不佞等受命南来開府海上邊情日聳勝筭靡定如得公在鎮必無今日之憂與言及此寧不為之重哀耶至如德馨與公初未識面倭橋之役簡書密議吐盡心肝公感我情我服公略每謂平賊之後規畫舟師其有人矣捷音弃惡耗而至途上駐馬隕淚之狀至今思之氣塞噫山河依舊部曲猶在痛擊楫之未返奈長城之已毀思九原而不作悶百身之難贖玆將漬綿之奠空灑淄襟之淚不亡者存庶此来歆

祭李忠武墓文　驪陽府院君閔維重

氣發天門神降高嵩穿楊妙藝投筆長風稍陞碧珍遂鎭海關際天東南實隣島孽執徐之歲啓釁虞途兇徒射天祅祲彌區人不職思公懷國計出師逾界以遏賊勢露梁屹屹閑山發若代斲失畫士民靡托起公于徒轉顰爲笑收羸于輪破衆以少　帝命虎臣整旅東征公屬櫜鞬克祗其迎軫中冬曉利訖天討列鈌張威馮夷啓道兩師齊作三軍奏功片舸不遺滄海波空鯨鯢就殲折尾猶掉公身是毒神祐莫保將

錫天命炳如日星生膺茅土不足爲榮瞻彼陰岑翬如攸寄苦月茫茫松栢其萋我叨覲風植節玆土緬惟英烈與我景慕玆將菲具冀格神明䰟兮有知歆余薄誠

顯忠祠奉安祭文　判書閔鎭厚

在　穆陵世島夷射天　王京不守列郡靡然公時受命志殲寇賊樓船所撇有捷無衂聲震夷夏　帝褒煌煌大星遽殞其奈天亡三軍號哭若喪父母誓海盟山尙傳逸句惟公大節旣武且忠再奠吾東伊誰之功亦越內行克篤孝友畢竟成就其本則有睠玆牙土寔公之居其水其丘以遊以娛若堂有封毅魄攸藏桑梓旣古松栢凄凉風馬雲旗彷彿歸來行旅指點父老興懷昔我　聖考車駕過此緬想忠烈禮隆牢祀遺躅所曁　褒典特殊竪碑建祠于嶺于湖俎豆之奉獨闕吾鄕所以一方倡議騰章聖主曰咨予其汝從士董其事工奮其庸廟宇載新永妥英靈衿紳駿奔牲肥醪香遠近風動忠義聳激顧我佑我庶幾無斁

顯忠祠上樑文　牧使任弘亮

國之不亡其誰咸推忠武之偉烈歿而可祭於社爰揭崇奉之虔誠百代風聲千秋景慕故忠臣忠武李公乾坤孕秀岳瀆儲精載誕降生當嘉靖旃蒙之歲錫名表德慕重華弼諧之良世襲醇儒德水之淵源遠矣家有直道霜臺之風裁凜然孝友之性行誼之純得於天賦跅弛之才英爽之氣粤自髫齡腹有詩書發之於將軍心意胷藏兵甲見之於戰陣戲嬉心雄萬夫志定遠之投筆氣盖一世擬天山之掛弓早擢虎頭之科未試龍驤之志斥權門之求媾介潔自

持謝銓地之同宗干謁是耻恂恂如雅飭之士繩墨自律其身卓卓乎魁傑其人書劒特是餘事一佐節度之湖幕棘棘不阿再管邊圉之堡兵栖栖久屈南徼護鳳棲之樹不饒上將之尊北塞監鹿屯之田更獻巨酋之馘夫何功績之未賞反致忠信之見疑刀鋸在前不以威武而屈意死生有命不以橫逆而動心用是而半世蹇屯用是而十年落拓鸞棲枳棘專一同而不咸驥伏櫪槽蹋四蹄而未展韓淮陰之國士始逢蕭相之知岳武穆之褊裨幸荷宗公之獎于

時邊鄙啓釁廊廟軫憂 九重興鼓鼙之思誰可將者一路総戈船之卒汝其欽哉超擢既出尋常責任又專藩閫方深暮夜之蹄惕可緩陰雨之綢繆木屑竹頭陶士行之綜理伏波下瀨漢將軍之規模板屋樯窓刱龜船之妙制金釘鐵鎖截鰌海之橫流心上默運智機目中已無勍敵洎夫龍蛇圯運豗豕逞兇扶桑一颶禍機發於呼吸釜萊連陷賊勢騰於風雷七十州嶠南土崩乘虛直擣數千里湖甸无解肆意長驅綰符綬者竄身而保妻孥居笠轂者以賊而遺

君父商山撻水兩將之兵輿尸圻服駒城三帥之師棄甲若蹈無人之地疇能捍王于艱於是我公灑泣溫嶠之枕戈誓心士雅之擊楫逖矣西土鑾聞 乘輿之播遷瞻彼東流痛哭 綸綍之惻怛大王龍馭之虛唱主辱罙深痛飲鴨江之聲言國耻誰雪忠憤烈烈不欲與賊俱生義氣堂堂只擬為國一死先嘗玉浦幾奏月捷之三大蹂鳴梁屢却日滋之衆 天書下十行之札榮一字之衮褒官資加三級之階進二品之崇秩統制三路自我公而設官控扼兩湖嘉

乃績而委任憂虞庶寬於南顧勳業佇期於中興豈意齊間誑燕秦諜謾趙敵方飛謀而設詐事多可疑人且猜才而忌功禍將叵測自信萬全之長筭不虞一朝之大何縲絏非罪之寃自白無地忠孝俱喪之痛彼蒼者天樂毅被讒終見騎劫之敗績廉頗受讓以致趙括之僨軍 宸衷方軫於疇咨僉舉更屬於宿將張浚再臨江上士卒歡心魏尚復守雲中戎虜褫魄收拾創殘之餘燼修弊補亡勉抑蘗棘之至情忘身徇國碧波亭下賈餘勇而先登運籌堂中屈羣

策而畢擧　天兵恊力六伐七伐之用張我武揚威一鼓再鼓之不竭大小百餘合何攻不取何戰不勝艨艟十三艘以弱敵強以寡敵衆揚經理贈以掛紅之賀幣　聖天子錫以綰黃之寵章誓海盟山氣象可見於吟咏補天浴日功烈益著於褒嘉迎　翠華於龍灣齗齗自許奠蒼生於鰈域復復指期豈料五丈隕星三軍晦彩今日固決死寧負裹革之初心皇天不憖遺終成殉節之素志龍亡大澤天地為之凝愁虎逝深山風雲為之變色指揮戰略丁寧臨絕之

言號令餘威勇赳解圍之援諸葛之身雖殞仲達自奔先軫之面如生敵國猶懾　宸情悼失吾名將國人嗟壞汝長城公安士民傷心萊相之櫬襄陽父老墮淚峴山之碑隱卒崇終記功宗於周禮贈秩致祭紆寵眷於漢儀黃河泰山盟始終於帶礪丹書鐵券爛勳伐於鼎彝喑啞所被嘆唶所臨皆有立廟而享者遺愛之鄉播馥之所莫不掃地而祀之大節大勳巋然旌閭之表揭忠愍忠烈煥乎　恩額之淋漓嗚呼阿咸繼露梁之功竟殉西塞子瞻死綿竹之戰復

見東韓龍泉吼於匣中餘怒猶在鯨波息於海上威風尚存生也榮死也哀殷禮雖稱於邦典尸而祝社而稷明禋獨闕於里閭惟玆牙山縣南白巖里寔公之舊居也故鄉故社猶存舊日之典刑其水其邱尚記當時之遺蹟幽明罔間温序之魂倘來精爽靡依丞相之祠何處神不以宇村翁感歲時之思事在于人鄉士懼日遠而忘盖因力綿而役巨所未遑焉以至歲延而時遷若有待者幸今日多士之齊奮擧一方衆議之僉同遍告於薦紳先生轉聞　天聽通諭

於縫掖諸彥以及遠方視址相方去舊舍不遠伊邇負辛面乙剏新廟允合其宜開基於八月之交龜筮叶兆授矩於一陽之節鳩材孱功尋引繩準之既陳般倕殫技棟楹梁桷之咸備匠石效工秩秩斯干猗歟完矣合矣噲噲其正美哉輪焉奐焉廟貌儼臨悅神明之如在高山仰止景風烈而起欽耳邊欣聞兒郞眼前喜見突兀雙樑既擧六偉乃成兒郞偉抛樑東宛然桑梓舊時同遺閭廟宇長隣近不昧精靈庶感通兒郞偉抛樑南　行宮御氣瑞雲曇却憶　先

王臨幸日禮官賜祭寵恩覃兒郎偉抛樑西長川一帶繞長堤寧仁山作牙城鎮偉節層標可等齊兒郎偉抛樑北佳城鬱鬱護幽宅沔陽墓傍武侯祠三尺螭頭牲繫石兒郎偉抛樑上太虛寥廓耀乾象若將忠義爭輝光天上須看日月朗兒郎偉抛樑下栢版松楹揭大厦芬苾春秋祠罔愆表忠千載尚風化伏願上樑之後妥靈安魄降嘏産祥格後人郭祀之精誠永享俎豆香火相 宣廟在上之陟降以保子孫黎民氣作山河壯本朝而特立名懸宇宙垂永世而長存植民彝化民風皆知親上死長扶世道與世教爭勸仗義效忠

龜船頌

判府事李秉模

城郭以為防壁壘以為固此野戰之利也以之行水戰則不可甲冑以違害干盾以蔽身此一人之衛也以之庇三軍則不咸若夫水戰而有城郭之防師行而有壁壘之固不甲冑而違害非干盾而蔽身萬衆幈幪百里一瞬我逸敵勞我攻而敵不能攻我者其惟龜船之用為然乎嗚呼此吾宗忠武公之所刱造也公嘗用此破倭船三百艘開鎮閑山控制兩湖遮截西海蔚為中興名臣之宗功存 社稷名聞天下其縱橫奇變之略雖非後人所可窺測即其寓於器者而摸索之則亦足以論其萬一也盖聞公昔當 穆陵之朝深憂島夷之釁既受水軍節度之 命大修戎政鑄鐵鎖橫斷海港倣蒙衝鬪艦之古制而參伍新意爰作龜船其為制上覆以板而列矗錐刀利鐵中藏櫂夫武士以運以戰竅其前後兩廂以發砲矢敵之從上而來也者芒刃而棘之從四面而來也者丸鉛而洞之

彼方救死扶傷之不暇我則如故風濤可凌也矢石可犯也桅竿可撞也可戰可守可遲可速居有突堂之安士無暴露之憂豈非兵法所謂先為不可勝以待敵之可勝者耶其形僂然若龜之曝故曰龜船取其形也或曰龜甲蟲也於卦為離外剛内柔有戈兵之象焉取其象也竊嘗論之公仁人也而幾於上智凡宮室耒耜陶冶舟車之利有益於養生之具者非智者不能造始而將三軍而為人之司命者惟仁人為能戰危事也水至險也以危事而行至險術惡可

以不慎故成器而後動萬全而不敗此龜船之
所以為善也公之才開物成務似諸葛孔明綜
鍊庶事似陶太尉履屐皆當似謝征西故能出
其緒餘卒以取勝而名後世全德之一事非技
術之專攻也顧今邊防踈虞人才眇然實有文
子觀九原之思作龜船頌一通備論公刱物愛
人之實以為司命者之戒頌曰船以龜名刱自
我公爰像其形用代艨艟鷁首則凡鷁尾匪奇
浮疑出洛伏似負坻口九竸賁散如風雹背刃
森束燦若星灼鯨濤浩蕩視猶平陸左撞右抵

風驅電馳我則加人人莫我窺敵艦雲集觸之
霏解島夷褫魄相視驚怔倏忽東西疑鬼疑神
制不師古用之在人倣而像之器則如舊神而
用之孰繼公後苟非其人器則為虛是用作頌
敢備衣袽

牙笏銘　同上

圓殺之制絀直之義笏惟良器孔甕妖蛇段擊
朱賊氣鍾剛直爰代前箸用替指畫決勝掌握
執不忘敬名言在玆公獨寶之

金帶銘 帶即王遊擊元周所贈　同上

東之貢躬追而成章三品之黃忠貞為鉤信義
為飾稱德之服既出中心制自上國百朋之錫
匪伊緩之毋忘整暇視故不下

金盃銘　同上

公昔合巹惟玆之勺麗精貢飾坤裳齊色禮成
同牢祉延錫類三世為將道家所忌公後克昌
赫世閫鉞島夷就殲公豈嗜殺功存奠社民免
方肉天棐忠義厥理不忒謂余不信示此銘刻

宣諭閑山島呈李統制　校理趙彭年

喪亂孤殘兩可傷見公便覺意差強傍船彩鷁

隨風舞橫海長鯨見劍藏塞上水軍飛俊鶻腰
間羽箭射天狼從今要續浯溪頌莫笑書生迂
且狂

唐浦呈李統制　從事官丁景達

一片青邱固莫強向來天下不能當隋皇渡鴨
全師敗唐帝征遼合陣亡卄萬紅巾殲女聖三
千拔道殞坡良達梁小醜千鋒血損竹殘兇一
箭殤萬世子孫長肯搆百年家國繫苞桑堯天
舜日諸祥集君唱臣賡庶事康可惜廟謨顛且
倒只應天道變還常倭船蔽海來充斥將卒投

戈競遁藏小礮一聲空列陣大軍三退缺人望
兇鋒撲地閭家赤兵火漫天日色凉世祿近臣
逃底處叨忝名將走何方忠臣只有金兵使男
子惟看朴密陽慶府受傷徒自悔金山小捷亦
云光閉户李公兇不測徵兵郭氏義難忘商山
戰敗由倉卒黃澗虛驚是刼膓忠野輕挑宜不
利　王城勢急固難防　宗祊詎作腥塵汚
王輦聊巡浿上湟宮闕煙生星日暗　廟陵塵
合地天荒猛將風生旗脚遍義師雲合劒鋒鋋
退軍龍縣兵威損奏捷山城國勢張關路支撐

豈人力臨津走敗是天殃堤防鐵甸知金將鎮
拒完山有趙郎父死子承忠節炳弟亡兄繼義
聲彰忠勞誰比號天闕罪惡咸稱滕犬羊人戴
聖君扶北極天教諸將護南鄉橫遮嶺路為屏
翰把截閑山作保障統制將軍元倜儻扶持雄
略屬搶攘手提神箭餘三尺撞破倭奴幾萬航
斬級不須論箇箇血流終見海汪汪威風已振
扶桑國壯氣應摧日本王李鄭宣權同赫世安
金衮具共流芳二三豪傑輸忠力五十餘城保
女牆德勝凶亡關理勢仁王強敗有穹蒼南夷

罪戾通神鬼東土瘡痍徹　聖皇礮手雲興空
冀浙騎兵響起捲荊襄鷹飛鶴翼鏖城砦雷震
風馳蕩虎狼神武揚時嚴殺戮餘威及處走顛
僵奉迎　龍馭回京洛驅逐餘兇縮海傍風掃
乾坤清舊闉令行朝野振頹綱仁儲奉　廟還
宮殿賢相隨班佐廟廊知我　聖君忠有効感
吾　皇上德難量堪嗟刑賞乖輕重不是恩威
太抑揚白首不知馳戰陣滄波何事駕風檣三
年賊窟雄心死廿朔兵塵元氣傷受命只堪殲
府地臨危何忍去吾疆洛東已觳零兇馘海上

還調戰艦糧邑渴民飢徒費慮人輕責重只招
謗惟思奉贊將軍令不念勞傷從事狂危悃崢
嶸懸斗極孤身漂泊寄滄浪蛇梁堡外顛風作
唐浦城邊大雨滂獨倚蓬窓心咄咄橫磨長劒
意堂堂舟師已整成芳約大將方期棹戰艎一
劒直將屠醜宄千帆應見沒茫洋初為汲汲吞
舟計終作區區拒轍螗臨戰逗遛雖有責提師
輕進戒無妨務農固是兵家本播種要令趁節
忙論賞亦當均厚薄臨刑先可示慈詳舟中吟
罷長回首風雨茫茫鎖戰場

挽李統制　判書李睟光

威名久懾犬羊羣蓋世奇功天下聞蠻祲夜收湖外月將星晨落海中雲波濤未洩英雄恨竹帛空垂戰伐勳今日男兒知幾箇可憐忠義李將軍

左水營　同上

地勢連南極雄臨日出東孤城前左水一島古今風控禦關防重丹青海廟空哀哉李統制千載誦奇功

忠愍祠　同上

第一中興將艱危活我東山河餘怒氣宇宙有雄風對馬春濤息扶桑曙靄空至今滄海上誰復嗣戎功

二　祭奉丁運熙

灑泣誓孤軍殺身清塞氛凶門應不避亡地豈圖存陣磧開新廟祁山像舊墳精忠今不泯香火兩朝恩

哀李統制　領議政柳成龍

閑山島古今島大海之中數點碧當時百戰李將軍隻手親扶天半壁鯨鯢戮盡血殷波烈火燒竭馮夷窟功高不免讒妬搆性命鴻毛安足惜君不見峴山東頭一片石羊公去後人垂泣凄凉數間愍忠祠風雨年年（缺八字）不修時有蜑戶吞聲哭

伏波館　忠簡公尹棨

城下滄溟萬里開獨携雄劍倚高臺天慳景物千年在地歷華夷百戰來落日銷霞添逸興長風送月促深盃可憐統制招魂處海曲清秋畫角哀

寧波堂　同上

華夷區域此橫分大浸稽天瘴霧熏銅柱威聲無戰伐金城方略重耕耘麗譙直壓龍王窟列鎮平臨馬島雲最是龜船舊制度居人猶說李將軍

感李統制　同上

倚天看劍坐生風溟海茫茫浸碧空可惜當年李統制飄零大樹九原中

次尹忠簡公韻　參判李景義

將軍一去颯餘風鯨海波濤萬里空幾箇英雄墮淚處峴山碑在瘴雲中

悼李將軍　奉常正車天輅

宇宙無雙將樓船第一功鯨鯢談笑外熊虎指揮中蒼兕排雲嶠晴雲捲海風先鳴百戰壯獨立萬夫雄南越鷁揚僕東吳避阿童扶桑漢甲照析木楚氛空捷報飛天上威聲懾日東兵休可以國星落奈何公叵吼雙蛟劒囊收八札弓南宮未畫鄧大樹忽摧馮玉帳韜鈐在青油鼓角終蠻兒欣酌酒漢將痛臨戎此老真無敵餘人若蔑蒙特書歸史筆哀贈軫宸衷太白英魂帶靈胥怒氣通誰能鐫美石偉績動昭融

哀李忠武　趙慶男

六載閑山擁虎熊幾時龜艦剪狐叢偃城金字招鵬舉河上單師返魏公三捷碧波生盡節一朝瓦海死輸忠揮旗鳴鼓盟山說留與英雄淚不窮

題露梁忠烈祠　錦山君誠胤

將軍忠勇冠東韓杖鉞桓桓再上壇還拾敗船猶破賊謾追窮寇獨當丸心知功大終難賞志決身殲竟露肝萬古英靈何處在一間祠屋野雲寒

讀忠武公行狀有感　掌令趙克善

丈夫風骨異諸人夢報平生岳降神勳業盛来扶宇宙將星流處哭軍民幾年統制專三道千載威名動四隣烈士聞聲增意氣遺文讀罷涕沾巾

過統制使李公墓　叅奉朴霤

將軍墓臨大路將軍墓有大樹大樹烈風吹不盡當年想像將軍怒將軍擊賊四十萬大海洋中白日暮白日暮兮大樹摧天公為泣真宰訴公之毅魂鎮東南狐貍竄穴鯨鯢怖公之忠烈

求之古人無其伍當與諸葛武侯同駕而並騖我逢亂離偶過之再拜空山一抔土吁嗟乎有山屹屹高萬丈萬古英風振河澥

哀李統制　承旨崔有淵

昔倭窺我邦獻馬與孔雀虔若小事大卑辭厚幣帛朝廷信不疑志士徒仰屋有人謂宰臣漆齒何以敵宰臣綽髯笑蠻兵類鴈鶩原野一馬蹄舉鞭可殲滅海戍廢舟師艅艎沙岸閣維時李節度小少自額脫受任造山堡大蹂鹿屯賊羣醜不敢動猛氣振沙漠歸来朝市間陸沉千

夫側清鑑在相公豈無吹噓力湖南左水閫拔
擢自井邑大修陰雨備隱若一敵國蠻船蔽滄
海殺氣亘南陸群帥皆褫魄兇鋒更難遏公乃
擊楫来閑山雄所搖隻手捍暴客一戰海成血
遂加統制　命天書紆寵秩賊不進一步荏苒
三歲月蠻酋巧行間他将殘卽墨我邦喜得謀
易置太神速公旋下金吾中權換趙括閫防一
失險生靈盡魚肉國事已去後更授公旌節公
又大獻捷直欲呑日域　天将都督璘比營聲
勢合值賊更陸梁獐海旌旗獵公浴夜祈天殲

寇卽殞絶雞鳴戰方酣慘憺将星落笳鼓齊獻
凱哭聲旋天徹凄涼餘部曲故山歸素紼都督
見吾　王涕淚衣裳濕掃蕩南海清其功誰比
列健筆太史褒古廟遺像肅昔過松廣寺惠熙
有老衲從公矢石間為余前致說非徒公智謀
神明助戰伐至今有海警夢裏見髣髴最悼鄭
萬户斗膽更無匹被甲杖大槍擊鼓促柁楫渠
酋畏如虎所向皆辟易方戰中石砲身先死未
捷余遊方丈山露梁迸遠目是公古戰場誰人
今復作龜船徒自横一詩慰忠魄混沌倘不死

幽冥應感激

太平亭　　左叅贊李慶全

塞門秋思動牙旌南鴈来時客倚楹萬里關防
形勝地百年勲業丈夫名鳴梁古渡寒煙積沃
島孤城遠靄平無數舳艫潮滿處夜深明月伏
波營

題忠愍祠　　判書洪宇遠

青邱地形天下壯涵空巨浸環三陲名山喬岳
鬱磅礴大川洪河相浩瀰千年間氣鍾秀異往
往人傑生魁奇堂堂統制天所挺氣岸卓犖真

男兒頎頎八尺猿臂長燕頷虬鬚仍虎眉早年
投筆學敵萬赳赳勇力如熊羆秋遵秘術笑白
猿明月妙藝超由基清霜紫電閃武庫豹略龍
韜誰得窺霜蹄早合騁亨衢長翮久嗟栖卑枝
黃雲塞上一躍馬縛取狂虜如狐貍囊中穎脫
物不隔　九重一朝垂鴻私金章纔睽滿浦月
玉帳還開滄海涯煌煌龍節照虎符肅肅兵甲
羅貔貅魚麗鵰翼自訓勵赤雀黃龍朝暮治巍
然一方作長城海寇強梁還可笞半夜南溟怒
濤立奔鯨噴湧搖凶鬐東萊城中賊如霧殺氣

漠漠迷朝曦 國家昇平百年久將相文武方
恬嬉大嶺以南無堅壘撻川戰骨高參嵯 玊
輦西幸渡龍灣漢京血雨腥風吹紛紛閫帥爭
棄甲慷慨捐軀知是誰將軍擊楫洒雪涕天日
慘憺三軍悲扶桑怒視裂雙眥斗膽輪囷揚赤
髭桓桓大義激壯士掃蕩仇讎相與期轅門晝
角雜金鼓號令如山山可移長戈利戟凜霜雪
白旆黃旗交翠蕤斑聲朝動漢拏岑組練夜照
蛇梁湄樓船岌嶪若羅星戰艦嵬峩如列碁層
楯密排片雲疊大帆高張鵬翼垂千槳競催躍

怒虬萬棹齊奮騰翔螭飛廉先驅列鈌後海神
水伯來迎師千匀之重鳥外上百萬驕賊何能
為玊浦嘗兵水建瓴露梁乘銳山崩披煙埋唐
項爆猛熖血漲閑山浮積屍雷霆隱隱生叱吒
霹靂轟轟隨指麾飜空白鏃驟雨下震海赤丸
流星馳風揮電掃詎敢當破竹之中胡命危妖
氛欲豁瘴塞昏市虎翻成投杼疑空令紫氣射
斗牛坐遣封狼驕藩籬陳陶四萬同日死敵勢
憑凌誰復支專征再賫板蕩餘散卒加額爭來
隨軍容一新士氣倍玉袍金鞭親自持龍驤萬

斛下蜀日赤壁千舟焚魏時雄威燀赫百戰餘
幾斬其將搴其旗湖南千里百萬民倚公為命
如毋慈遊魂佇見不日平大樹如何風折之鼓
聲未絶將星落颯爽精靈箕尾騎哀哀部曲眼
流血浦思山愁神鬼嘻家家號哭若親戚者老
童子皆嗟咨 君王拊髀八彩顰十行哀詔如
綸綍驃騎營北海山上突兀金碧開神祠輝輝
三字自 御賜畫棟朱欄光陸離鰲城老相璧
上記佶屈灝噩瓊琚辭蕉黃荔丹籩豆淨歲時
香火供牲粢昭明英魄在其上廟庭不敢窺妖

魑客来傴僂薦脯酒靈風窣窣生寒帷公亡三
十有六載南服追思曾未衰瀛波帖息不敢動
至今餘威讋島夷落落中興第一功宇宙大名
無時隳古之名將孰能過金甌賴公今不爵當
今北狄正桀黠豕突蛇食恒侵欺 楓宸宵旰
已多年主辱何人思死綏嗚呼安得起九原一
掃煙塵平月氏

露梁吊李統制　右尹孟胄瑞

東土聖人昔御極駿骨必須千金募李侯骨聳
精爽緊熊虎姿兼廊廟具金戈鐵馬鎮北塞眼

底呼韓安足數定遠還催日邊夢玉帳多年荷
恩遇黑龍之歲月建午島夷射天干天怒投鞭
銳志叶凶圖千里滄溟倏飛渡　九廟不守乘
輿西三韓白日騰風雨公時持節駐南紀猛氣
咆哮長虹吐天戈一揮楚氛豁大河以南金湯
固故用將軍作都統要使威聲鎮三路捐軀誓
答　主恩厚提携玉龍肝膽露大帆如雲略東
極馮夷辟易魚龍懼欃槍熒惑不敢動我侯重
有此節度行將跨海斬長鯨直欲掛弓扶桑樹
參旗井鉞百戰餘八尺全軀神鬼護金天忽落

將星芒火維先秋大樹仆扶顛終賴仗遺策再
造山河廓天步自是一死知有意後人那得揣
其故身亡之日國活時太史褒墨誠非誤當年
倘非藉公力未必西關回　玉輅哀榮竟荷
聖主眷麒麟閣元功光繪素峴山殘碑落照邊咽
咽寒波如有訴感古頻沾志士淚傷時幾費騷
人句為弔英魂魂不來但聞竹枝江城暮君不
見一片龜船盡日橫致令　彤闈軫東顧何當
喚起不死魄再鎮邊疆揮白羽

自永登浦乘船向統營　判書金昌恊

風借樓船便天兼渤海清帆開永登浦棹入水
軍營龍動隨旗影鼉奔避鼓聲長懷李統制此
地舊揚兵

弔李將軍　判府事李頤命

受　王命而敵所愾兮義在援枹而死綏死勤
事而捍大患兮禮合享祀而建祠君臣之道兩
臻其極兮曷為使余流涕而霑胷嗟將軍之首
事兮越封疆而奮忠射金甲而焚艅艎兮鯨鯢
瑟縮而路窮屹若中流之砥柱兮竟使西海而
波靜中興之勢十八九成兮乃反媒孼其一眚

夫誰秉國之成兮忍能中廢其干城秦雎宋檜
之禍心兮辜莫售於　王明世或謂河魁不墜
於滄津兮終與忠勇而同歸又疑將軍之烱幾
兮遂乃免胄而赴之我固知將軍之心兮寧復
怵禍而輕生苟殲賊而報主兮雖萬戮其亦榮
我不悲將軍之一死兮悶讒賊之中傷承嘉惠
而過海兮艤將軍之露梁風雷相薄而驅雨兮
想當日之壯烈瞻遺廟而敬弔兮尚余言之深
察

忠烈祠　左議政趙顯命

忠烈遺祠古渡潯青春駐節海雲深得如公死眞無愧也識天生早有心誓後魚龍猶怒氣化餘猿鶴自悲吟檀香欲歇靈風過蕭寺鐘鳴月掛林

二　判書鄭益河

忠武遺祠志士尋翠篛蒼檜自成陰人能義若鰲山大天仗功收鷺海深向者西原埋碧血得於南國秉丹心螭頭別有如椽筆彷彿英姿倚劒吟

三　判書金尚星

古廟丹青碧海潯寒潮鳴咽怨何深風雷菀結三呼恨星斗昭森六出心落日樓船猶壯迹清秋皷角自悲吟有時不斷神靈雨颯樹蕭蕭篁竹林

李忠武公全書卷之十二

李忠武公全書卷之十三目錄

附錄五

紀實上

李忠武公全書卷之十三目錄

李忠武公全書卷之十三

附錄五

紀實上

會平秀吉死賊將遁璘急遣子龍偕朝鮮將李舜臣邀之子龍戰沒蠶金等軍至邀擊之（明史陳璘傳）

朝鮮用師　詔以故官領水軍從陳璘東征倭將渡海遁璘遣子龍偕朝鮮統制使李舜臣督水軍千人駕三巨艦為前鋒邀之釜山南海（明史鄧子龍傳）

會平秀吉死賊將遁璘急遣子龍偕朝鮮將李舜臣邀之（明史藁陳璘傳）

璘遣子龍偕朝鮮統制使李舜臣督水軍千人駕三巨艦為前鋒邀之釜山南海子龍素慷慨年踰七十意氣彌厲欲得首功急携壯士二百人躍上朝鮮舟直前奮擊賊死傷無數忽他舟擲火器誤入子龍舟舟中火賊乘勢擊子龍戰死舜臣赴救死（明史藁鄧子龍傳）

石曼子引舟師救行長陳璘統蒼鰯船邀擊之得級二百二十四副將鄧子龍朝鮮統制使李舜臣衝鋒沒於陣（明史記事本末）

五皷隨潮下露梁陳將軍坐大衝鋒船揚旗伐皷直進會石曼子方與朝鮮水兵統制使李舜臣兵船交戰圍舜臣在中璘見事同一體不救有失挫吾銳氣先勝于此尤為奇功且合兵助勇遂揮衆將劉船指戈入援賊蟻附蜂結亦將陳船圍繞數匝勢急天尚未曙賊争跳上陳船其船三面勾釘釘長七八寸跳上者刺入骨縫拉拽不脫喝家丁力砍斷頭截肢即推下水黎明副將鄧子龍駕船奔赴計投火毬將倭船

燎焚陳璘見火知鄧来救省悟火攻傳言彼我燒了我兵得令各各放火遇倭船即燒倭見船船着火我沙蒼各船又集慌忙轉篷星散如龍銜燭通海紅光奔趕二十里收兵燒過倭船七八百賊奴數十萬內視茫茫空船有龍虎旗酒器床褥近之石酋等屍塌焉糧物浮萍屍骸塞海除浮沉外找級三百四十四顆鄧子龍死之李舜臣亦死之（徐希震東征記）

全羅水軍節度使李舜臣赴援慶尚道大敗倭兵于巨濟之前洋倭兵之渡海也慶尚右水使

元均知勢不敵悉沈戰艦具散水軍萬餘人獨與玉浦萬戶李雲龍永登浦萬戶禹致績棲泊于南海縣前欲尋陸避賊雲龍抗言曰使君受國重寄義當死於封內此處乃兩湖咽喉失此處則兩湖危矣今吾衆雖散猶可保聚湖南水軍可請來援也均從其計遣栗浦萬戶李英男詣舜臣請援舜臣方聚諸浦舟師于前洋欲待寇至而戰聞英男言諸將多以為我守我疆且不足何暇赴他道耶惟鹿島萬戶鄭運軍官宋希立慷慨涕泣勸舜臣進擊以為討賊無彼此

道先挫賊鋒則本道亦可保也舜臣大悅彥陽縣監魚泳潭自請為水路嚮導居前遂會均於臣濟前洋均使雲龍致績為先鋒到玉浦遇倭船三十隻進擊大破之餘賊登陸而走盡焚其船而還復戰于露梁津燒賊船十三隻賊皆溺死是戰也舜臣左肩中丸猶終日督戰戰罷始使人以刀尖挑出軍中始知之先是舜臣大修戰備自以意造龜船其制船上鋪板如龜背上有十字細路容我人通行餘皆列插刀錐前作龍頭口為銃穴後為龜尾尾下有銃穴左右各有銃穴六藏兵其底四面發砲進退縱橫捷速如飛戰時覆以編茅使錐刀不露賊超登則陷于錐刀掩圍則火銃齊發橫行賊船中我軍無所損而所向披靡以此常勝朝廷見舜臣捷報賞加嘉善 國朝寶鑑下同

李舜臣連敗倭兵舜臣自本營進陣于蛇梁遇賊船于唐浦賊將乘大艦坐層樓督戰舜臣麾兵進擊以筒箭叢射樓上將倭先中箭墜水遂掩擊大破之既而全羅右水使李億祺盡以所領舟師來會遂偕至唐項浦遇倭船大戰又射

殺船樓上賊將取其首椎破三十船賊大敗登陸而散又戰于永登浦捕得全船殲之自此軍聲大振捷聞賞加舜臣資憲

李舜臣大敗倭兵于固城見乃梁是時倭賊大發舟師向湖南舜臣與李億祺各促所領而進遇賊于見乃梁賊船蔽海而來元均狃於前勝直欲衝擊舜臣曰此處海港隘淺不足以用武當誘出于大海而擊之均不聽舜臣曰公不知兵乃如此令諸將佯北賊果乘勝追之至閑山島前洋還軍促戰砲焰沸海鏖盡賊船七十餘

艘腥血漲海又逆擊援兵于安骨浦敗之賊登岸走燒其船四十艘倭中傳言朝鮮閑山之戰倭兵死者九千人云事聞舜臣賞階正憲　下書褒美

時李舜臣以舟師據西海口金誠一等守晋州關要賊由金山路入湖界屢見挫傷還從来路退歸湖西亦免淪陷國家頼此二道以濟軍興一時將士防守之功亦居多矣

全羅左水使李舜臣請移營閑山島從之島在巨濟南三十里山勢周回便於藏船倭船欲犯

湖南則必由是路舜臣以本鎮僻左難於控禦故有是請

以李舜臣兼三道水軍統制使本職如故朝議以三道水軍不相統攝特置統制以主之舜臣以陸地困於軍興請於體府曰但付一面海浦則粮械自足至是煑海販鹽積穀巨萬營舍器具無不完備募民完聚爲一巨鎮

遣韓孝純于閑山島設武科試戍軍賜第從統制使李舜臣請也

賊襲破舟師統制使元均敗死全羅水使李億祺忠清水使崔湖等死之閑山敗報至朝野震駭　上召見備邊司諸臣問之慶林君金命元兵曹判書李恒福以爲方今之計惟復以李舜臣爲統制使乃可　上從之

統制使李舜臣大破賊兵于康津之古今島舜臣與陳璘方宴聞賊欲襲之使諸將整束以待俄而賊船大至舜臣自領水軍突入賊中發火砲燒五十餘艘賊遂遁

行長築城于順天倭橋堅守不退劉綎復進攻之李舜臣與陳璘扼海口以逼之行長求援於

泗川賊沈安頓吾頓吾從水路来援舜臣進擊大破之焚賊船二百餘艘殺獲無數追至南海界舜臣親犯矢石力戰有飛丸中其胸左右扶入帳中舜臣曰戰方急愼勿言我死言訖而終舜臣兄子莞秘其死以舜臣令督戰益急軍中不知也陳璘所乘船爲賊所圍莞揮其兵救之賊散去璘使人于舜臣謝救已始聞其死從椅上自投於地撫膺大慟我軍與天兵聞舜臣死連營慟哭朝廷贈右議政

賓廳元勳及大臣啓曰辛丑勘勳時扈從及征

倭兩功臣分而爲二壬寅秋始有合錄之意即稟旨改定今者言官又請分錄其中削去者二十七人追錄鄭運等亦當并削然則征倭武將所存者只李舜臣權慄元均高彦伯四人而已如權應銖之於永川有收復之功李億祺之於舟師趙儆之於幸州有勝捷之功金時敏李光岳之於晋州李廷馣之於延安皆有全城之功而俱被削去他日武將之觧體不可不慮壬辰亂初申點在玉河館聞倭變號哭請兵其後大兵之出來者皆點之力而獨不得參此數人等

宜并仍存且兩功臣當初其數甚多故定爲四等今既分號請以三等勘定兵糧奏請使臣亦移錄於征倭之勳　上從之（其後改扈從號爲扈聖征倭號爲宣武）大封功臣以自京城至義州終始隨駕者爲扈聖功臣以征倭諸將及兵糧奏請使臣爲宣武功臣以討平李夢鶴爲淸難功臣皆分三等賜號有差

宣祖二十四年辛卯七月備邊司議倭長於水戰若登陸則便不利請專事陸地防守大將申砬請罷水軍乃　命湖嶺大邑城增築修備全羅左水使李舜臣　啓曰遮遏海寇莫如水戰水軍決不可廢也　上從之時倭釁已啓而朝野晏如舜臣獨憂之大修舟艦治軍有法（宣廟中興志下同）

壬辰四月倭酋平秀吉大發兵十六萬以毛利輝元爲元帥平秀家副之統大將三十五人平義智爲先鋒渡海入寇

五月全羅左水使李舜臣赴援嶺南連破倭人於海中慶尙右水使元均在南海悉沈戰艦散水軍萬餘人獨與玉浦萬戶李雲龍永登萬戶

禹致績隱泊海浦欲尋陸避賊雲龍抗言曰公受國重寄義當死於封內今吾衆雖散猶可以保聚湖南水軍可請來援也均從其計使人請舜臣請援舜臣方大會諸將謀之諸將咸曰職有分界兵有信地我守我疆且不足何暇赴他道耶軍官宋希立鹿島萬戶鄭運曰不然討賊寧有彼此道今嶺海諸鎭皆沒我以一道完師恝視不救坐使嶺海之兵今日盡沒則明日之事何以處之於是李舜臣大悅厲聲曰我之發問姑試公等意耳今日之事有進無退敢言不

可戰者斬於是定約束嚴紀律一軍肅然即合
兵船四十艘會均於露梁均欣喜泣謝遂進至
玉浦賊方下船焚掠猝見兵至皆大驚呼噪登
船而出舜臣乘勢鼓譟而進急擊大破之賊狼
狽登陸而散倭將脫冠服甲劒而跳焚倭船三
十艘煙焰漲天獲粮械以千餘計又破之於赤
彌浦碎其船十餘至月明浦聞賊陷京城舜臣
西向痛哭引兵還營既而聞　車駕駐平壤始
撫掌曰君父既全我何憂焉遂進兵會元均遇
倭兵於泗川千巖舜臣揚艫先登諸將從之鏖

島萬戶鄭運突入樓船下斬其碇而焚之諸軍
爭進破之碎賊船十餘舜臣左肩中丸猶握弓
督戰戰罷破臂出之談笑自若軍中始知之莫
不聳動翌朝進軍月明浦賊船從曉海雲霧中
無數飈來舜臣以為賊既大來可少退觀勢麾
其軍退已而賊船雲集大洋舜臣整軍不動時
出二三船更迭試之日暮賊忽乘潮而遁舜臣
遂引兵益進先時舜臣自以意造龜船其制船
上鋪板如龜背上有十字細路餘皆列揷刀錐
前龍頭口為銃穴後為龜尾尾下有銃穴左右

各有銃穴六藏兵其底四面放砲進退縱橫捷
疾如梭戰時覆以編茅使錐刀不露賊超登則
陷于錐刀掩圍則火銃齊發橫行賊中我軍無
所損而所向披靡

六月李舜臣破倭人於唐浦斬其將羽柴筑前
守又戰於唐項浦大敗之斬其將舜臣進至唐
浦倭將羽柴筑前守騎層樓大船挾巨艟二十
拒戰箭中其額而顏色不動督戰自若順天府
使權俊冒鋒突入一箭洞其胷小校陳武晟躍
上樓斬之倭皆震縮遂乘勢盡破其船戰罷兵

憊少歇而賊又鳴艫大至軍中驚懼左右告賊
至舜臣佯若不聞再告舜臣又不應至三告舜
臣乃令以所獲大樓船去賊一里餘而焚之積
藥齊發響焰騰震賊環視氣奪而去是夜軍中
大驚擾亂舜臣堅卧不動良久使人搖鈴乃定
會全羅右水使李億祺亦引水軍來會遂連兵
而進遇賊船三十餘艘於唐項浦倭大將騎三
層大樓船帆用黑布粧飾炫耀舜臣麾艦齊進
賊不能支將遁舜臣曰賊若上岸則難得也乃
開一面誘之賊果出中洋於是督軍挾攻以火

箭射其帆烈焰騰天官軍乘勝陷之遂斬其大將悉殲其兵三千人有一賊將身中十箭猶大呼力戰而死又破其餘兵於永登浦盡殪之軍聲大振賊船盡走入釜山舜臣等乃引還賊聲言更西而實不敢但怒目拔劍向之每渡海必高瞭遠洋然後敢發一夜望見漁火誤驚潰

七月平秀家寇南海李舜臣邀擊於閑山島下大破之又破之於安骨浦秀家走還京城是時賊蹂躪陸道動輒獲利而惟以水軍為難平秀家聞之攘臂自當率衆下海將犯湖南元均告

急於舜臣舜臣復與李億祺合兵而進遇賊兵於固城見乃梁元均欲直趣擊之舜臣曰見乃梁地狹隘不足以用武誘出於大洋擊之可盡殲也使先鋒船嘗賊佯北秀家果擧軍逐之誘出閑山島前海面遼濶舜臣乃回兵連艦為鶴翼陣鼓譟齊進砲焰沸海權俊魚泳潭先登摧陷鄭運等繼之頃刻之間幷破賊船六十艘斬賊二將生擒一將賊兵斬溺死者不知其數腥血漲海平秀家僅以十餘艦脫去舜臣又進攻後屯於安骨浦賊盛設水柵樓船船裏以鐵港

路狹窄賊兵皆殊死戰舜臣難之將回船退鄭運曰日尚早戰方急舜臣嚴鼓以入終日大戰殺傷碎船甚衆賊大挫棄船登陸是夜積尸十餘堆焚之盡棄輜重而遁兩戰殺倭兵九千餘人於是秀家奔還京城羣倭震恐不敢復窺西海先時平行長到平壤投書曰日本舟師十餘萬又從西海來未知 大王龍馭自此何之蓋賊本欲水陸合勢西上賴舜臣扼海累捷故行長疑懼狼顧不敢更進○舜臣在軍夜不解甲睡則枕鼓其在見乃梁也夜月明甚舜臣忽起

召諸將曰賊多詐謀黑夜固當襲我而謂今夜月明不備亦應來也即令吹角擧碇時月掛山西賊船果從山畔黑影中無數出來官軍遂放砲鼓譟賊大駭而退諸將以為神

八月李舜臣進攻釜山鹿島萬戶鄭運死之舜臣引兵還舜臣謂諸將曰釜山賊之根本也進而覆之賊必失據遂進至釜山破其先鋒游兵焚大艟三十鄭運乘勝先進賊列五百餘艘於海岸以待之助防將丁傑謂運曰日將暮賊勢又盛莫如休兵觀勢待明日一戰未為晚也運

曰我誓與賊不俱生何待明日卽促櫓先登舜臣大軍繼至賊懼皆棄船登岸亂放鳥銃舜臣列艦遶岸射之殺傷甚衆仍碎其船百餘艘賊下視而不敢救戰久日曛舜臣遂回船而退未出中洋鄭運忽中大丸而死舜臣大慟曰國家失右臂矣時賊以重兵久居釜山改建城壁樓櫓盤據甚壯舜臣知不可易攻乃引兵還營以待　天兵

癸巳二月李舜臣進攻倭人於熊川　行朝令舜臣等合兵進截水路以應　天兵舜臣合舟

師前進時賊兵已斷熊川海路築壘兩峽見舜臣至藏船深港不敢出官軍出入誘之而終不動舜臣麾船遶山仰放砲箭賊死甚多軍官李渫等逐倭三艦射殪朱甲倭將盡殲其兵官軍疑有伏亦不敢深入舜臣請於慶尙右監司金誠一約以水陸協攻誠一辭以兵少舜臣謂諸將曰賊之不出怕我舟師非有伏也乃出輕船十五衝港中用大砲連碎賊艦分兵上岸遶其左右幷放震天雷於賊屯所觸僵尸如麻殪其大將一人前後八戰殺賊無數賊勢大挫連營痛哭然賊亦負險堅守

四月李舜臣回軍還營舜臣留軍熊川海洋五十餘日賊依險自固而　天兵終不下加以癘氣大熾舜臣曰目今　天兵消息杳然而列邑諸賊雄據如故前無輔車之勢彼有負嵎之固若復棄船登陸則舍我所長情見勢屈暴師日久則天勢向熱癘氣大熾兩者無一利焉況今國家兵粮專恃湖南而當此農節丁壯荷戈戟老弱疲轉輸沿海諸邑之民勢將蕩然失業非小故也乃與李億祺等回兵還營遣軍歸農

七月李舜臣移營閑山島舜臣以本營僻左難於控御請移營閑山島從之島在巨濟南三十里山勢周回便於藏船舜臣進兵據之與巨濟屯賊對壘賊十餘艘向見乃梁舜臣知其爲誘兵令官軍逐之而勿令深入賊遁歸諸賊又合屯巨濟兵勢甚盛○以李舜臣兼三道水軍統制使朝議以三道水軍不相統攝特置統制以主之舜臣以陸地困於軍興請於體府曰但付一面海浦則粮械自足至是煑海販塩積穀巨萬營舍百物畢備募民完聚爲一巨鎭時和議

方起舜臣獨曰無故而請和者謀也益修戰備
時出兵勦殲游賊賊畏縮不敢出嶺右沿海州
郡賴安○天朝都司譚宗仁入倭營講和飛牌
于統營曰日本人將卷甲渡海爾宜速回本地
毋近倭營以起釁舜臣答曰嶺南沿海莫非我
地而謂我近倭營者何也謂我回本地者指何
方也且起釁者非我也倭也倭人變詐萬端經
年不退豕突疆場有倍前日卷甲渡海之意果
安在哉舜臣麾下諸將如權俊魚泳潭及防踏
僉使李純信與陽縣監裴興立玉浦萬户李雲

龍軍官宋希立等皆忠勇善戰爲舜臣所重
甲午九月 朝廷命體察使尹斗壽督金德齡
討賊斗壽至南原令權慄李舜臣金德齡會固
城協攻巨濟屯賊權慄又使郭再祐洪季男等
助戰再祐三報權慄言其不便慄不聽德齡等
不得已下海與李舜臣連兵向巨濟軍威甚盛
而賊亦據海窟處不可易攻各引軍還
乙未二月以元均爲忠清兵使初元均以散兵
依李舜臣成功而 朝廷察舜臣功大一朝陞
至統制使均恥出其下遂不遵節制舜臣絕口

不言長短自咎乞遞 朝廷不得已移均忠清
兵使均積憾不釋締交朝貴搆誣舜臣百端自
是右均者衆謗言盈廷
七月都體察使李元翼入閑山島巡撫水軍將
發李舜臣密請曰今公之來當大設犒饋以激
三軍不爾士卒失望矣元翼曰吾初不備來奈
何舜臣曰吾已爲公辦之公若聽許則當以公
命犒之元翼大喜從之於是椎牛開酒大饗之
士卒歡踊
丁酉二月拿統制使李舜臣以元均代之賊方

圖再逞而獨憚舜臣百計圖之行長使要時羅
密告金應瑞曰和事不成專由清正今方再來
若令舟師潛襲海中則兵自罷矣應瑞上其事
上台諸臣議之皆以爲機會不可失黃愼獨曰
臣未聞奇謀秘計出於賊人而爲我利也 上
仍遣愼密諭舜臣舜臣以爲倭情變詐海路艱
險賊必設伏以待往則恐落賊彀矣遂不往朝
議譁然咎之行長乃使要時羅紿告我國曰清
正單舸渡海而統制疑懼失機可恨也時 朝
廷已惑於元均之搆誣及聞此言皆交章請拿

又請元均代之　上皆從之猶疑所聞不盡實遣司成南以信廉察之以信誣奏曰清正船閣海中七日不能動李舜臣若往可縛來也舜臣遂被逮上京軍民皆擁馬號泣曰公今何之我輩將魚肉矣自是南人洶洶無不荷擔而立李元翼馳　啓言賊之所憚者舟師也舜臣不可遞元均不可遣　朝廷不從元翼歎曰　國事無可爲矣元均旣到營悉反其軍政刑罰殘虐一軍憤怨皆曰賊至唯有走耳

七月元均邀倭人於海中兵敗走死全羅右水

使李億祺忠清水使崔湖死之倭人遂陷閑山島下陸長驅朝野大震○丁酉之亂刑曹佐郎姜沆從戶曹參議李光庭督餉湖南亂中與光庭相失乃將一家壯士四十人浮海將屬于李舜臣陣猝遇倭將佐渡守兵全家被擄賊知沆爲官人也拘致倭京是時沿路將帥朝暮遞易臨急苟差徵發無暇賊鋒所及無不崩潰沆在湖南時目見其弊及被擄以密疏奏倭情且曰臣伏見我國將卒數易鈐束無暇將何以驅驟死地制敵人之命哉李福男今日爲防禦使明日爲節度使則不可也李舜臣爲水路長城罪狀未著而卒從吏議以元均代其任則不可也伏願差一邊將易一邊將勿限文武勿論資格許其久任假以便宜

八月復以李舜臣爲統制使初舜臣下獄　上命大臣議律判中樞府事鄭琢曰舜臣名將不可殺軍機利害難可遙度其不進未必無意請寬恕以責後效　上遂命削職充軍舜臣才出獄遭母喪舜臣哭曰一心忠孝到此盡矣聞者悲之及閑山敗報至朝野震駭慶林君金命元

兵曹判書李恒福曰此元均之罪也惟當起李舜臣爲統制使耳　上從之特命起復赴任於是舜臣以十餘騎間行入珍島士民望而喜躍曰我公至矣各帶兵甲而從裵楔及全羅右水使金億秋以餘兵來會船僅十二艘粮械蕩然舜臣令諸將日招兵裝船時賊已彌滿湖南而舜臣獨以瘡殘餘兵棲依無所逡巡洋中見者危之裵楔曰事急矣不如捨舟登陸舜臣不聽朝廷憂舟師孤弱亦令移兵陸戰舜臣　啓曰賊不敢直突者實以舟師扼之也臣一登陸則

賊必由西海達漢水只憑一帆風此臣所懼也今臣戰船尚有十二臣若不死則賊不敢侮我矣遂約誓諸將以示必死士皆感畏

九月李舜臣大敗倭人於珍島斬其將来島守初倭酋家政等六將連兵數百千艘向西海舜臣兵寡不敵遵海而上家政等遂至務安執佐郎姜沆問水軍所在處沆詒之曰泰安安興梁水路之天險　天將白顧兩游擊領戈船萬餘艘橫截梁上下游船已到羣山浦統制使以衆寡不敵退與　天兵合勢矣賊聞之相顧色動

遂回兵下順天舜臣復還珍島益募士卒申明約束賊聞之又以来島守為水路大將領毛利民部等諸酋兵千餘艘西上来島守先遣九艘嘗之舜臣擊走之又夜遣兵放砲驚之舜臣亦令放砲賊知不可動引去裵楔棄軍逃走舜臣狀　啓論罪即所在誅之来島守乃悉兵前進舳艫亘海不知其際而舜臣所領才十餘艘舜臣令避亂諸船列遥海為疑兵而中流下碇以當之賊先以百餘艘擁之勢若風雨諸將恟懼失色謂舜臣不可復免一時退散舜臣親立船頭厲聲督之僉使金應諴巨濟府使安衛等回船以入直當其鋒賊蟻附衛船幾陷舜臣回船救之立碎其兩船頃刻之間連破三十艘斬其先鋒賊大駭而却舜臣懸賊首張樂船上以挑之賊奮怒分軍迭出舜臣乘勝縱火延爇諸船赤焰漲海賊兵燒溺死者不知其數遂殺来島守毛利民部落水僅免其餘將帥死者數人是日避亂士民皆恃舜臣為重簇集山頂望見舜臣陷百重圍砲雷白鋋四面騰震皆失色痛哭良久戰氛開見官軍船箇箇兀立乃大驚爭先

趍賀捷奏　上大喜下書褒美欲陞崇品有言舜臣爵秩已高止賞將士楊鎬聞之歎曰此捷近日所未有也送銀段慰賞而奏聞　天朝舜臣遂進軍寳花島戰士已至千餘人而患乏粮遂作海路通行帖令曰三道公私船無帖以奸細論於是避亂船爭来受帖舜臣以船大小差次使納米受帖旬日間得米萬餘石軍士又患無衣舜臣乃諭避亂士民曰汝等何為来此皆曰恃使道来耳舜臣曰今天凍海寒士皆墮指安能為汝防禦乎汝既有嬴餘之衣何不分我

士卒於是士民競輸餘衣又募民輸銅鐵鑄大
砲伐木裝船事事皆辦
戊戌二月李舜臣移營古今島島在康津前洋
形勢奇險舜臣移兵設鎮募民屯耕將士復雲
集南民綴屬歸之者數萬家軍容之壯十倍於
前在閑山時舜臣聞長興屯賊四出殺掠遣鹿
島萬戶宋汝悰將奇兵抄之賊不得樵採棄城
奔順天賊船十六艘入近浦漁採擄掠舜臣擊
殲之
七月 天將陳璘下古今島 帝命賜李舜臣

都督符印璘領水軍五千人南下全羅道 上
幸銅雀津以餞之璘性悍驁士卒暴橫供給少
不如意輒捽捶官長廷中憂之曰李舜臣軍必
為此軍所撓又將敗矣 上亦慮之舜臣聞璘
至預令軍人大畋漁積鹿豕海物備千甕酒以
待之至則盛備威儀遠迎大設宴犒璘甚喜士
卒皆沾醉相顧曰果良將也然猶搶奪閭店舜
臣忽令軍士毀屋廬搬衣囊下船璘驚怪使人
問之舜臣曰 天兵之來如仰父母今見暴掠
士卒不堪各自逋避他島我為大將豈能獨留

璘大慙懼顛倒詣謝挽留極懇舜臣曰大人聽
我言我即留耳璘曰何敢違舜臣曰 天兵以
陪隸視我人即無忌憚大人幸許以便宜禁斷
則兩軍無事矣璘許諾其後 天兵犯法舜臣
輒繩治之 天兵畏舜臣過於璘島中帖然舜
臣遣宋汝悰偕 天兵擊賊破之獲六艘而還
天兵無所得璘方對舜臣飲酒聞甚慙怒舜臣
曰大人來統我軍我軍之捷即 天兵之捷何
敢私焉謹納所獲願大人悉以奏聞璘大喜還
執舜臣手曰自在中朝飽聞公名今果然自是

璘慣見舜臣治軍制敵節節欽服每臨戰願受
節制凡軍號指揮皆讓之必稱舜臣為李爺曰
公非小邦人若入仕中朝當作天下上將何局
促於是也上書于 上曰李舜臣有經天緯地
之才補天浴日之功又奏聞于 帝帝甚嘉之
特賜舜臣都督符印軍中聳觀國人榮之
九月 天將劉綎攻平行長于順天不利初行
長合諸營兵數萬屯于順天曳橋築砦數重綎
進軍陳璘亦率水軍以李舜臣為先鋒進屯順
天前洋船艦塡咽悉以黑布為帆列竪雜彩旗

飛揚炫耀岸上兵聳觀綎約明日夜攻璘及期
乘潮急攻而綎不出兵但鼓噪相應璘以為陸
兵已入城爭先騰迫自初昏戰至二更李舜臣
以潮退告璘璘意氣方銳督戰益急曰令夜盡
賊乃還夜潮忽落　天兵船二十餘艘一時膠
淺賊出兵圍擊盡焚之是夜賊城幾陷行長所
居屋三中大砲賊悉聚東北面奔走拒戰岸上
兵望見水兵千砲沸海火光中劍戟競發莫不
踴躍思奮而綎據人越城奔告曰此面空虛矣
李德馨權慄馳詣綎帳請殺入綎不從璘大怒

馳入綎營責以心腸不美綎面色如土歸咎諸
將而已綎又聞中路敗衄乃棄甲仗資粮而退
是日舟師乘潮而進則岸上軍已空矣璘益憤
曰我寧為順天鬼不忍效汝退監軍王士琦在
南原聞之急遣人止綎綎不得已復進順天
十一月島津義弘援平行長陳璘李舜臣邀擊
大敗之舜臣及副摠兵鄧子龍死之行長義弘
等皆渡海遁去初舜臣至順天名諸將問計軍
官宋希立曰賊已據形便難以力取今　天兵
我軍水陸俱下若以陸軍進迫曳橋水軍扼獐

島以遏嶺南海途使賊內外俱阻腰脅中斷則
泗川之賊必不能助設欲相助彼此號令不通
則無以相應待其師老粮竭氣挫勢窘然後四
面蹙之行長可成擒舜臣喜曰此正吾意也遂
與陳璘進據獐島洋口燒其積聚使慶尙右水
使李純信截露梁水路劉綎權慄亦據曳橋西
北而分兵截蟾津陸路以斷泗川聲援相守數
月行長果粮竭勢窘璘舜臣連日進攻水軍皆
捷行長大恐潛遣人於劉綎請假途歸國綎從
之信使贈遺不絶賊遂與綎兵貿粮而綎不為

之禁使人語璘曰行長將撤歸可無阻也行長
乃先發十餘艘出猫島水軍盡攻殺之行長大
怒出綎使二人斷臂送之曰提督欺我如此我
必不去也綎答曰乞和陳公可無事矣行長乃
以銀貨寶劍遺璘曰兵貴不血願假我途璘許
之且令舜臣借途舜臣責璘曰將不可言和讎
不可縱遣此賊亦　天朝難赦之賊而大人反
欲許其和耶璘默然行長又發前鋒十餘艘出
海舜臣盡攻殲之行長又遺舜臣寶貨舜臣怒
却之曰讎賊何敢乃爾行長計窮募人以千金

將告急於島中諸屯先請於璘曰願送人諸屯同約渡海璘亦許之賊小艓乃出舜臣聞之大驚曰賊此去必刻期請援潛通號令諸賊不日當至我若在此應之則腹背受敵吾衆立盡不如移兵大洋決一死戰海南縣監柳珩曰賊邀援鬪我而為自脫計今若急却援賊可斷歸路舜臣曰然遂定計而告于璘璘始驚懼自責義弘與南海賊將平調信等合兵来援將近露梁行長舉火相應舜臣與璘為夜攻計蓐食潛發舜臣於船上焚香祝天曰若殲斯讎死亦無憾

忽大星隕海見者驚異璘舜臣分軍為左右恊伏兵浦嶼間整束以待夜半賊船五百餘艘自光州洋直至露梁於是兩軍左右突發賊散而復合兩軍亂投薪火延燒賊船賊不能支退入觀音浦港口天已曙矣賊既入港而後無歸路遂還兵殊死戰諸軍方乘勝蹙之舜臣親自援枹先登賊圍舜臣急璘犯圍直入救之賊又圍璘船舜臣亦衝圍而進合力血戰副摠兵鄧子龍船中火起一軍避火驚擾船為之傾賊乘之殺子龍焚其船我軍望之誤相指認曰賊船又

火矣遂勵氣争先益增歡呼賊酋三人坐樓船督戰舜臣盡銳攻之射殪一酋賊皆捨璘来救璘遂得出與舜臣軍合發虎蹲砲連碎賊船而飛丸中舜臣左腋舜臣謂其下曰戰方急勿言我死急命以防牌蔽之言訖而絶麾下士依其言秘不發哭麾旗督戰自如柳珩宋希立皆中丸悶絶小頃復起裹瘡而戰日午賊大敗追焚二百餘艘賊兵燒溺俘斬殆盡義弘等僅以餘兵五十艘脫走行長乘其間潛出猫島西梁向外洋而遁劉綎猶歛兵不動璘望見舜臣軍争

取首級倭貨驚曰統制死矣已而果發喪璘躍而仆者三擊地大慟兩陣號哭聲殷海中○舜臣天資英銳器局沈凝治軍簡而有法不妄殺一人而三軍一志雖負氣倔强者望風自屈臨戰意氣安閑常有餘地見可而進知難而退必三吹打耀兵而旋在軍軍務浩穰簿書山積而左右剖決筆翰如流遠斥候嚴警衛賊来必先知之故一軍整暇如平時每夜休士必自理箭羽常以空拳與射士待賊逼前然後發箭與之又親冒賊鋒赤丸落左右而不動將士扶腋諫

止則曰我命在天豈令汝輩獨勞戰勝獲賞郎散施諸將一不吝之將士畏而愛之各盡其力前後數十戰未嘗一窘以故鎮安南洋斷賊一臂實基中興之業以至名聞天下人推以為中興第一名將至是湖嶺人悲之如悲親戚迎柩哭奠千里不絶或喪之三年或處處設齋曰活我命復我儺者公也先時陳璘謂舜臣曰吾夜觀乾象東方將星病矣祈禳之事古有行之者惟子圖之舜臣對曰精誠才識皆下古人而但效祈禳何益之有璘益預知其死也 命贈左議政錄用子孫立祠致祭

辛丑五月錄征倭勳以李舜臣權慄為首

宣祖二十五年以李舜臣為全羅左水使率舟師擊倭賊大破之先時倭釁已啓舜臣鍛戈鎔鎖以待不虞創智作大船狀如伏龜名曰龜船(文獻備考下同)

二十六年始置統制營管三道舟師以李舜臣主其事是時舜臣以閑山島地勢周回便於藏船倭寇若犯湖南則必由是路上請移營朝議以三南水軍不相統攝特置統制使以主之舜臣以陸地困於軍興若保一隅海浦則糧械自足遂煮塩積穀募民完聚屹然為巨鎮天將陳璘以舜臣功馳聞于 皇朝特賜提督印(今在本營)其後辛丑李德馨以體察使建請移營形便甲辰移設於固城縣

徐文重曰東國地形三面際海而南對島夷風帆踔至無間遠近同被其害至于麗末而極矣國家革代之初諸路傍海之地皆築城堡各置水軍節度使以領之壬辰之亂李舜臣擁舟師搤守南邊大挫賊鋒使不得過露梁以蔽遮兩

湖議者以為中興之大業全賴於此矣始置統制使於固城管制三南舟師沿海郡邑亦置戰船其視國初之制船數雖少而體制之宏大器械之完備又什倍矣丁酉許和之後不以狼煙靜息益修戎備及至今日殆無遺策

忠武公李舜臣以全羅左水使統慶尚全羅忠清三道舟師進討倭寇於閑山島陞除統制使管三道舟師統制之號始此

徐文重海防志曰 宣祖二十六年統制使李舜臣狀 啓請以文官一員依巡邊使例號以

從事官往来通議所屬沿邑巡檢措置以長興
居前府使丁景達差下
三道水軍統制營在固城縣之頭龍浦距縣五
十里右水軍節度營本在熊川薺浦後移設於
昌原合浦巨濟山連浦又移於塔浦吾兒浦
宣祖二十六年始兼于統制營三十五年移設
本縣以巨濟為行營三十七年移設此浦壬辰
李舜臣為統制使累破倭賊
永登浦有萬户鎮　仁祖元年自仇味浦移于
見乃梁西三里玉浦有萬户鎮　宣祖壬辰李

舜臣大破倭船于島前洋焚倭船三十餘艘
倭前後行師皆由馬島而亦不敢從外洋必循
巨濟南海海岸故李舜臣扼守統營而倭兵終
不得入海以西焉
李舜臣會元均於巨濟前洋以龜船將申汝良
為斥候順天府使權俊加里浦僉使具思稷為
中衛左右將以是月初八日領戰船八十餘艘
下海與均會于閑山島均使雲龍致績為先鋒
至玉浦前洋有賊船三十餘艘四面圍帳竪紅
白旗下碇洋中餘兵登岸燒閭舍煙焰遍山賊

見我師猝至一時促櫓而出與舜臣遇於洋中
舜臣督諸軍進薄賊船火筒火箭因風齊發焚
其船二十六艘海波盡赤賊登陸而走鄭運中
丸而死於是鳴金收軍約以明日更戰適有西
方来者傳言　車駕西幸各散本鎮仍以捷書
上聞　行在百官相賀陞舜臣嘉善褒之一日
舜臣得夢兆促令戰艦二十三艘會均于露梁
河東地　賊果来襲一交戰焚破一船追至泗川洋
中遥見海上一小山有賊百餘長蛇而陣其下
賊十一艘緣岸列泊時早潮已退港口水淺難

於回船不如佯退誘賊至海濶處相戰也均乘
憤欲直前薄戰舜臣曰公不知兵必敗遂鳴螺
回船行一里賊果乘船逐之既出隘口舜臣鳴
鼓一聲諸船一齊回棹擺列於海中與賊相對
纔數十步舜臣令龜船突進先嘗賊陣焚其船
十二艘餘賊遠望頓足呌號方戰賊丸中舜臣
左肩貫徹至背猶執弓注矢督戰進至唐項浦
固城地　又有賊船十二艘列泊海岸有一大船上
設層樓外垂紅羅帳有賊酋一人金冠錦衣指
揮諸賊舜臣令諸將促櫓直衝權俊自下仰射

正中其酋應弦而倒一軍稱慶日暮回陣於蛇
梁圓城地前津夜驚擾亂舜臣堅卧不起使人搖
鈴一軍乃定昭代年考下同
李舜臣連敗倭賊舜臣自營進至唐項浦前洋
全羅右道水軍節度使李億祺之来無不增氣
翌日諸軍出外洋諸賊陣于唐項浦前舜臣遣
哨船往探形勢哨船纔出海口即放砲諸軍一
時促櫓首尾連亘魚貫而進至白江賊船二十
五隻擺列港中有一大艦艦上設三層板閣外
垂黒綃帳前竪青盖遥見帳内隱隱有侍立之

狀知其為頭酋戰未數合舜臣佯敗而退層閣
大船見我兵退走舉帆直出諸軍挾擊乘鋭崩
之射殺船樓上賊酋取其首椎敗三十餘船賊
大敗登陸而散又戰于永登浦捕得全船殲之
自此軍聲大振
舜臣每戰勝輒戒諸將曰毋勝必驕諸將慎之
時賊屢窺湖南舜臣以為 國家軍儲皆靠湖
南若無湖南是無國家也先時賊將平行長到
平壤投書曰舟師十餘萬又從西海而来未知
大王龍馭自此何之盖賊本欲水陸合勢西下

賴此一戰遂斷賊一臂行長雖得平壤勢孤不
敢更進
國家得保全羅忠清以及黄海平安沿海一帶
調度軍食傳通號令以濟中興而遼東金復海
盖與天津等地不被震驚使 天兵從陸路来
以却賊者皆此一戰之功也豈非天哉舜臣因
率三道舟師留屯閑山島以遏賊西犯之路
統制使李舜臣被拿以慶尚水使元均代之賊
將清正等畏我國舟師尤忌李舜臣欲縱反間
以去之行長使要時羅前已往来金應瑞陣致

慇懃方清正再出也時羅又密言應瑞曰俺大
將行長言今此和事不成由於清正甚嫉之某
日清正當渡海朝鮮善水戰若要諸海中可以
致勝慎勿失也應瑞馳 啓其事朝廷不信海
平君尹根壽以為機會不可失屢 啓之 上
令黄慎即馳見舜臣密諭此意舜臣曰海道艱
險賊必多設伏兵以待多率船則賊無不知之
理小其數則反為所襲遂不行時羅又至謂應
瑞曰清正今已下陸朝鮮何不要截洋中佯為
恨惜之意事聞于朝皆咎舜臣臺諫請拿鞫前

縣監朴惺玄風人亦上跣極言舜臣可罪遂拿来 上猶疑所聞不盡實特遣成均司成南以信往閑山廉察以信反奏曰清正留海上七日我軍若往可縛来而舜臣逗遛失機於是下金吾 命大臣議罪判中樞府事鄭琢言舜臣名將不可殺軍機利害難可遥度其不進未必無意請寛恕以責来效拷問一次減死充軍舜臣老母在牙山聞舜臣下獄憂悸而死舜臣出獄道過牙山成服即赴都元帥權慄陣中人皆聞而悲之

統制使李舜臣破倭兵于珍島碧波亭下舜臣既至珍島新敗之餘舟船器械蕩然無存適慶尚右水使裴楔率戰船八艘而来又得鹿島戰艦一艘乃咨楔以進兵之計楔曰事急矣不如捨船登陸自托於湖南陣下助戰自效舜臣不聽楔乃棄船而去舜臣召全羅右水使金億秋使之召集管下諸將五貟收拾兵船粧作戰艦以助軍勢約曰吾等共受 君命義當與同死生國事至此何惜一死惟死於忠義殁亦有榮諸將無不感奮時兩南諸郡盡為賊藪行長在陸路義智在水路運謀蓄鋭以俟我隙舜臣獨以瘡殘餘卒領十三船棲依碧波亭洋中見者危之忽下令軍中曰今夜賊必襲我諸將各宜整軍戒戰是夜哨探船急報賊来舜臣喝令無動寂然以俟時月掛西山山影倒海半邊微陰賊船多從陰黒中来將近我船於是中軍放火砲吶喊諸船應之賊知有備一時放鳥銃聲震海中舜臣督戰益急賊遂不敢犯而退走諸將以為神舜臣回軍於右水營鳴梁洋中天明望見賊船五六百艘蔽海以上其將馬多時素號

善水戰方欲犯西海其勢極大人皆憂懼舜臣以賊衆我寡難以力勝可以謀破會有湖南士庶乘船避亂皆依舜臣為命舜臣乃令避亂船次第而退排列布陣為疑兵出沒洋中自領戰艦當前直出賊見舜臣整船而各自搖櫓鳴鼓擊鑼奮勇直進旌旗樓櫓彌滿海中我軍見之失色時早潮方退港口湍悍巨濟縣令安衛順潮而下風便迅駛舟行如箭直衝陣前賊四面圍抱冒死突戰不得出舜臣督諸船繼至先破賊三十一艘賊少却舜臣擊楫誓衆乘勝而進

賊死咋不敢抵敵舉軍而遁舜臣亦移陣於寶花島時閑山諸將當其崩潰之際各自逃散舜臣日遣褊裨通諭諸島各收散兵治戰艦備器械煑塩貿販數朔之內得穀數萬石將士雲集軍聲復振

舟師提督陳璘領水軍五百艘將下全羅道上幸銅雀津以餞之璘善於水戰長於撫卒性暴猛與人多忤人多畏之李舜臣鎮康津之古今島聞璘至令軍人大畋漁得麋豕甚多盛備酒醪而待之璘船入海備軍儀遠迎既到大享

其軍諸將沈醉士卒傳相告語曰果良將也璘亦心喜不久賊船犯近島舜臣遣兵破之獲賊首四十級悉以與璘為功璘益喜過望自是凡事一咨於舜臣出則與舜臣並轎不敢先行舜臣遂約束唐兵與我軍無間有奪民一縷者皆拿致棍棒無敢違令者島中肅然璘上書于上言統制使李舜臣有經天緯地之才補天浴日之功蓋心服也

統制使李舜臣大破賊兵于古今島賊遁璘喜曰此為王之屛翰古之名將無以加焉

陳璘悉引舟師更入攻賊賊多放火砲以崩之水兵不能支璘大憤登陸到劉綎帳中裂破綎手旗責以心腸不好即具由馳報於軍門綎面色如土扣胷大痛曰將官無人吾何獨如是乎賊毁其城西數十尺輸入土石明曉已作大門為軍馬之路自後恣意出塞外放丸而入是昏泗川賊陣舉烽火三柄此賊三層閣上亦舉火應之都元帥以忠清兵千餘遮截蟾津之路李舜臣亦令慶尚右水使李純信把守露梁劉綎引軍還令曰鮮兵在此無益退陣待變元

帥令各陣解出綎令伴臣出夜半大軍盡棄甲冑粮餉還屯富有棄粮七千九百餘石我國諸陣之粮千餘石及牛馬多棄翌朝賊見我陣寂然大以為怪不敢輕發既而爭出城焚燒粮械居數日本國諸將皆會富有陳璘下海岸與李舜臣日日挑戰賊不出綎又自雙巖移陣佛偶山岘

統制使李舜臣與提督陳璘大破賊兵于露梁舜臣戰亡舜臣先導出屯前洋璘與諸營繼之賊船來犯前軍舜臣擊破之焚其船五十餘隻

斬二百餘級賊悉船来戰於觀音浦戰酣行長
乗船從外洋脫出璘督水軍鏖殺泗川賊賊圍
舜臣船累重璘乗我國船犯圍直入救之賊又
圍璘船幾及璘璘子九經以身捍之至被賊刺
流血淋漓猶不動旗牌官以銃鈀刺其胷膛投
之海九經得免賊船鱗集於璘船璘令軍中放
大砲諸賊仰放鳥銃諸軍依挨牌而伏諸賊見
之挺劒以上　天兵以長槍俯刺之墜水中者
以千數諸將出死力搏戰璘摇鐸收軍船中寂
然無聲賊疑之稍却　天兵從高散賁筒於賊

船風急火烈賊船數百頃刻焚燒海波盡赤舜
臣望見彼圍而進合力血戰鄧子龍船火起一
軍避火驚擾賊乗之殺子龍燒其船是日舜臣
先鋒船又燒賊船十餘隻有一賊船最高上施
朱幕金甲者一人督戰舜臣悉衆合攻射中金
甲者賊捨璘来救璘軍因是得出與舜臣諸兵
合勢蔑虜蹲砲碎其船餘賊焚燒殆盡時行長
棄城遁釜山蔚山河東沿海諸賊悉遁舜臣與
璘扼海口以逼之行長救援於泗川賊沈安頓
吾頓吾從水路来援舜臣進擊大破之焚賊船

二百餘艘殺獲無數追至南海界是日四更賊
丸中其胷出背後左右扶入帳中舜臣曰戰方
急慎勿言我死言訖而絕舜臣從子莞秘其死
以舜臣令督戰益急軍中不知也璘船為賊所
圍揮其兵救之賊散去璘使人于舜臣謝救已
聞其死以身投於船者三曰吾意老爺生来救
我何故亡耶無可與有為矣　天兵亦却肉不
食南民奔走巷哭操文以祭之方戰之時行長
等潛自猫島西梁而走南海之賊由陸路入彌

助項義智收聚船載以去左議政李德馨聞舜
臣之死以忠清兵使李時言權差統制使以全
羅防禦使元愼假差忠清兵使璘先以李純信
假差統制使領舟師

擢井邑縣監李舜臣為全羅左道水軍節度使
舜臣有膽略善騎射嘗為造山萬户時北邊多
事舜臣以計誘致叛胡于乙其乃縛送兵營斬
之虜患遂息巡察使鄭彥信令舜臣護鹿屯島
屯田一日大霧軍人盡出收禾柵中但有十餘
人俄而虜騎四集舜臣閉柵門自以柳葉箭從

柵內連射賊數十墮馬虜驚駭退走舜臣開門單騎大呼逐之虜衆大奔盡奪所掠而還然朝無推挽者登第十餘年不調始為井邑縣監是時倭聲日急　上命備邊司各薦才堪將帥者余擧舜臣遂自井邑超拜水使人或疑其驟懲毖錄下同

逮水軍統制使李舜臣下獄初元均德舜臣來救相得甚懽既而爭功漸不相能均性險詖且多連結於中外搆誣舜臣不遺餘力每言舜臣初不欲來因我固請乃至勝敵我為首功時

朝議分岐各有所主右相李元翼明其不然且曰舜臣與元均各有分守之地初不即進未足深非先是賊將平行長使卒倭要時羅往來慶尚右兵使金應瑞陣致慇懃方清正欲再出也時羅密言於應瑞曰我將行長言今此和事不成由於清正吾甚疾之某日清正當渡海朝鮮善水戰若要諸海中可以敗殺愼毋失也應瑞上其事　朝議信之海平君尹根壽尤踴躍以為機會難失屢　啓之連催舜臣前進舜臣疑賊有詐遲徊者累日至是要時羅又至曰清正

今已下陸朝鮮何不要截佯致恨惜之意事聞廷議皆咎舜臣臺諫請拿鞫慶尚道玄風人前縣監朴惺者亦承望時論上疏極言舜臣可斬遂遣義禁府都事拿來元均代為統制使

上猶疑所聞不盡實　特遣成均司成南以信下閑山廉察以信既入全羅道軍民遮道訟舜臣寃者不可勝數以信不以實　聞乃曰清正留海島七日我軍若往可縛來而舜臣逗遛失機舜臣至獄　命大臣議罪獨判中樞府事鄭琢言舜臣名將不可殺軍機利害難可遥度其

不進未必無意請寬恕以責後效拷問一次減死削職充軍舜臣老母在牙山聞舜臣下獄憂悸而死舜臣出獄道過牙山成服即往權慄帳下從軍人聞而悲之

蓋賊自壬辰入我境惟見敗於舟師平秀吉憤之責行長必取舟師行長佯輸款於金應瑞使李舜臣得罪又誘元均出海中盡得其虛實因行掩襲其計至巧而我悉墮其計中哀哉

復起李舜臣為三道水軍統制使閑山敗報至朝野震駭　上引見備邊諸臣問之羣臣惶惑

不知所對慶林君金命元兵曹判書李恒福從容　啓曰此元均之罪惟當起李舜臣爲統制使耳　從之時權慄聞元均敗已使李舜臣往收餘兵賊方衝斥舜臣與軍官一人自慶尚道入全羅道晝夜潛行間關達珍島收兵禦賊

統制使李舜臣破倭兵于珍島碧波亭下殺其將馬多時舜臣至珍島收拾兵船得十餘隻時沿海人乘船避亂者無數聞舜臣至莫不喜悅舜臣分道招呼遠近雲集使在軍後以助形勢賊將馬多時號善水戰率其船二百餘艘欲犯

西海相遇於碧波亭下舜臣以十二船載大砲乘潮至順流攻之賊敗走軍聲大振是時舜臣已有軍八千餘人進駐古今島患乏糧作海路通行帖令曰三道沿海公私船無帖者以奸細論毋得通行於是凡避亂乘船者皆來受帖舜臣以船大小差次使納米受帖大船三石中船二石小船一石避亂之人盡載財穀入海故不以納米爲難而以通行無禁爲喜旬日得軍糧萬餘石又募民輸銅鐵鑄大砲伐木造船事事皆辦遠近避兵者往依舜臣結廬造幕販賣爲生島中不能容既而　天朝水兵都督陳璘出來南下古今島與舜臣合兵璘性暴猛與人多忤人多畏之　上餞送于青坡野余見璘軍人歐辱守令無忌以繩繫察訪李尚規頸曳之流血滿面令譯官勸解不得余謂同坐宰臣曰可惜李舜臣軍又將敗矣與璘同在軍中掣肘矛盾必侵奪將權縱暴軍士逆之則增怒順之則無厭軍何由不敗衆曰然相與嗟嘆而已舜臣聞璘將至令軍人大畋漁得鹿豕海物甚多盛備酒醪而待之璘船入海舜臣備軍儀遠迎既

到大享其軍諸將以下無不沾醉士卒傳相告語曰果良將也璘亦心喜不久賊船犯近島舜臣遣兵敗之獲賊首四十級悉以與璘爲功璘益喜過望自是凡事一咨於舜臣出則與舜臣並轎不敢先行舜臣遂約束唐軍與已軍無間有奪民一縷者皆拿致綑打無敢違令者島中肅然璘上書於　上言統制使有經天緯地之才補天浴日之功蓋心服也

劉提督再攻順天賊營統制使李舜臣以舟師大破其救兵於海中舜臣死之賊將平行長棄

城而遁釜山蔚山河東沿海賊屯悉退時行長築城于順天芮橋堅守劉綎以大兵進攻不利還順天既而復進攻之李舜臣與唐將陳璘扼海口以逼之行長求援於泗川賊沈安頓吾頓吾從水路來援舜臣進擊大破之焚賊船二百餘艘殺獲無計追至南海界舜臣親犯矢石力戰有飛丸中其胷出背後左右扶入帳中舜臣曰戰方急慎勿言我死言訖而絕舜臣兄子莞素有膽量秘其死以舜臣令督戰益急軍中不知也陳璘所乘舟為賊所圍莞望見揮兵救之

賊散去璘使人于舜臣謝救已始聞其死從椅上自投於地曰吾意老爺生來救我何故亡耶拊膺大慟一軍皆哭聲震海中行長乘舟師追賊過其營自後逸去先時倭酋平秀吉已死沿海賊屯悉退我軍與唐軍聞舜臣死連營慟哭如哭私親柩行所至人民處處設祭挽車而哭曰公實生我今公棄我何之道路壅塞車不得進行路之人無不揮涕 贈議政府右議政邢軍門謂當立祠海上以奬忠魂事竟不行於是海邊之人相率為祠號曰愍忠以時致祭商賈漁船往來過其下者人人祭之云

李舜臣字汝諧德水人其先曰邊官至判府事有直名曾祖曰琚事 成宗燕山在東宮琚為講官以嚴見憚嘗為掌令彈劾不避百僚憚之有虎掌令之稱祖百祿以門蔭仕父貞不仕舜臣少時英爽不羈與羣兒戲削木為弓矢遊里閭中遇不如意者欲射其目長老或憚之不敢過門及長善射從武舉發身李氏世業儒至舜臣始得武科補權知訓鍊院奉事兵曹判書金貴榮有孽女欲與舜臣為妾舜臣不肯人問之

舜臣曰吾初出仕路豈敢托跡權門媒進耶兵曹正郎徐益有所親在訓鍊院欲越次薦報舜臣以院中掌務官執不可益牌招舜臣詣庭下詰之舜臣辭色不變直辨無撓益大怒盛氣臨之舜臣從容酬答終不少沮益本多氣傲人雖同僚亦憚之難與爭辨是日下吏在階下皆相顧吐舌曰此官敢與本曹抗獨不顧前路耶日暮益愧屈令去識者以此往往知舜臣焉方在獄時事不可測有獄吏密語舜臣兄子芬有賄則可免舜臣聞之怒芬曰死則死耳安可違道

求生其有操執如此舜臣為人寡言笑容貌雅飭如修謹之士而中有膽氣忘身殉國乃其素所蓄積也兄羲臣堯臣皆先死舜臣撫其遺孤如己子凡嫁娶必先兄子而後及己子有才無命百不一施而死嗚呼惜哉

統制在軍晝夜戒嚴未嘗解甲在見乃梁與賊相持諸船已下碇夜月色明甚統制帶甲枕鼓而臥忽起坐呼左右取燒酒來飲一杯悉呼諸將至前語之曰今夜月甚明賊多詐謀無月時固當襲我月明亦應來襲警備不可不嚴遂吹

令角令諸船皆舉碇又傳令斥候船候卒方熟睡喚起待變久之斥候奔告賊來時月掛西山山影倒海半邊微陰賊船無數從陰黑中來將近我船於是中軍放大砲吶喊諸船皆應之賊知有備一時放鳥銃聲震海中飛丸落於水中者如雨遂不敢犯退走諸將以為神

李舜臣德水人生於乙巳業儒尤長於書字弱冠學武事中武科為造山萬戶得罪白衣從軍時錢之役立功放還辛卯為全羅左水使壬辰日本入寇五月公領水軍下海與慶尚右水使

元均約會于閑山島至王浦前洋焚賊船二十六進秩嘉善無何夢見白頭老翁蹴公起曰賊來矣公蹶然驚起會元均于露梁則賊果來矣焚破一船追至泗川洋中誘賊出洋公令龜船突進焚其船餘賊遠望頓足叫呼 (青野謾輯 下同)

丁酉清正舟渡海朝廷以公不能逆擊下詔獄用元均以代公及對獄以白衣送元帥陣中使之自效其年均果敗復用公為統制使時公起板蕩之餘再膺藩命兩南盡為賊藪行長在陸路義智在水路飛謀伺隙而公以瘡殘餘卒領

十三戰船棲依無處逡巡於碧波亭洋中見者危之賊船五六百艘蔽海而上公督諸軍先破賊船三十一艘賊少却公誓衆乘勝而進賊不敢敵舉軍而遁戊戌進陣于古今島時陳都督璘以水軍五千與公合陣劉都督綎以苗兵萬五千陣於順天將水陸齊舉 天兵侵擾我軍公令軍中撤其閭舍都督怪問之公曰 天兵時加侵擾故小邦新集之民將盡遠徙都督大驚使公便宜行事再有侵擾者許令罪之自後天兵秋毫不犯行長憚公威名遣其亞將遺以

鳥銃長劍公却之曰我自壬辰殺賊無計所得
銃劍自足為用十一月南海釜山諸賊来援先
鋒已到露梁是日三更公於船上跪祝于天曰
今日固決死願天必殲此賊祝罷自領鋭卒先
進露梁賊圍都督甚急公救之親冒矢石手自
擊鼓忽中丸而仆臨絶顧謂麾下曰諱言我死
勿令驚軍都督聞公死顛於船者三曰無可與
有為者南民奔走巷哭市者為之罷酒
我國戰艦制甚宏壯人言倭船數十不能當我
國一戰船李舜臣為全羅左水使創智造船上

設板盖形如伏龜謂之龜船至壬辰用以制勝
皆賴於舟楫之利也然元均代舜臣則以百餘
戰船敗衂無餘舜臣代元均則以十三戰船摧
破六百艘蔽海之賊亦在乎將得其人而已 芝峯類說 下同
李舜臣在武弁中名稱未著辛卯年柳西厓為
相薦其可用以井邑縣監超授全羅左水使遂
為中興第一名將噫今世亦豈無此等人特未
有知而薦之者耳
我朝人才至　宣祖大王朝可謂盛矣如崔簡
易豈之文韓石峯濩之書金醉眠禔之畫皆間
世才也至於良將若李舜臣郭再祐死節若趙
憲金千鎰宋象賢亦皆無愧於古人豈非二百
年培養之遺澤歟
統制使李舜臣壬辰督率舟師邀截海中累破
倭船擒斬無筭賊畏之再不敢由水路而西使
兩湖得全以底恢復皆其力也戊戌九月倭賊
將遁去舜臣曰不可使此賊全師而歸進戰於
海上燒船大捷賊退而舜臣中丸死矣邊民莫
不號慟後立祠于順天水營　賜額忠愍每歲

三九月上旬降香行祀
鹿屯島屬造山丁亥令造山萬户李舜臣兼掌
屯田秋九月慶興府使李景祿率掌内煙户軍
入島中與舜臣收穫之際楸島藩胡亇尼應介
沙送阿等傳箭於撫夷境時錢中樞何吾郎阿
酋長厚通阿渾道等及阿吾地境酋長金金伊
與慶源境臣酋伊青阿如處深處亏知介等嘯
聚羣胡藏兵於楸島後見守護孤弱舉衆突出
来圍木柵縱兵大掠守護將及第吳亨及監打
官林景藩等見其勢大力不能拒縱馬突圍而

走吳亨被箭而死林景藩帶箭入栅與李景祿李舜臣同力拒戰又中賊矢而斃是時栅中將士皆出塲頭餘者無幾將不能支賴諸將吏殊死戰得免陷敗酋長亇尼應介跳壕而入將欲踰栅及第李夢瑞一箭射倒其餘賊徒亦多有中矢者賊退兵而去李舜臣與李景祿率兵尾擊奪還農民五十餘名斬馘賊胡三級獲胡馬一匹而還（制勝方略）

李舜臣引賊至閑山島大破之焚破賊船六十餘艘砲熖沸流腥血漲海餘賊四百餘人棄船

而走賊中傳言朝鮮閑山之戰賊兵死者九千餘人云（朝野僉載下同）

賊襲舟師統制使元均敗死均既代舜臣盡變其約束狠愎自用軍卒怨憤嗜酒酗怒刑罰無度號令不行時行長又遣要時羅紿金應瑞曰倭船某日當添至朝鮮舟師猶可邀擊應瑞信之言于元帥促元均進兵均既陷舜臣以逗遛慚無以為辭盡率戰艦而進賊之在岸上者見船行互相傳報至絶影島見倭船出沒海中均督諸軍進前倭欲疲之與我船相近徜徉引避不與交鋒夜深風盛我船四散分漂不知所向均艱收餘船還至加德島軍士渴甚爭下船取水賊伏從島中突出掩之失將士四百餘人均引退至漆川島飲酒醉卧諸將欲見言事而不得夜半賊船来襲之我軍大敗均走海邊捨舟登岸欲走而體肥鈍坐樹下休息左右皆散為賊所殺慶尚水使裵楔私約所領船而走其軍獨全還至閑山島縱火焚廬舍粮穀器械從餘民之留在島中者使避賊而去閑山既敗賊乘勝西向南海順天次第陷沒至豆峙津下陸長

驅兩湖大震

萬曆二十七年九月　帝下旨令該部東征將士宜叙恩典陳璘陞實授都督同知廕一子本衛指揮僉事世襲李舜臣行彼國從優旌䘏

李忠武公全書卷之十三

李忠武公全書卷之十四目錄

附錄六

紀實下

李忠武公全書卷之十四目錄

附錄六

紀實下

天兵壓臨於大丘慶州故蔚山之賊不得踰慶州東萊之賊不得踰大丘而西北本國諸將李薲高彥伯洪季男宣居怡等亦得藉虎豹在山之威收拾零殘之卒分頭把截於宜寧蔚慶之間逐日血戰又以巨濟之賊水犯全羅之境甚易故令三道舟師將李舜臣元均李億祺等領水軍萬餘把截於閑山島以備西犯之路(西厓集下)

(同)往年賊既陷慶尚道屢以舟楫犯全羅道有本道水軍節度使李舜臣以舟師迎擊於巨濟洋中焚賊船數百賊終不得登岸全羅之境至今獨保者亦以此故耳鄙生本迂拙書生其於軍旅之事不敢妄言然竊嘗以淺見料之凡備賊譬如救火要使火焰不甚散燎然後人力有所施今賊兵實畏懾 天兵餘威留屯於釜山一隅若蒙大軍因駐大丘等處以遏東邊及直路衝犯之勢又連駱參將諸軍駐宜寧固城之境遮蔽西路因約束小邦水軍將李舜臣等悉率舟艦橫截於巨濟海中三路合勢牽綴賊兵則賊首尾皆有所憚不敢輕動

邢玠分調麻貴主蔚山董一元主泗川劉綎主順天陳璘率舟師與統制使李舜臣合兵主水路同時進攻皆不利董軍為賊所敗死者殆萬餘既而關白病死賊諸陣皆撤還諸將無所得惟水路要截於海中奪賊船數百餘統制使李舜臣力戰中流丸而死人皆痛惜云

統制使之任專為備倭而設而自李舜臣之死

代之者漸不如前人(象村集下同)

陳都督與統制使李舜臣乘潮來攻督戰曰各船各拿數船來今夜必盡滅此賊無遺也舜臣以潮退白之都督不聽各船迭相進奪賊船不覺潮退沙船蹄船二十三隻膠於淺灘賊見之全集各船圍之船上人亂用刀槍下斫之賊死者不知其數 天兵亦多死我國兵用片箭從暗中射之賊始開一面 天兵陷於浦口泥中者一百四十人至是俱得脫 天兵船被燒者十九艘被擄者四艘

陳璘率舟師協攻順天之賊㴬政王士琦監軍與鄧子龍季金梁天胤福日昇王元周沈懋孝天常及我國統制使李舜臣等從古今島開洋以九月二十一日令諸將會攻水柵二十二日進攻斬馘甚多時劉提督方造攻城樓車待其訖工將攻城故都督亦歛兵等待者十餘日翌月初一日提督約與相見曰我造梯衝未完軍門添兵及鄧子龍水兵亦未到我欲待諸軍俱到舉事都督曰師徒暴露已久賊必窺我情形不如速戰之為愈提督不得已從之初二日提

督將進攻賊穴都督領諸船乘潮而上過午陸兵不進初三日又乘晚潮大戰而陸兵又不至初七日又進而提督已撤陸兵矣都督憤曰我寧為順天鬼不忍撤兵不要攻城每戰殺倭數百倭亦盡矣連日進攻皆捷十九日夜賊船見於南海李舜臣告都督都督與季金前行諸將繼之舜臣先導出屯前洋二十二日賊船來犯前軍舜臣擊敗之焚其船五十餘隻斬二百餘級二十四日賊悉船來戰於觀音浦戰酣行長乘船從外洋脫去都督水兵鏖殺泗川之賊

賊圍李舜臣船累重都督換乘我國船犯圍直入救之賊又圍都督二賊跳上船頭　天兵以鏡鈀刺其胷膛投海中賊船鱗集於都督船下都督令下碇王元周福日昇二將亦換我船挾都督船都督令軍中吶喊放大砲諸賊仰放鳥銃都督令諸軍依挨牌而伏諸賊見之一時挺劒以上　天兵以長鎗俯刺之墜水死者以千數諸將出死力薄戰已而都督揺鐸收軍船中寂然無聲賊疑之稍却　天兵從高撒蹟筒於賊船風急火烈賊艘數百頃刻煨燼海波盡赤

舜臣望見都督被圍亦衝圍而進合力血戰鄧子龍船火起一軍避火驚擾賊乘之殺子龍燒其船我國慶尚水使李純信先鋒船又燒賊船十餘隻有一賊船甚高上施朱幕被金甲者三人督戰舜臣悉衆合攻射中金甲者一人賊船捨都督來救都督軍因是得出與舜臣諸兵合勢發虎蹲砲碎其船餘賊褫魄焚燒殆盡翌日舜臣中丸卒麾下士匿不發喪吹角偃旗督戰並力追燒賊船二百餘隻賊或遁入南海或從露梁津而走都督在船上望見統制船士卒爭

取首級倭貨曰統制必死矣問之果然行長從
彌助項外洋遁歸其不得捕斬行長劉提督誤
之云二十六日都督振旅由陸路抵　王京
陳璘字朝爵號龍厓廣東羅定州東安縣人戊
戌以欽差統領水兵禦倭摠兵官前軍都督府
都督僉事六月出來征勦水路之賊語在志中
時分四路出兵而東路不戰而賊已遁中路失
利西路行計潛和唯水路大捷行長望見其敗
先遁李舜臣與都督同征勦而中丸以死都督
哭之慟賻贈甚厚入哭靈柩吊其妻子而去

以全羅左水使李舜臣兼三道水軍統制使舜
臣率諸將結陣閑山島與巨濟之賊對壘不閱
月而守備已完時出龜船討捕行賊賊畏縮不
敢出嶺右沿路及湖南一面賴以平安舜臣有
閑山吟咏二十韻中有誓海魚龍動盟山草木
知等句 亂中雜錄下同
統制使李舜臣　啓曰臣當竭力欲防清正來
路令各道守令水兵等盡力入送云云　朝廷
以副察使韓孝純專委舟師之事三道水兵及
格軍格粮晝夜調發入送兵船器械急令修補
以扶李舜臣禦賊之勢
要時羅傳告本國曰清正以單舸渡海中遇風
波留泊小嶼數日我急通于李統制疑懼不來
坐致誤事云云　朝廷又咎舜臣虛張大語欺
罔　君父遣都事拿鞫以全羅兵使元均兼三
道水軍統制使以羅州牧使李福男為全羅兵
使南民以閑山為保障舜臣為干城及聞其罷
人無所倚荷擔而立
賊酋來島守領兵船數百艘先向西海至珍島
碧波亭下時統制使李舜臣留鎮鳴梁避亂舟

百餘隻在後為聲援舜臣聞賊至令諸將曰賊
衆我寡不可輕敵臨機策應如此可也賊見我
軍孤弱意謂呑噬交競先登四面圍掩我軍佯
入圍中賊喜我軍畏㥘肉薄亂戰忽然將船螺
角交吹旗麾齊颭火發賊艘延爇諸船煙焰漲
天射矢投石槍槊交貫死者如麻燒溺死者亦
不知其數先斬來島守懸首檣頭將士奮勇追
奔逐北斬殺數百餘級逃脫者僅十餘隻我船
皆無恙其後賊回巢論兵必稱鳴梁之戰
賊將義弘允直茂等各率兵萬餘留屯海南自

鳴梁之敗舟船不至允直茂等由右路義弘等
由左路並向南原而走

舜臣與陳璘設宴忽探船馳報賊警甚迫即停
宴分付諸將伏兵候望整束軍機銳意以待夜
半風頭伊軋入耳黎明賊艘大至直前交鋒舜
臣使陳璘登高下視自領諸船穿突賊中矢石
交下火砲無發連爇五十餘艘收斬百餘馘賊
遁回本陣陳璘大喜

先是泗川賊酋義弘南海副酋平調信等因行
長義智徵援以軍老弱及被擄男女載船先發

自領數百艘乘夜潮赴援舟師伏兵將慶尚右
水使李純信走舠來報陳璘與李舜臣率諸船
為左右協我軍屯于南海觀音浦 天兵屯于
昆陽竹島撤碇待變夜半賊船無數自光州洋
雲合霧集過露梁方向倭橋兩軍突發左右掩
擊矢石交下柴火亂投許多倭船太半延爇兵
皆殊死血戰賊不能支乃退入觀音浦日已明
矣舜臣親自援枹先登追殺砲賊伏於船尾向
舜臣齊發舜臣中丸不省人事急命將佐以防
牌支身體使之秘不發喪時其子薈在船從父

分付鳴鼓揮旗日未午賊船幾盡投水死者無
算逃脫者僅五十餘艘我軍收馘盡納于 天
將(我國船則咸平戰艦為賊所焚)方酣戰之時行長等撤兵潛
出猫島西梁向平山(堡為南海地)洋而走南海留在
之賊聞露梁之敗由島中陸路走出彌助項義
智收而同去劉綎見倭橋煙焰蔽天領軍馳進
賊城已空因留屯本國將士隨之聞李舜臣死
事左相以忠清兵使李時言假差統制以全羅
防禦使元愼假差兵使時言馳至河東則陳璘
先以李純信假定已領舟師時言即還本陣陳

璘率諸軍入探南海陣收得軍粮萬餘石牛馬
至不可數

丁酉九月賊侵珍島統制使李舜臣逆擊於鳴
梁大破之斬殺數百餘級燒溺死者不可盡數
賊僅以十餘隻逃脫我船皆獲無恙其後賊中
論兵必稱鳴梁之戰倭將清正及行長等會於
全州開市貿換南原所得唐物相謂曰壬辰之
役諸道皆陷而朝鮮之所以扶持者以有水路
能通兩湖也(春坡錄 下同)

陳璘率水軍千餘艘以李舜臣為先鋒船皆黑

布為風席各操旌旗縱橫其間自猫島鼓噪颺
旗而進望之極壯
本國諸將皆會富有陳璘與李舜臣因留海岸
日日挑戰賊不敢出
平行長以銀百兩實刀五十進於陳將曰兵貴
不血請假途歸國璘許之賊又先發數船統制
使李舜臣邀殺之行長復請解于璘曰和既成
矣而以兵相加何也璘曰非我所知乃本國李
將軍之所為也賊患之
統制使李舜臣與陳璘大破賊兵于露梁李舜

臣戰亡先是泗川賊酋義弘南海賊調信等因
行長徵援拔老弱及我被擄人載以船發自領
數百船乘夜潮赴援李舜臣走報璘率諸船
為左右恊我軍屯于南海之觀音浦 天兵陣
於昆陽之竹島洋夜半賊自光州雲合直向倭
橋兩軍掩擊薪火矢石交下倭船太半焚破賊
猶殊死血戰而不能支乃退入觀音浦明朝舜
臣親援桴先登追殺賊伏於船尾齊向舜臣發
丸舜臣中丸矣急令將佐與子薈以牌防身體
使之不發哭薈從分付手自鳴鼓揮旗日猶未
午賊投水死者無計逃免者僅五十餘隻斬九
百餘級而收馘盡納于唐船方戰之時行長等
潛自猫島西梁而走南海之賊由陸路入彌助
項義智收聚船載以去邊徼遂清 朝廷贈舜
臣左議政錄子孫後庚子立祠于左水營 賜
祭軍卒亦樹石名曰墮淚碑及甲辰論功錄宣
武元功除薈任實縣監薈亦有清簡名
李忠武之百戰全勝蓋不獨奇正之錯出忠勇
之迅奮也舟楫之所長有以制彼之所短故也
曾聞壬辰初固城人諸萬春被縛入彼國在脇

坂氏之家見北犯諸賊報秀吉之書稱朝鮮人
水戰大異陸戰且船大而行疾樓牌亦堅厚銃
丸俱不可入而我船遇之盡被撞碎云云據此
則彼我舟楫長短可知矣 和國志
萬曆壬辰癸巳間統制使李舜臣之軍閑山島
也其子從軍于忠清道與倭遇斬三四級逐北
長驅有一倭潛伏草間而伺乘不意突走擊之
墜馬而死舜臣未之聞後忠清道防禦使擒倭
生致之閑山陣其夜舜臣夢其子遍身流血而
來曰降倭十三中有殺我者舜臣驚而悟始疑

其子死也俄而訃音至引降倭問之曰某日忠清道某地有人乘赤白駁馬爾等殺而奪其馬其馬安在欲尋之其中一倭進曰有少年乘赤白駁馬追我輩殺三四人我埋草間卒起擊之取其馬納之陣將問諸倭信然舜臣大痛命牽而斬之招魂祭之為文而告之於于野談下同

行長解兵還水軍提督陳璘大怒結千艘要其路我國統制使李舜臣亦大怒發龜船數百艘選水卒攔之倭師大敗済海乘大霧潛遁陳游擊李統制死之吁賊運未盡天威少挫神不助

順雨霧害事卒使妖賊巨魁全其項領而返豈不痛心哉

壬辰四月日本大舉入寇連陷釜山東萊於是嶺南一道望風瓦解無敢嬰其鋒全羅左水使李舜臣傳檄列邑會諸將計事皆曰賊鋒甚鋭不可輕出獨鹿島萬户鄭運以為賊未犯湖南當以此時急引兵逆擊一以衛湖南一以援嶺南可也公曰鹿島言是也即令登船五月初一日至固城之蛇梁時賊勢甚急嶺南沿海諸鎮惶㤼失措皆自沈其船元均亦以一夾船竄伏赤梁島聞公至来見泣曰吾之戰船無一隻在此將何為公慰撫之且曰此臣子報國盡瘁之秋也初八日至助羅浦公聚諸將令曰去丁酉損竹之戰沈巖違戾顛倒使李大源獨戰而死今將臨戰公等須審軍機進退無失一乃心力各奏爾功諸將皆應曰諾然後進船出于梁巖之峽倭船五十餘艘屯于玉浦望我軍至將避走于加德島公率諸船逐之鄭運奮憤突前於是諸船俱進力戰悉焚其船因進至永登浦倭船九艘自馬山浦向薺浦退而迫之又焚之比

過馬山浦至赤亭浦倭船列于浦口進燒其船四十餘艘次于巨濟之胷島本營探候船自湖南来報曰賊兵長驅都城失守公與諸將痛哭良久謂諸將曰 國事至此不如還營治兵或北上或再舉遂引兵而西達于水營之前洋留鎮將李渫迎報曰巡邊使申砬去月二十八日迎戰于忠州之㺚川為賊所擠皆投水死㺚川既敗賊勢益張 朝廷以為漢陽踈虞不如退守平壤其日 大駕西巡三十日賊入都城云矣公始拊掌曰君父既全我何憂焉留鎮治兵

器屢次出師而前後俘獲不知其數自此湖人得以無恐元均於前後之戰頓無尺寸之功而當諸將破賊之時隨後取馘諸將又各以所獲分載於均均之所得最多於諸將故其時陣中有收匙飯多本飯之說均之於公恩固不貲而均便生奸計虛張聲勢欺罔 君父使其腹心軍官先達于 行朝及 大駕還都公論稍行均恐其情狀敗露反因緣行賂誣陷公無所不至以為有異志終至於拿鞫均代之五六年完裝舟師器具一朝蕩盡均之罪固不足道也任

事之臣於心安乎 釜山記事

先生嘗論人才曰我國人才至 宣廟朝最盛道學則退溪南冥寒岡栗谷牛溪重峯文章則月沙簡易才士則車天輅林悌善寫韓濩將才李舜臣金德齡並生一時雖是氣數之適然而亦由培養之盛也嘗寘車天輅而命道臣優給食物 上之愛惜人才如此人才豈不致之哉 尤庵語錄

壬辰之亂島夷大來而不敢由海路而西者實李舜臣之功也龜船制度乃李舜臣所設施而今者統營只有一隻 三節遺稿

我德水之李起自麗季奕世崇顯入我 朝以德行詞翰承家至先祖容齋公益昌以大其後宗匠巨公接武嗣興為東方名閥至於道學如栗谷文成公武烈如統制忠武公前後並出文獻之盛殆無與為兩 德水李氏世譜

白沙曰 上嘗論諸將曰李元海上之鏖權慄幸州之捷當為首功此不易之定論又曰元均特因人成事者固不敢與李舜臣抗衡云云白沙何其誤也當賊以舟師長驅向湖南也舜臣

出萬死之計遮絕於閑山使賊不敢西棹者凡六年均則惶惻失措自沈其戰船竄伏海島舜臣引置軍中優給資粮其所獲首虜分載於均使均非徒得免軍律又從而受賞焉均之於舜臣卵育之恩固為不貲而均也及其得志之後反懷忌嫉之心凡所以害舜臣者無所不至做出海王之說傳播遠邇及清正渡海寇 啓舜臣逗撓不進舜臣終至拿鞫均代之曾未踰時全師覆沒有罪可誅無功可記顧乃與舜臣權慄並稱者何也蓋居京洛族連貴近又諂事時

人右之者多故欺罔　君父刑賞倒置白沙其未之聞歟於　榻前論功之際何不以此陳達使我　先王昭知其是非退有後言初以為不易之定論終以為不敢與舜臣抗衡定論果如是乎均是余仲父東巖公妻元氏之姓親也其赴統制之日歷拜于仲父均曰吾非以此職為榮惟以雪恥舜臣為快也仲父曰令公能盡心破賊使其功業出於舜臣之上則可謂雪恥徒以代舜臣為快則豈可謂之雪恥也均曰吾遇賊而戰遠則片箭近則長箭而及其搏擊也用

之以劒隨之以梃蔑不勝矣仲父笑曰為大將至於用劒與梃則其可乎均既去仲父謂余曰觀均為人大事去矣嗟歎久之南中之人至今言及此事未嘗不扼腕也（牛山集辨白沙諸將士論下同）

白沙又曰嶺南陷敗之日舜臣欲列艦露梁遏賊來路又欲固守本道不窺閑山之口猶豫未決順天府使權俊光陽縣監魚泳潭移書起之身自馳往力贊下海之計乃始起兵論其功則舜臣為首功語其心則於兩人差有愧焉云云白沙此言其亦誤矣自古烟臺之設專為外賊而平時則一炬見形則二炬犯境則三炬合戰則四炬下陸則五炬以此烽火二炬列邑諸鎮不待傳檄整頓舟師即赴營門猶恐後至之誅安有守令偃然在官責之責之不聽然後身自馳往力贊之理乎厥後丙午年間白沙撰舜臣碑銘及遺事乃曰公會諸將計事鹿島萬户鄭運及公軍官宋希立奮願以死自效辭語慷慨公大悅領水軍下海云則前日之俊與泳潭今變為運與希立何也定論果如是乎

白沙又曰鳴梁之戰安衛以一縣令受舜臣分

付以一大艦摧却賊船五百餘艘使賊不敢復窺全羅右道而直衝於忠清道者衛之功也云云白沙此言其亦誤矣夫舜臣之再為統制也聞慶尚右水使裵楔以所帶戰船來泊會寧浦單騎馳到諮楔以進取之計楔托以助戰湖南幕下棄船宵遁舜臣收拾其散亡餘船八九艘邀擊於碧波亭下彼衆我寡勢難抵當舜臣令諸將列艦渡口以待賊至衛舉碇而逃舜臣執而將斬衛大聲疾呼曰願立功自效諸將亦皆請釋舜臣許之衛遂進戰撞破賊船若干艘衛

之功僅足以贖前罪而已其時避亂諸船皆知舜臣之為人恃以無恐至於為疑兵助聲援無一人叛去者而衛也以諸將反欲逃避其心巧詐有不可測白沙其未之聞歟

皇明楊員外位以贊畫主事來問接伴使丁景達曰中國發冀揚數十萬衆來救你邦東國山川之險夷戰場之形便未能詳知欲與你國之將同謀而共濟多智習兵者誰歟答曰小邦有李舜臣者為三道統制使用兵如神提褊少之舟師制百萬之強寇小邦之至今支撑者皆此

人之力也楊曰李某之善戰奇謀曾已聞知陪臣之言果如所聞 盤谷集下同

伏聞統制使李舜臣只領舟師十四隻破賊船三十餘隻今又乘夜下陸掩擊南海留陣之賊盡斬無餘實藉中國動天下之威再奏大功恢復之策自此可舉矣第念孤軍絕島其勢甚危近聞徐捴兵仲素領水軍三千三百餘已向京江若令順下而南合勢進退則奇功可成未知籌畫何如

李忠武為元均所譖被拿而去公謂都體察使完平李相國曰倭賊所憚者李舜臣也事已至此 國無可為李相以此 啓之而 朝廷不聽矣

李忠武之被譖在獄也公往見柳西厓李白沙兩公問曰君自南中來元與李是非可得聞歟公答曰孰是孰非不必言解而但見大小軍民莫不號泣曰李公被罪吾等何生以此觀之其是非可知也

閑山舟師不得應機過截必有所以然而然今聞統制為人所搆拿去以元均代之軍心想應

潰裂此尤不可說體相未可急 啓姑留否不然則舟師亦不可用機會一失豈不可惜況韓副往督之豈有逗遛之理哉 讓庵集

國朝賢臣碩輔道德名儒代不乏人此所以文治似優於麗朝武略不及於三國遠矣將帥則元無表著其中金宗瑞之開拓六鎮尹弼商之驅逐建夷足以揚國威令而比諸古名將此特見戲耳權慄之幸州大捷李舜臣之閑山鏖戰功冠當時無愧古人 竹窓閑話

舜臣遇賊四百餘艘於巨濟前洋大戰良久舜

臣謂諸將曰彼賊船上建三重樓飾以金碧一
賊踞床指揮此必大將若使二三龜船直衝賊
船得梟此賊餘必自潰遂選壯士百餘人分乘
三龜船出入賊船疾如飛梭賊莫敢近遂犯三
重樓船賊將被箭至三猶不避及中其腦始仆
舜臣等鼓噪直進賊遂崩潰溺死者不可勝記
得器械無筭七月報至舜臣陞正憲（寄齋集）
舜臣柳成龍所薦也與成龍不恊者即北黨囂
然以失軍機為罪意在累成龍也時議方峻人
皆縮頸獨鄭琢上劄極言無罪得不死（菊圃瑣言下同）

舜臣在鎮作運籌堂與諸將會議其中元均乃
貯妓妾圍以籬醉不省事一軍離心皆曰賊至
惟有走耳

舟師統制寔天挺之神姿分閫有　命雄據邊
陲閑島截海歲月六朞易將之舉元出於賊謀
非誤師期逮敗績之後以九船之殘卒屢捷碧
波功可以勒鍾彝露梁之戰公將臨死分付皷
旗子用其命走生仲達籌策尤可奇（荷潭子遺稿）

大報壇所以報惠也壬辰之禍非　大明神宗
無以再造此萬世不忘之恩也天子而祭於諸
侯於古無考然　明既國亡宗廟丘墟沒有子
孫為庶追遠有誠則不容不祭與其臣子等也
禮雖先王未之有可以義起者此之謂也當時
東征之功宜以石星為主將士則宜以李如松
為元功此則余別有所論不可不祭書云玆予
大享于先王爾祖其從與享之夏官司勳云六
功之中戰功曰多書於太常祭於大烝我邦之
於　明神宗不忍不祭戰功也宜遵司勳之例
配以提督經理等數人於理為得按通考先代
帝王廟自伏羲至隋文凡二十廟各有配食今

既祭之何可以無配乎杜甫詩云一體君臣祭
祀同此即村閭之私祭而亦並祀君臣古已有
此例矣昔宋欽宗無配林栗議當時臣僚以身
殉國名節暴著者雖官品不應配享之科而事
變無常難拘定制時議雖不從尚論者是之
神宗既血食東方宜亦不拘定制以有功於東
方者配之以著報恩之意可矣且雖有　天將
非李忠武一人亦不能掃清陪臣之於天子無
服惟據見者緦衰七月余昔過忠武墓讀其碑
天子嘉其功賜都督印綬而奏功　天將名徹

帝聰不但爲接見而已則未有不可配之義諸侯之大夫秩比天子之上士則側在李楊之下可以慰英魂於地下而與國中之忠者此不可不念 僿說

貞敬夫人尙州方氏忠武公之配也考諱震官寶城郡守夫人自幼警悟夙成年甫十二時火賊突入內庭寶城公射賊矢盡呼索房中箭而侍婢爲賊內應潛已偷出無餘矣夫人應聲曰有有急取織具雜竹一抱擲之樓上響如撒箭賊素畏寶城公善射乃謂箭尙多即駭散忠武

公既卒策元勳贈崇秩夫人從封如例在世踰耋統制使李雲龍乃以麾下舊義欲拜忠武公祠堂歷路盛威儀以入先修問安禮單于夫人夫人不受而致語曰將幕之分自是截嚴幽明雖殊體貌無間家翁祠堂咫尺之地吹角直至無乃未安乎李公遂覺其失惶恐留謝夫人受其禮單然後乃去 方夫人傳

忠武公長子薈著勳於露梁之戰蔭仕出宰任實縣治稱清簡官至僉正錄原從功 贈左承旨第二子莅 宣廟朝始仕光海時見政亂屛居鄉廬有童婢名竹者京第守婢之女也混掖屬入宮中觀光曲宴光海見其姿色而悅之命留禁中竹惶慟逃歸光海使中涓賫送銀子使之贖納莅謂以色獻媚人臣大戒況可以私賤進御乎雖被萬戮不敢奉旨中涓委銀恐喝而去莅追及中路繳還其大節如此癸亥改玉拜忠勳都事官至刑曹正郎錄原從功 贈左承旨季子葂有膽略善騎射丁酉秋將母在牙山聞倭賊焚掠閭里挺身馳擊連殺三賊中伏刃而死公陣古今島因晝假寐見葂悲號於前曰

殺我之賊父可誅之又曰父報子讐幽明無間而容讐一陣邀我言而不之誅痛哭而去公大驚問之有新捕賊一人囚在船中公令問作賊首末果害葂者命剉斫之庶子薰蓋俱登武科薰甲子适變在都元帥張晩幕府戰死於鞍峴蓋丁卯胡亂隨從兄義州公力戰同死 李氏家狀

肅宗壬午三月 上拜文廟設科取文武士於文得李海朝子東即三世文衡之家於武得李公鳳祥故名將忠武公舜臣之後世皆以克紹先烈期之子東文學言議爲士流重中途夭閼

公議嗟惜李公早陟戎壇而時丁險難執正不貳卒之遇亂立慬在國為忠臣在家為肖孫升沈脩短固亦有幸不幸存焉然如二公者豈易得哉 李忠愍公鳳祥神道碑

時倭聲日急 命備邊司各薦將帥才公以權慄李舜臣應旨二人時在下僚未甚知名後卒能立功為時名將而舜臣尤卓犖焉 柳相成龍謚狀

初 上命諸宰各舉所知公薦鄭再祐李舜臣金德齡等才可將至是再祐舜臣捍禦一方立偉功皆為鉅人名將 鄭相琢墓誌銘

公且長於知人入幕之士如李舜臣申砬金時敏李億祺皆名將中上駟也 鄭相彥信神道碑

公戊戌七月以接伴使從劉提督綎至順天賊酋行長勢益窘慼劉行間密喻綎使逌逃公鉤得其狀先令統制使李舜臣轉告水軍都督陳璘同伏要港協擊大破 李相德馨墓誌

盤谷丁公諱景達登城人也庚午登文科壬辰宰善山時島夷入寇公募軍聚粮與監司金公誠一兵使曹大坤區畫奇策設立四陣勝捷於金烏山下甲午忠武李公 啓請公為從事官

公極陳民弊勸令設立各官都廳以為備禦之策是年錄軍功公管下所殺一百六十五級射殺九十四射中二百六十倭幕焚蕩三百餘間以此陞通政嘗入侍陳對云李舜臣為國之誠御敵之才古無其儔臨陣逗遛亦是兵家之勝筭豈可以覩機審勢彷徨不戰為其罪案乎 殿下若殺此人其於 社稷之亡何 丁氏家乘

統制李公嘗吐露情素曰自古大將若少有邀功之心則多不得保全吾死於賊退之日則可無憾矣盖元均方妬功 朝廷之上齮齕之者

又多故也 柳珩行狀

漢陰李相公嘗以書密問統制李公曰公之手下可以代公者誰歟答曰無出柳珩之右其後又問答曰忠義膽略無如柳萁之比官雖卑可大用也漢陰白于 朝超拜為統制使 柳珩神道碑

元均沈船退遁求救於湖南水軍其節度使李舜臣出舟師救之公為中衛將自玉浦過固城前洋三戰三勝賊引去而召諸路倭會於釜山時李節度以大兵躡其後公帥前部遇賊於花遵多大西平絕影連勝之 李純信墓碣銘

治民以惠束吏以法統制使李舜臣甚器之或為代將或為先鋒攻守之功多出公策（安弘國諡狀）

屢佐諸帥府從鄭相國彥信權巡察慄且與李統制舜臣同事久（裵興立碑名）

赴統制使李舜臣麾下協力討賊托其母於同福縣監宋斗南斗南公族也李公雅知公忠勇又是大服其有忘家殉國之志傾心相與又薦譽於都元帥權公慄（宋大立傳）

李公舜臣為湖南左道節度使以公為中衛將會戰於玉浦前洋（申浩諡狀）

赴樂安郡守申浩幕浩素器公悉以郡事委公及浩以左水使李公舜臣部署討倭于閑山島公未嘗一日不在軍中及舟師大捷李公欲得獻馘者難其人時 大駕蒙塵三京失守沿路之賊複屯相望奔問官守者輒以道梗中道還李公聞公素蓄積殉國心檄公授狀 啓帳轉賊營晝伏夜動九死而得達行在 上即引見躬問邊上事賜酒勞問甚備朝廷皆比之顏平原之李平也即除西部主簿自 上傳于吏曹曰全羅左水使軍官宋汝悰間關跋涉千里遠来至為可嘉南方守令中可補有闕處吏曹即擬除南平兵曹又 啓請鹿島前萬户中九死當極擇其代宋汝悰雖已除南平曾立功舜臣管下諳習水戰以此人代之戊戌七月李公又令公領蒙衝六艘把守水路公即引發隱泊鹿島前洋賊船十艘乘海霧潜至將為夜驚計公即詗知舉帆直進厮殺無遺凱還李公即褒 啓唐將亦賞銀布甚厚十一月李公大會舟師鏖戰于露梁賊兵大敗海水為赤中興戰功此為第一而公功又為諸將先（宋汝悰碑銘）

壬辰倭賊大至全羅左水使李忠武舜臣累勦賊艘有大功 朝廷創置三道水軍統制使而李公以本職領之移鎮閑山島丁酉二月元均陰中而代至七月大敗死李公得 命自効丁母憂起復馳入順天府收餘燼十三艘數百兵大破賊于鳴梁時湖南士民百餘艘避亂者恃李公為蔽受約束助餽餉為後殿聲援而白松湖與馬公亦其一也（丁運熙行狀）

馬河秀長與人官繕工主簿丁酉備船一隻避亂海中聞李統制復任喜曰吾輩何憂遂往拜

于會寧浦李公曰冐刃来訪辛苦君之一鄉避
亂船幾隻公曰可十隻李公曰君聚鄉船爲我
後援以補軍容亦不無助也公曰僕雖衰老當
與公死生以之李公極加稱賞公旣退有詩曰
禮樂衣冠 聖祖基那令醜虜肆驅馳男兒白
首心猶壯正是文淵裹革時時白振南金聲遠
文英凱卞弘源白善鳴金澤南任永凱等十餘
人各以避亂船来會丁鳴說亦在其中来見公
曰吾輩素所蓄積者不可歇後於今日聞李統
相方令避亂船列於遥海為疑兵云乘機並進

則破竹之勢惟在此舉公曰吾心已定矣及鳴
梁之戰與鄉船十餘隻排陣外洋望見李公爲
賊所圍拔劒曰丈夫死耳與二子成龍爲龍突
入賊陣力戰良久中丸而卒成龍爲龍扶屍還
置鄉船手劒突進賊爲李公所敗舉軍而遁更
無所施 馬氏家狀

崔希亮羅州人登武科官宣傳官丁酉之難特
除興陽縣監率舟師赴李忠武陣屢立奇功忠
武褒 啓之未久為人所擠而罷忠武仍留陣
中爲軍官戊戌露梁之戰忠武中丸歿於船上
希亮痛哭還鄉作詩曰亂中人事變歸臥欲藏
名遂杜門屛跡 崔氏家狀

諸萬春者固城人也初屬嶺右水營軍校以勇
力射藝名萬曆壬辰倭寇至九月受右水使元
均令乘小船同櫓軍十名探賊勢於熊川還至
永登浦猝遇六艘倭兵與同舟人盡被縛而去
倭將有脇坂中書者見萬春鎖留之癸巳七月
二十四日夜半萬春與成石同朴擒孫等十二
人偷騎倭船促櫓到六歧島得順風泊舟於東
莱水營下八月十三日還到本家十五日来見

三道四水使合陣慶時李忠武以全羅左水使
實総軍事怒萬春無臣子義節初欲斬之憐其
冐萬死逃還使之隨狀 啓上京報倭情 朝
廷釋之復送於忠武軍中是時南邊用兵已浹
二年而尚不知倭奴情狀與器械利害忠武深
喜得萬春遂自辟爲帶率軍官萬春亦奮義力
賛卒成忠武之功戊戌露梁之戰與宋希立等
當前射賊所命無不應弦而倒後得永付軍官
一窠至老死食官料於統營 諸萬春傳
来遊擊所贈青雲緞一端藍雲緞一端綾襪一

雙雲履一雙香棋一副香牌一副浙茗二斤香
桂二斤四青茶甌十箇生雞四隻江千摠鱗躍
所贈春茗一封花盒一箇藤扇一把服履一雙
朱千摠守謙所贈酒盞六箇硃箋二張小盒一
箇茶葉一封神仙爐一寫埃二丁千摠文麟所
贈暑襪一雙領緔一方兩茶一封胡椒一封陳
把摠子秀所贈繡補一副詩扇一把香線十枝
陸卿所贈花帨一條許把摠所贈青布紅布各
一端金扇二把花帨一條福遊擊日升所贈青
布一端藍布一端金扇四把抗筋二東生雞二

首醎羊一肘王遊擊元周所贈金帶一鑲嵌圖
書匣一香盒一鏡架一金扇二把絲線一封茶
壺一蘇梳二事吳千摠惟林所贈鑲帶一事拜
帖二十張陳把摠國敬所贈花茶一封花酒盃
一對銅茶匙二副細茶匙一副紅禮帖一箇全
東帖五張書東帖十張古折東八張硃紅筋十
雙季永荐所贈真金扇一把汗巾一方蒲扇一
把粗帨二條王旗牌明所贈藍布一端枕頭花
一副青緔線一封龔把摠璡所贈紅紙一副浙
茶一封茶匙六事蘇針一包王中軍啓予所贈

藍帶一事梳大細二事此即　皇明東援將官
贈遺忠武公者（李氏遺錄）
露梁忠烈祠傍有護忠菴以花芳寺僧十人僧
將一人輪迴来直庚寅十月僧將裕習夢公執
長劍叱曰汝何不巡山乎裕習驚覺領諸僧舉
火巡山有人暗葬於祠後山翌朝告官掘移祠
下三里許即公殉節之地而自古稱為李落波
（忠烈祠志）
海南縣三洲院石脉渡海為珍島郡水路三十
里而碧波亭實當其口水中石脉自院至亭横

亘如梁而梁上梁下截如階級海水至此自東
趍西如垂瀑而甚急壬辰倭僧玄蘇至平壤上
書義州　行在所曰水軍十萬又從西海来當
水陸并進不審　大王龍馭自此何之云云時
倭水軍自南海北上水軍大將李舜臣住劄海
上打鐵鎖横亘於石梁上以俟之倭船至梁上
罥於鐵鎖倒覆於梁下梁上船不見底處不知
其倒覆意其踰梁而順流直下皆倒覆且水勢
近梁益急船已入急流中不暇回旋五百餘艘
一時全沒隻甲不存蓋其時沈惟敬紿倭使久

留平壤倭則欲待水軍偕上故又佯示守信欲紿之以須後而水軍不至李如松於兩相紿中得間而襲破之此天也苟非舜臣覆倭於洋中則不越數十日倭船可達平壤水軍至則倭豈守惟敬之空約而不綏兵乎其時人不知此以區區封貢之說謂可得倭情良可笑也然則如松平壤之功即舜臣之力也其後天將陳璘住兵海上丙申丁酉間倭以水軍連犯海上諸縣舜臣善水戰屢破倭獲倭首級輒以與璘使上功璘大喜移書朝堂曰統制使有經天緯地之

才補天浴日之功云云璘以舜臣故得賊級最多及戊戌撤歸璘所上首級獨多於諸　天將後見明史論東征功以璘為首至於裂土受封中國又何知此為舜臣之功也 擇里志

有僧玉泂者嘗從李統制舜臣在舟師不暫離左右及統制歿仍居忠愍祠構精舍其側守直不廢每手備祭饍以祀之年今八十餘矣自言能以左右鼻出入息定時刻不差云驗之果然蓋非庸僧也又言海上如有警報則統制必先期見夢云豈公之靈尚有未泯者而一片為國之心死而不死也歟 昇平志 下同

李忠武碑在水營邑人前縣監鄭思竣乃統制幕佐專管立碑鰲城府院君李恒福撰同知金玄成書知事金尚容篆

禹致績以府使丁酉七月為元均中軍大敗僅以身免兵使李福男置陣中使立功自效又在李統制舜臣陣立功授舟師助防將

鄭思竣判官承復之子壬辰倭變以本縣主事從李忠武舜臣七戰累破賊艦

李竒俊壬辰倭變以軍資監正從事李忠武幕

戊戌力戰曳橋十月夜戰焚賊船十餘隻十一月露梁之戰手劍擊賊丸中左肩秉憤力戰又斬倭一級以軍功叅宣武原從功其後登武科官至都摠都事

鳴梁在右水營三里之地而水勢悍急波聲轟殷兩邊石山簇立港口甚狹公以鐵索橫截於水中如壺之項賊船到此掛索倒覆者不知其數兩邊巖上釘索之孔至今宛然人皆謂之李忠武設索殺倭處 海南縣志 下同

鳴梁在碧波上流海口甚狹水勢激湍而鳴忠

武公李舜臣破倭於此大捷碑在右水營城外 珍島郡志

雙忠祠在鹿島鎭萬曆丁酉李大源以鹿島鎭萬户死節于損竹島 宣廟朝命立祠壬辰鄭運亦以鹿島鎭萬户死節于沒雲臺忠武公李舜臣馳 啓請與李大源同揭并享 興陽縣志下同

宋大立巡撫使侃之六代孫萬曆壬辰佐忠武公李舜臣幕屢立戰功丁酉死節于尖山之戰事 聞策宣武勳

宋希立大立之弟壬辰倭犯釜山希立時在忠

武公李舜臣幕力請進戰公悅及賊據倭橋希立進獐島截賊往来又移陣大洋決死戰賊退至閑山前洋遂力戰

陳武晟高麗兵部尚書光賢之後善射藝壬辰亂佐忠武公李舜臣幕唐浦之戰累立奇功及晉州被圍忠武公欲探事實無人敢往武晟憤慨請往公修書付之武晟變着倭服至城下縋上以達竟悉事機而還以功錄宣武勳

崔天寶參奉陂之後壬辰亂以大靜縣監佐忠武公李舜臣幕戰死于閑山前洋

鄭運河東人武科屢典郡縣以貞忠報國四字銘劒自誓壬辰亂與統制使李舜臣擊賊大破之忽中丸而死賊相賀曰鄭將軍死餘無足畏 靈巖郡志

古今島前有海南島後有佑將串公之鎭此島也列幟於佑將串虛張軍容積草於海南島覆以藁席隱然為峙粮屯軍之狀賊自外洋望見不知有隱礖之險而長驅大進船多掛觸進退失勢我軍乘機邀擊大破之 康津縣志

府南二十里有水門浦村前洋廣濶中有一島

島有尖山李忠武自折爾島至此島望見倭船數百蔽海而来即以編藁覆尖山以為積穀形而故送小舠於倭陣欺之曰李某於彼島積穀累萬石伏兵累萬人連日習戰倭將聞此言潛送一倭船窺見尖山遂疑而不進下碇列陣至夜深解甲弛備公詗知之掩擊大破之自是浦人名其島曰德粮 長興府志

宋汝悰當壬辰倭亂其父母并死賊鋒不勝哀痛與其弟汝淳募復讎兵同赴統制使李舜臣幕力戰于露梁汝淳戰亡汝悰奏捷參原從功

（昌平縣志）

羅大用以縣令當壬辰亂從李忠武舜臣粧龜船三隻破倭賊有功陞補京畿水使（羅州志下同）

吳得隣爲左水營吏智略過人及壬辰之難忠武李公擢置幕府力戰露梁以軍功免鄕後拜官至掌樂正

萬曆戊戌忠武公留陣于此使鹿島萬戶宋汝悰將八戰船大破倭賊於折爾島前洋而忠武公與陳都督飲酒于運籌堂以首級盡與陳都督（防踏鎭志）

金大仁村氓也勇力絶倫壬辰倭變在李統制舜臣幕下超拜加德僉使（湖南志）

忠武公嘗夜與賊對陣多作草桴列揷三頭炬擧火直前以示掩擊狀賊以爲戰船極力射放矢丸已盡然後進擊大破之（湖南記聞下同）

忠武公嘗在舟師有大櫃浮海而至軍中爭往取來鎖以金鑰漆光爛然諸將請開視公不從卽命鉅之櫃中有搖動叫楚聲血出如縷及剖櫃有刺客懷匕首斷腰而死諸將驚服

忠武公歿於露梁之戰湖南士女莫不却肉掛素當時因而成俗非嫁娶則不服華彩左水營前洋地名無膝項卽公大捷之地耕田者往往得倭劍倭槍鉛丸之屬又紫山港卽公鎖鐵索覆倭船處

閑山島大洋入港口雙谷飮巨浪外視之海若無所與谷若無所容入其中水若抱其內山若經其外此忠武公所以駐營鏖賊之所（巨濟府志下同）

制勝堂在閑山島忠武公李舜臣壬辰奏捷駐兵處　英宗十六年庚申統制使趙儆重建辛巳統制使李泰祥重修泰祥卽公五代孫

忠武公閑山大捷後敗歸倭酋題刻七律一首於巨濟外洋每味島石壁云海蚌乘陽怕水寒鷸禽何事苦相干身離窟穴朱胎損力盡沙灘翠羽殘閉口豈期開口禍入頭雖易出頭難早知俱落漁人手雲水飛潛各自安每味島距統營不遠故老多有目擊者

閑山島有一海港當公大鏖之時賊入此港水斷山阻窮蹙無所歸登陸如蟻附後人因以名之曰蟻項云

三千浦前有一海口公嘗逐倭納諸港而扼其

口賊勢甚窮處鑿山通道而遁其乘夜通道之
際自相戕殺積屍如山刀槍器械無數遺棄至
今人稱其地爲掘梁
府有龍沙公嘗採鐵於此地取爲刀甚剛利至
今採用
權銓輗之孫登武科壬辰亂從統制使李舜臣
露梁之役力戰同死錄勳(安東府志)
金浣 宣廟丁丑登武科壬辰以蛇渡僉使丁
倭亂斬馘甚衆監司李洸 啓褒陞資乙未統
相李舜臣以有調餉功聞于朝除助防將(永川郡志)

吳克成武科縣監壬辰亂赴李忠武舜臣幕以
軍功錄勳(英陽縣志)
縣東南二十里有芳華山山下有白巖村李忠
武舊廬尚存子孫世守焉宅傍有雙杏樹即公
射壇喬柯聳雲磅礴數畝(牙山縣志)
南瑜以羅州牧使壬辰倭難從李統制舜臣轉
鬪南海露梁之間戰亡(海美縣志)
黃世得星州人以 宣廟朝武弁屢遷至長興
府使爲人慷慨有氣節壬辰之亂以蛇梁僉使
從統制使李舜臣於海路搶攘之際公於李公
爲妻從兄李公素知其才器忠亮與之同心戮
力籌策多所諮畫臨陣對敵必賈勇先登碧波
亭古今島之捷輕生奮發效勞居多李公每奬
其忠勇而戒其輕敵(稷山縣志)
李英男倭亂時以僉使兼助防將從李忠武大
捷於珍島又於露梁之戰憤不顧生力鬪以死
天啓辛酉 贈兵曹參判(鎭川縣志)
方德龍登武科倭亂時以樂安郡守爲統制使
李舜臣先鋒戰亡事 聞贈刑曹參議(平澤縣志)
原任直閣臣尹行恁承 命撰次以進 教

以此舉出於尚忠報功旌武彰烈之意宜示
別異令下內帑錢五百緡御營錢五百緡俾
爲印書之費內入頒賜西庫件外各一件分
藏于五處史庫弘文館成均館及順天忠愍
祠海南忠武祠南海忠烈祠統制營忠烈祠
牙山顯忠祠康津遺祠巨濟遺廟咸平月山
祠井邑遺愛祠溫陽忠孝堂鑿梁草廟遂
命開局于芸館檢書官臣柳得恭監印

李忠武公全書卷之十四

영인 이충무공전서

李忠武公全書 影印

초판 1쇄 발행 2023년 6월 16일
초판 2쇄 발행 2023년 9월 20일

기획 | (재)석오문화재단 한국역사연구원

펴낸곳 | (주)태학사
등록 | 제406-2020-000008호
주소 | 경기도 파주시 광인사길 217
전화 | 031-955-7580
전송 | 031-955-0910
전자우편 | thspub@daum.net
홈페이지 | www.thaehaksa.com

편집 | 조윤형 여미숙 고여림
디자인 | 김현주
마케팅 | 김일신
경영지원 | 김영지
인쇄·제책 | 영신사

값 160,000원 (전4권 세트)
ISBN 979-11-6810-178-4 (세트)
ISBN 979-11-6810-179-1 (94910)

책임편집 | 조윤형
표지디자인 | 이영아
본문디자인 | 임경선